Mit unbestechlichem Blick für Frauen, ihre menschlichen Schwächen und das, was man an ihnen lieben muss, zerlegt Eva Menasse die Biografie einer Frau in ihre unterschiedlichen Aspekte. In dreizehn Kapiteln zeigt sie Xane Molin als Mutter und Tochter, als Freundin, Mieterin und Patientin, als flüchtige Bekannte und treulose Ehefrau. Zu Beginn ist Xane vierzehn Jahre alt und erlebt mit ihrer besten Freundin einen dramatischen Sommer. Am Ende ist sie Großmutter und versucht, für den Rest des Lebenswegs das Steuer noch einmal herumzureißen.

Eva Menasse, geboren 1970 in Wien, begann als Journalistin beim österreichischen Nachrichtenmagazin »Profil«. Sie wurde Redakteurin der »Frankfurter Allgemeinen Zeitung« und begleitete den Prozess um den Holocaust-Leugner David Irving in London. Nach einem Aufenthalt in Prag arbeitete sie als Kulturkorrespondentin in Wien. Sie lebt seit 2003 als Publizistin und freie Schriftstellerin in Berlin. Ihr Debütroman »Vienna« sowie ihr Erzählungsband »Lässliche Todsünden« waren bei Kritik und Lesern ein großer Erfolg. Für »Quasikristalle« wurde sie mit dem Heinrich-Böll-Preis der Stadt Köln ausgezeichnet.

Eva Menasse bei btb

Vienna (73253)

Lässliche Todsünden (73989)

EVA
MENASSE

Quasikristalle

ROMAN

btb

Verlagsgruppe Random House FSC® N001967

4. Auflage
Genehmigte Taschenbuchausgabe September 2014
btb Verlag in der Verlagsgruppe Random House GmbH,
Neumarkter Str. 28, 81673 München

Umschlaggestaltung: semper smile, München,
unter Verwendung eines Umschlagentwurfs von Barbara Thoben
Umschlagillustration: Vorlage © Michael Baake (Univ. Bielefeld)
und Uwe Grimm (Open University)
Druck und Einband: GGP Media GmbH, Pößneck
MK · Herstellung: sc
Printed in Germany
ISBN 978-3-442-74721-4

www.btb-verlag.de
www.facebook.com/btbverlag
Besuchen Sie auch unseren LiteraturBlog www.transatlantik.de

Für Michael und meine Freunde

’Tis all in pieces, all coherence gone,
All just supply, and all relation;
Prince, subject, father, son, are things forgot,
For every man alone thinks he hath got
To be a phoenix, and that then can be
None of that kind, of which he is, but he.

Alles in Scherben, ohne Bezug,
hier ist zu wenig und dort nie genug.
Fürst, Diener, Vater, Sohn – gibt’s nicht mehr,
und jeder glaubt für sich allein, er wär’
der Phönix, den’s nur einmal geben kann;
er wär’ als Einziger ein solcher Mann.*

– John Donne, An Anatomy of the World –

* Übersetzung: Joachim Otte

Nichts war einfach, bekannt, sicher, geglaubt, verbürgt.

– Janet Frame –

1 Sommerferien. Seit Wochen hatte Judith das Grundstück ihrer Eltern kaum verlassen, den verwilderten Garten, das riesige, baufällige Haus, das ihre kleine Schwester in einer Mischung aus Dreistigkeit und Unschuld *unsere Villa* nannte. Als Mädchen hatte Judiths Mutter von einem *Schlösschen* geträumt, und Judiths Vater, der sich gerade mit Verve von seinen Eltern losgesagt hatte, weil sie Nazis gewesen waren und es dennoch wagten, seine junge Frau abzulehnen, war so verliebt und kopflos gewesen, mit geliehenem Geld diese Ruine zu kaufen. Weil sie theoretisch Jugendstil war. Aber seither, seit über vierzehn Jahren, wuchs ihm die Renovierung in hinterhältigen Schritten über den Kopf, als wüsste das Haus genau, dass er sich niemals geschlagen geben würde, und verurteilte ihn, den autodidaktischen Bauarbeiter, daher zu lebenslang.

Die Gewissheit, dass es jemals Schule gegeben hatte, löste sich in der Hitze auf. Die hektischen Überlebenskämpfe kurz vor dem Zeugnis nahmen sich von hier, in der Tiefe des Zeitgrabs, genauso schemenhaft aus wie die Aussicht auf den unvermeidlichen Wiederbeginn im Herbst, für dessen kleine Änderungen (Altgriechisch als neues Fach, die schwangere Mathelehrerin und vielleicht als Sensation ein neuer, gewiss wieder verhaltensgestörter Schüler) Judith nur mühsam Interesse hätte heucheln können. Aber es war ohnehin keiner da.

Xane war, anders als sonst, gleich nach Schulschluss nach Frankreich geschickt worden. Und Claudia verbrachte wie jedes Jahr fast die ganzen Ferien bei ihren Großeltern in einem fernen, westlichen Dorf. Judith und Xane wussten genau, dass ihre Briefe über Langeweile und Sehnsucht verschämte Lügen waren, denn Claudia war die geborene Bäuerin, das sah man schon an ihrem Gesicht. Bei jeder längeren Trennung steigerten sich Judith und Xane in eine Claudia-Verachtung hinein, die es eine Weile unmöglich erscheinen ließ, zu Schulbeginn wieder in die alten Gewohnheiten zu schlüpfen, das heißt, Claudia zum anhaltenden Erstaunen von Lehrern und Mitschülern als gutmütigen, dienstbaren Satelliten mit sich herumzuschleppen. Xane und Judith waren ein Amazonenduo, das sich zu blasiert für den Umgang mit dem Fußvolk gab. Keiner wagte es, sich mit ihnen anzulegen. Was Claudia erwarten würde, wenn sie sie fallen ließen, war nicht ganz klar. Aber vermutlich nichts Angenehmes.

Ein guter Kerl, hatte Xanes Mutter einmal über Claudia gesagt, und seither begannen Xane und Judith ihre kurzen, vergifteten Duette oft mit der Frage: Wie es wohl unserem *guten Kerl* geht?

Heute war ich mit der Oma in den Schwammerln, würde zum Beispiel die andere piepsig antworten, eine Ansichtskarte von Claudia aus Volksschulzeiten zitierend. Aber da sie älter und boshafter wurden, sagte inzwischen die Erste, *wahrscheinlich mistet sie den Stall aus*, und die Zweite spann weiter, *und wäscht sich nachher die Haare mit Kernseife*, woraufhin die eine ergänzte, *du meinst, die Schamhaare*, und die andere, schon unter gepresstem Gelächter, antwortete, *hoffentlich wäscht sie nicht ihrem Opa die*

Schamhaare mit Kernseife, denn die beiden hatten vor Kurzem, nur auf Basis eines Fotos, befunden, Claudias Großvater sehe aus wie ein Kinderschänder.

Bisher war es immer gut gegangen, mit der Wiederaufnahme ihrer Beziehungen zu Claudia im Herbst. Dafür gab es Gründe. Zum einen verreiste Xanes Familie normalerweise am Sommerende, und Xane erschien erst direkt zu Schulbeginn wieder. Dann aber war die Luft draußen, und sie schämten sich insgeheim für die Dinge, die sie Wochen zuvor gesagt hatten. Und diese doppelte Scham, nämlich auch die Scham, sich zu schämen, führte dazu, dass das Thema eine Weile tabu war.

Zum anderen bekam man am Schulanfang Claudias Mutter öfter zu sehen. Sie war jung, denn sie hatte Claudia in einem skandalösen Alter bekommen, das ungefähr mit dem Ende ihrer eigenen Schulzeit zusammengefallen sein musste. Dazu war sie hinreißend hübsch, ein ungeschminkter Engel. Und sie war unkompliziert und herzlich, so wie es keine andere ihnen bekannte Mutter war, weil die Mütter ansonsten auf kratzbürstigen Sicherheitsabstand zwischen sich und ihren halbwüchsigen Konkurrentinnen achteten.

Vielleicht – das konnte Judith damals ungenau spüren – war Claudias Mutter, die jeder Lizzie nennen und duzen durfte, der Grund, warum Xane und sie Claudia erduldeten. Aber natürlich lag es auch an Claudia selbst, die sie beide von klein auf kannten, länger als einander.

Claudia war genauso blond und freundlich wie Lizzie, aber bei ihr hatte alles einen Zug ins Grobe. Ihre Nase war im Vergleich mit der ihrer Mutter nur ein winziges bisschen aufgeworfen, sah deshalb aber gleich aus wie ein Schweinerüsselchen; sie wurde, und nicht nur in der Schule, ständig rot, schwitzte leicht, verhaspelte sich beim Sprechen und fuhr sich andauernd durch die Haare, was man denen deutlich ansah. Und während man sich bei Lizzie – oder Frau Denneberg – wie in einem heiteren französischen Film fühlte, wenn sie einem eiskalte Melonenstückchen in den Holundersaft tat, so empfanden die Mädchen Claudias Gastfreundschaft, deren Pfeiler Vollkornkekse und eine selbstgetöpferte Teekanne waren, als plump und belastend. An Claudia war das Drama der schlechten Kopie zu besichtigen. Das verstand Judith erst als Erwachsene. Damals machte es Xane und sie einfach aggressiv, dass Claudia nicht nur jedes Talent fehlte, sondern auch die mindeste Fähigkeit zur Verstellung.

Aber deshalb beschützten sie sie. Sie, von denen man annehmen hätte können, dass sie dieses warmherzige, ungeschickte, nach sämtlichen Jugendstandards immens peinliche Mädchen quälen oder zumindest kalt verachten müssten, hatten es vor langer Zeit zur Freundin erklärt. Die Richtung gab die bewunderte Lizzie Denneberg vor, die ihre Tochter mit der unerschütterlichen Nachsicht einer Kindergärtnerin behandelte und von der sie damals glaubten, dass diese insgeheim unter Claudias Begriffsstutzigkeit ebenso leide wie sie.

Und schließlich waren sie in die Verstrickungen mit Claudia schon vor langer Zeit hineingeraten, in einem Zustand kindlicher Unschuld. Judith kannte Claudia seit dem ersten Schultag, und Xane, die in eine andere Volksschule gegangen war, wohnte im selben Haus.

Am ersten Schultag, dem Fest der geschmückten Schultüten, hatte Judiths Mutter wieder einmal die Haare ihrer Tochter verleugnen wollen. Sie begann frühmorgens mit der Prozedur, die kaltes Wasser, Zitronensaft, scharfe Kämme und ein Brenneisen erforderte. Judith schrie und tobte, ihrer Mutter rutschte mehrmals die Hand aus, wie man die Ohrfeigen damals nannte, das Kleid wurde schmutzig, weil Judith sich zwischendurch am Boden wälzte, und das Seidentuch, das als überbreites Band ihre Haare niederhalten sollte, passte farblich nicht zum einzigen Ersatzkleid. Im Auto hielt Judith ihren malträtierten Kopf unter der Jacke versteckt, Judiths Mutter weinte lautlos, Judiths Vater spielte den unbeteiligten Chauffeur. Als sie bei der Schule vorfuhren, wo sich herausgeputzte Kinder den väterlichen Kameras präsentierten, hatte die dreijährige Salome unbemerkt einen Großteil von Judiths Süßigkeiten verschlungen und übergab sich gleich nach dem Aussteigen auf dem Gehsteig.

Judith hatte ihre halbleere Schultüte, von der die Papiergirlanden in Fetzen hingen, mit kerzengeradem Rücken weg von ihrer Familie in das Schulhaus hineingetragen, in einen Klassenraum, der noch nach Farbe roch. Sie überhörte tapfer das erste Pippi-Langstrumpf-Gezischel. Doch als sie von der Lehrerin ermuntert wurde, mehrere vorgedruckte Birnen anzumalen, die ihr persönliches Symbol für Kleiderhaken, Hausschuh-Fach und alle Schulbücher sein würden, jedenfalls so lange, bis sie lesen und schreiben konnte, und sie dabei feststellte, dass ihr Federpennal anscheinend, als weiteres Opfer des Haar-Dramas, zu Hause vergessen worden war, begannen die Tränen zu fließen. Da stupste eine kleine Blonde ihren Unterarm an, schob ihr ein Taschentuch hin, teilte alle Buntstifte mit ihr und flüsterte später, als sie wieder hinaus, zu ihren wartenden Familien entlassen waren: Deine Haare sind so schön. Darf ich sie angreifen?

Judith nickte, Claudia streichelte ihr vorsichtig den Kopf, den Mund vor Anspannung halb offen, und sagte staunend: Wie rote Zuckerwatte.

Das war der Anfang.

Xanes erste Begegnung mit Claudia war angeblich in den Nebeln der Kindheit versunken. Judith unterstellte ihr, etwas zu verheimlichen. Aber Xane schien sich wirklich an nichts Besonderes zu erinnern und behauptete, Judith um die klar zuordenbare Geschichte mit der Zuckerwatte zu beneiden, übrigens die einzige gute Formulierung, die man je von Claudia gehört hatte. In Deutsch war sie später eine Doppelnull, noch schlimmer als in den anderen Fächern, von Biologie und Zeichnen abgesehen.

Kurz bevor sie ins Gymnasium kamen, hatten sie sich zum ersten Mal zu dritt getroffen. Lizzie Denneberg wollte die beiden Freundinnen ihrer Tochter miteinander bekannt machen, da sie alle in dieselbe Klasse kommen würden. Lizzie lud auch die Mütter ein. Xanes Mutter war an diesem Tag beim Friseur gewesen und sah obenherum etwas überdimensioniert aus, besonders im Vergleich mit Frau Dennebergs jugendlichem Pferdeschwanz. Sie versuchte diesen Nachteil mit sprudelndem Lob für Lizzies Blumenbalkon zu überspielen. Die Schüchternheit von Judiths Mutter hielten die beiden für vornehme Zurückhaltung. Immerhin war sie gerade für eine Weile gesund.

Als die Mütter Kaffee tranken, verzogen sich die Mädchen ins Kinderzimmer. Claudia wollte Blumen aus Seidenpapier basteln und legte ihre bunten Papierbogen, den Blumendraht, die Scheren und das Klebeband in einer, wie sie meinte, unwiderstehlichen Reihe auf dem Fußboden aus. Judith und Xane starrten einander an wie vom Blitz getroffen. Sie hatten beide eine Art zweite Claudia und einen dementsprechend kindischen Nachmittag erwartet. Und nun waren sie entzückt, wegen der ungeahnten neuen Möglichkeiten, aber auch verwirrt wegen ihrer

Verpflichtungen gegenüber Claudia, die nichtsahnend zum fünften Rad am Wagen geworden war.

In jenem Sommer, bevor sie in die Oberstufe kamen, war alles anders als in den Jahren zuvor. Xanes Eltern hatten den Familienurlaub aus irgendwelchen Gründen streichen müssen, und Xane war, wie Claudia, sofort nach Schulschluss von einem unbekannten Ort verschluckt worden. Sie blieb länger weg, als Judith erwartet hatte. Als sie endlich anrief, gestand sie unter viel Gekicher und verräterischen Abschweifungen, dass sie auf dem Rückweg noch ein paar Tage bei Claudia vorbeigeschaut habe.

Ein paar Tage, wiederholte Judith langsam, wie lange genau?

Aber Xane tat, als würde sie das nicht mehr wissen, warte mal, sagte sie, ich bin am Sonntag von Nizza weg, also war ich am Montag – oder nein, ich glaube, es war erst Montag, als ich …

Vergiss es, sagte Judith, ist nicht so wichtig. Xanes Stimme klang so falsch wie ihre Geschichte, die undenkbar war bei ihren wohlorganisierten Eltern, und bei Claudias Großeltern sowieso, über die Claudia immer klagte, sie seien so streng. Aber dass Xane und Claudia schon vor den Ferien gewusst haben sollen, dass sie sich in jenem Dorf wiedersehen würden, nur sie beide, ohne Judith, hinter Judiths Rücken, das konnte sie sich noch weniger vorstellen. Und deshalb musste sie Xane sehen, so schnell wie möglich, und lud sie einfach für ein paar Tage ein, vereinbarte Datum und Uhrzeit, ohne um Erlaubnis gefragt zu haben.

Du hast *was* gemacht, zischte ihr Vater, du blödes, gedankenloses, egoistisches Stück …

Judith hatte vorsichtshalber zu weinen begonnen, ehe sie zu ihm gegangen war, in das Gartenhaus, in das er seit Wochen eine Sauna einzubauen versuchte. Von ihrer Mutter war zurzeit kaum etwas zu sehen, nur manchmal hörte Judith nachts, im Halbschlaf, dass sie mit dem Hund das Haus verließ.

Der Vater stand vor ihr, in einer staubigen Arbeitshose, das Gesicht ein unscharfer hellerer Fleck vor dem Hintergrund. Sie zog den Kopf ein und hob die Ellbogen vors Gesicht, er legte den Schlagbohrer hin, mit einer zarten, beinahe nachdenklichen Bewegung, aber dann war er schon bei ihr und schlug zu. Judith ließ sich fallen und umklammerte seine Knöchel. Sie schrie, bettelte und wimmerte, aber das alles war längst ein Programm, das in ihr ablief, eine Rolle, die dafür sorgte, dass sie so gut wie unempfindlich wurde. Es war, wie im Meer von ein oder zwei Wellen überrollt zu werden. Man wusste ungefähr, dass man nicht länger unter Wasser gedrückt würde, als man maximal die Luft anhalten konnte. Genauso, wie sie wusste, dass sie die Zähne fest zusammenbeißen, die Nackenmuskeln aber möglichst locker lassen musste, wenn der Vater zum Schluss mitten in ihre Haare greifen und ihren Kopf ein paar Mal hin- und herschütteln würde. Da er durch ihre Büßerinnenhaltung raffiniert an den Beinen behindert war, konnte er ihr ja sonst gar nicht richtig wehtun. Bei einer solchen Gelegenheit hatte sie sich einmal beinahe ein Stück Zunge abgebissen und war danach zum ersten Mal über das eigene Spiegelbild erschrocken, sein Handabdruck samt Ehering fast komplett im Gesicht und all das Blut, das noch lange in ihren Mund lief. Als er mit beiden Händen in ihren Haaren war, ließ sie seine Beine los und rollte sich wie ein Igel zusammen. Dann kam ein Tritt, und noch einer, und dann war es vorbei.

Er saß auf einem Haufen Ytongsteine, das Gesicht in den Händen. Als er wieder aufsah, hätte er einem fast leidtun können, auch wenn sie gleichzeitig davon träumte, ihm den Schlagbohrer durch die Kniescheibe zu drillen. Du weißt doch ..., murmelte er und deutete mit der Hand ins Ungefähre, du kannst nicht einfach ...

Judith setzte sich auf. Sie bemühte sich, noch ein bisschen zu schluchzen und die Nase aufzuziehen.

Papa, ich hab nicht ... Xane war in jeden Ferien da ... soll ich wieder absagen?

Ihr Vater schüttelte den Kopf und stöhnte. Und genau darauf hatte sie gezählt. Deshalb war es einerseits ihre einzige Möglichkeit gewesen und andererseits ein so großes Verbrechen: Es mussten Tatsachen geschaffen werden, weil ihr Vater sein Gesicht nicht verlieren konnte. Nicht nur beim Schlagen war er verlässlich. Wenn Judith Xane eingeladen hatte, konnte man nicht zurück. Xane war immer willkommen. Xanes Vater war ein bekannter Mann. Judiths Vater würde sein Gesicht nicht verlieren. Mehr war ihm kaum geblieben.

Denk dir halt was aus, sagte er, und Judith nickte. Aber mach das nicht noch einmal, sonst bring ich dich um.

Seit sie Xane kannte, kam Judith viel besser mit sich selbst zurecht. Früher hatte sie niemanden nach Hause eingeladen, hatte behauptet, dass sie von den fremden Kindern keines leiden konnte. Ihre Eltern irritierte das nicht. Die anderen Kinder blieben in dem Glauben, dass das Haus von Judiths Eltern nicht nur zu weit weg, sondern auch zu vornehm sei, als dass sie mit ihren Rotznasen und Schokoladefingern als Besucher in Frage kämen. Als ihre Schwester drei Jahre später in dieselbe Schule kam, verdichteten sich die Hinweise auf ein irgendwie exzentrisches Leben der Baer-Mädchen, weil Salome immer von *unserer Villa* sprach, genauso wie sie die Bäckerei ihrer Eltern als *unsere Konditorei* bezeichnete.

Die meisten Kinder kannten die Bäckerei Baer, die in der Nähe der Schule lag. Sie hieß vor allem wegen der hübschen Alliteration so, denn sie hatte durchaus gehobenen Anspruch. Man konnte auch sitzen und Kaffee trinken. Als Gesamtkunstwerk im Stil der Zwanzigerjahre wehrte sie sich wie Asterix gegen die Ankerbrot- und Aida-Filialen, von denen sie umzingelt war. *Konditorei* schien dafür keine Übertreibung zu sein. Deshalb glaubten die Kinder auch die Villa.

Doch Judith hatte nie jemanden nach Hause eingeladen, weil sie sich für die Betonmischmaschine vor der Haustür schämte, für das rot-weiße Absperrband vor dem unbenutzbaren zweiten Stock, und dafür, dass sie nicht einmal ein richtiges Bad hatten. Es gab nur eine Wanne mit Löwenfüßen, die in der Küche stand und in der ihre Mutter früher den ganzen Sonntagvormittag im warmen Wasser gelegen war und Arien gesungen hatte. Damals hatte ihr Vater noch gelächelt, bevor er zu seinen endlosen Bauarbeiten ging, für die er, wie er später murrte, ein paar Söhne gebrauchen hätte können.

Judith sehnte sich nach der Art Zuhause, wie es Xane hatte, einer spießigen Neubauschachtel voller Verlässlichkeit. Aber Xane war hingerissen gewesen, das hatte Judith sofort erkannt, an ihrer ungewöhnlich blöden Bemerkung – Pippi wohnt wirklich in der Villa Kunterbunt –, ebenso wie an ihrem Gesicht. Xanes ironische Distanz, das, was sie in Judiths Augen nicht nur anziehend, sondern auch gefährlich machte, verschwand für eine Weile, wenn sie Judith besuchte. Sie sah dann beinahe so glücklich aus wie sonst nur Claudia, wenn ihr eine Papierblume gelungen war.

Wenn Xane da war, vergaß Judith die Baumaschinen und die abblätternden Türrahmen. Xane wunderte sich nicht darüber, dass der Raum mit dem alten Flügel und dem ausgetretenen Sternparkett, in dem Judiths Mutter früher gesungen und getanzt hatte, ›gelber Salon‹ genannt wurde, und sie merkte sich, dass es theoretisch auch einen blauen Salon gab, der zurzeit als Lager für Werkzeuge und Farbkübel benutzt wurde. Bei uns zu Hause gibt es nur Zimmer, sagte Xane, rümpfte die Nase und stürzte sich kreischend, mit ausgebreiteten Armen, die Vortreppe hinunter, in den Garten hinein.

Als Xane aus dem Bus stieg, sah sie fremd aus, die Haare kürzer, die Haut gebräunt, und als Ganzes noch schmaler und größer. Dabei waren es nur ein paar Wochen gewesen. In der Hand hielt sie einen Brief, den sie anscheinend gerade geschrieben hatte. Judith tat so, als ob sie nicht wüsste, wo die nächste Trafik war. Das war weniger gelogen als eine Weigerung, nachzudenken. Als Xane insistierte – komm schon, du wohnst hier –, wurde sie bockig, sagte nichts mehr und schoss eine leere Dose ins Gebüsch. Xane zuckte die Schultern und fragte einen Passanten.

Als sie die Briefmarke hatten, fragte Judith wie nebenbei nach dem Empfänger. Xanes Einsilbigkeit konnte ja auch das Gegenteil bedeuten, dass sie nämlich darum bettelte, gefragt zu werden. Doch hochnäsig kam zurück: Kennst du nicht.

Ich wollt nur wissen, ob du schon stirbst vor Sehnsucht nach unserer Mitzi Keuschli, stichelte Judith, und Xane stutzte und begann zu lachen.

Mitzi Keuschli, wiederholte sie, das ist ja gut! Wann ist dir das denn eingefallen? Du, unsere Mitzi kann schon melken, sie hat es mir gezeigt, nur den Trick aus ›Heidi‹, mit in den Mund spritzen, den übt sie noch.

In den Mund spritzen, quiekte Judith, bist du grauslich, und dann lachten sie und sprachen von Claudia nur noch als Mitzi Keuschli und darüber, ob sie wohl ihre blonden Schamhaare zu Zöpfen flechten konnte, und das, als alter dünner Klebstoff, musste eben vorläufig genügen.

Die Tage mit Xane vergingen kaum anders als vorher. Trotzdem fühlte Judith sich irgendwie gesichert, nicht nur stabiler, sondern auch weiter weg, wie ein Boot in fremdem Hafen. Abends blieben sie lange auf und spielten ihre paar Schallplatten, dann schliefen sie in den Vormittag hinein, lagen später im Garten, warfen mit Steinen auf die Regentonne und unternahmen einen halbherzigen Versuch, ein Baumhaus zu bauen.

Mit Judiths Vater war Xane immer gut zurechtgekommen; ihm gegenüber benahm sie sich wie ein Ausbund an Vernunft und Erwachsenheit. Wenn sie sich unterhielten, kamen sie Judith fast feindlich vor, diese beiden, die einen intakten Abstand zueinander hatten und deshalb so zivilisiert miteinander sprechen konnten wie programmierte Puppen. Sie dagegen war verwickelt, mit dem einen wie der anderen, da bekam alles eine Bedeutung, der Ton, der Ausdruck, und auch das, was fehlte.

Die Sache mit Mama wurde Xane beiläufig mitgeteilt. Judith bemerkte wieder einmal, wie sehr sie es genoss, andere lügen zu hören. Ach, übrigens, sagte Papa bei einem legeren Imbiss im Garten mit Semmeln und Würsteln und betrachtete dabei nicht Xane, sondern seine Tochter so interessiert, als hätte sie ein neues Gesicht, ich weiß nicht, ob Judith es dir schon erzählt hat, aber ihre Mutter ist ein bisschen überarbeitet. Am besten lasst ihr sie in Ruhe.

Kein Problem, sagte Xane lässig, während sie mit ihrem Würstel Kreise durch den Senf zog, wir halten uns im Hintergrund.

Super, dein Vater, sagte sie später, und wo steckt deine Mutter die ganze Zeit?

Wahrscheinlich im Bett, sagte Judith. Sie geht dafür in der Nacht spazieren.

Das braucht sie sicher, als Erholung, sinnierte Xane, vollkommen zufrieden mit sich und ihrem Einfühlungsvermögen: diese Freiheit, den Rhythmus total umzudrehen. Und Judith dachte, halt du einfach den Mund.

Sie lagen nebeneinander, quer in einer muffigen Hängematte, die Füße im Gras, und rauchten. Judith stahl ihrem Vater Zigaretten aus den Päckchen, die überall herumlagen, und nahm an, dass er das sogar wusste. Sie hortete sie im Garten, in einer gelben Blechdose mit Mohrenkopf, deren Versteck regelmäßig wechselte. Xane rauchte bemüht und unsouverän. Ihr Filter war immer feucht, sie spreizte den kleinen Finger unnatürlich ab wie alte Weiber beim Teetrinken und hüstelte.

Eigentlich darf ich gar nicht rauchen, sagte sie und schnippte den Stummel in einen Busch.

Glaubst du, ich darf, fragte Judith und zündete sich die Nächste an der vorherigen an.

Ich hab als Kind Lungenentzündung gehabt, sagte Xane, da wäre ich fast dran gestorben.

Judith schwieg.

Deswegen sind wir immer im Mai ans Meer gefahren.

Ich hab geglaubt, ihr seid im Mai gefahren, weil deine Eltern nicht fahren wollten, wenn alles voll ist?

Deswegen auch. Aber vor allem wegen meiner Lunge. Die salzige Luft im Frühling. Der Arzt hat gesagt, rauchen sollte sie später halt nie. Ich war alle paar Wochen beim Schleimabsaugen, da haben sie mir so eine Maske aufgesetzt, Lachgas, glaube ich, ich habe geheult und geschrien und den Kopf weggedreht, das war so was von brutal. Sie ließ den Satz ohne Abschluss in der Luft hängen.

Nicht weinen, sagte Judith.

Xane sprang auf und trat gegen die Hängematte. Geh scheißen, sagte sie und verschwand.

Nach einer Weile erhob sich auch Judith und spähte um die Ecke. Xane saß am Gartentisch und schrieb. Wahrscheinlich der nächste Brief. Judith beschloss, sich aus ihrem Zimmer ein Buch zu holen. Im Haus war es still und kühl. Die Tür zum gelben Salon, in den der Vater ein großes, hohes Bett für die Mutter stellen hatte müssen, war weiterhin geschlossen.

Judith ging in ihr Zimmer und hockte sich auf den Boden. Sie wühlte unentschlossen in ihren Sachen herum, betrachtete Bücher, zog ein paar Fotos heraus und kniete plötzlich vor Xanes Reisetasche.

Die Briefe waren nicht großartig versteckt, nur ganz unten, sodass man die Hand an der Taschenwand entlang bis zum Boden schieben musste. Und sie tat auch nichts anderes, als einen Blick auf den Absender zu werfen. Dann steckte sie die Briefe zurück und ging wieder hinaus, in die Hängematte.

Irgendwann kam Xane zurück. Ich glaub, ich rauch noch eine, sagte sie.

Judith hielt ihr die Mohrendose hin.

Dein Vater hat gerade gesagt, ich soll ihn ruhig duzen, sagte Xane und kicherte, das finde ich aber komisch: Heinz…

Tom ist natürlich viel schöner, sagte Judith, aber wahrscheinlich heißt er eh nur einfach Thomas?

Xanes Gesichtsausdruck erschreckte sie, und sie hätte es gerne zurückgenommen. Aber wenn man etwas begonnen hat, muss man es fertig machen, sonst bricht alles zusammen, das predigte ihr Vater immer, auch wenn man viel Geduld braucht, gerade mit einem so anspruchsvollen Objekt, das erst mehr verlangt, dann aber viel mehr können wird, ihr werdet schon sehen, das alles ist eine Investition in die Zukunft.

Xane stand vor ihr, eine Hand zur Faust geballt, in der anderen die unangezündete Zigarette.

Hau mich ruhig, sagte Judith leise, du kannst mich gern hauen, aber ich hab sie nicht gelesen, das schwöre ich dir.

Xane stand und starrte.

Feuer, fragte Judith und musste beinahe lachen. So ging es ihr leider oft, auch wenn ihre Mutter schimpfte und schluchzte, aus keinem ersichtlichen Grund, und wenn sie drohte, sie werde alles dem Vater erzählen, am Abend, und der werde es ihr schon zeigen, das wisse sie genau, wenn es ihr so schlecht gehe, könne Judith sich nicht aufführen wie ..., und dann gingen der Mutter manchmal die Worte aus und sie warf mit irgendetwas, einmal sogar mit einem Topf, aber nicht mit dem heißen, und bei solchen Gelegenheiten musste Judith manchmal lachen, obwohl es die Lage nie verbesserte, im Gegenteil, aber sie rechnete sich das immerhin als Ehrlichkeit an.

Xane drehte sich um und sagte im Weggehen, bin gleich wieder da, und sie war so schnell zurück, dass Judith meinte, sie habe in der Zwischenzeit höchstens einmal an der Zigarette gezogen, irgendwie magisch. Zurück kam sie mit den drei Briefen und warf sie ihr hin, du kannst sie gerne lesen, lies sie halt, doch Judith wollte nicht, um nichts in der Welt wollte sie jetzt das, wovor sie sich zwanzig Minuten vorher nur mühsam hatte bewahren können, ich will nicht, das interessiert mich nicht, behalt deine Briefe, oder erzähl mir halt, was drinsteht, wer ist der Typ überhaupt?

Und von da an wurde endgültig alles anders, vollkommen anders, aber nicht besser.

Von da an ließ Xane alle Gefühle strömen, immer wieder, in süßlichen Sturzbächen: wie sie diesen Tom in Frankreich kennengelernt hatte, wie er aussah, was er zu ihr gesagt hatte, dass er einmal ihre Hand genommen hatte, und die besten Passagen seiner Briefe konnte auch Judith bald auswendig. Am Anfang fand sie es ebenfalls *unglaublich*, dass Tom aus einem Ort in der Nähe von Claudias Großeltern stammte, und *total genial*, wie Xane ihre Eltern überredet und sich bei Claudia selbst eingeladen hatte. Am Anfang war sie von der Geschichte mitgerissen, aus Erleichterung, weil Xane nicht zu Claudia übergelaufen war, und aus juckender Neugier, da sie selbst bisher erst zwei Arten von Männern begegnet war, den Buben aus der Klasse, die noch mit Schlümpfen spielten, und ihrem Vater, diesem pathetischen Schläger.

Aber bald ging es ihr tödlich auf die Nerven. Die einzigen Momente, wo Xane nicht von Tom sprechen, tiefsinnige Überlegungen bezüglich Toms Charakter anstellen und ihre eigenen Gefühle in immer schillerndere Einzelteile zerlegen konnte, waren die Fahrten mit Salome und dem Vater zum Großmarkt. Für Judith war das ein Unterschied wie zwischen Pest und Cholera. Denn ihr Vater, der nicht mehr an die Erholung seiner Frau glauben mochte, verlangte, dass die Mädchen beim Einkaufen und Essenmachen halfen. Und Xane fand das allen Ernstes *in-*

teressant. Zwar saß sie im Auto freiwillig hinten, damit Judith und Salome getrennt waren, aber abends ließ sie sich von ihrem neuen Freund Heinz beibringen, wie man Nudeln kochte oder Reis, sie rührte mit ihm Salatsoßen und benahm sich in jeder Hinsicht wie das Prämienmodell aus dem Tochterkatalog. Wenn die Schwestern beim Zähneputzen stritten, bis Judith brüllte und Salome biss, vermittelte Xane mit makelloser Fairness, schien aber insgeheim, genau wie der Vater, der Meinung zu sein, dass Judith übertreibe. Zur Strafe für alle, auch für sich selbst, ging Judith dazu über, nicht mehr *Papa* zu sagen, und so hatte nur noch Salome einen Papa, und die großen Mädchen hatten einen Heinz, der ihnen abends sogar einen Schluck Wein erlaubte.

Tom hatte Xane ausgelacht, als er hörte, dass sie im Herbst mit Altgriechisch beginnen würde. Damit, hatte er gesagt, könne man ja nicht einmal in Griechenland Kellner werden. Xane erhob den blöden Spruch zum Gesetz. Sie benutzte ihn auch gegenüber Judiths Vater, hier natürlich als ihre eigene Schöpfung, und ihre hohen Wangenknochen färbten sich unter Judiths Blick. Sie verließ sich auf Judith, und Judith fragte sich, wieso.

Heinz blieb gelassen, er hatte selbst Altgriechisch gehabt, und ein paar Jahrgänge vor ihm hatte man sogar Hebräisch gelernt. Dass man als Bäcker weder Platon noch Homer brauche, könne er bestätigen, sagte er mit ironischem Lächeln, andererseits habe nicht jedes Wissen einen direkten Nutzen. Man übe das Denken, so wie ein Sportler seine Kondition stärke. Als er Judiths Mutter begegnete, studierte er Bratsche und Komposition, doch davon hatten seine Töchter damals keinen Schimmer.

Ich bin sicher, er erlaubt es, flüsterte Xane am Abend,

als sie in den Betten lagen. Sie war von ihrem geheimen Plan, in letzter Minute gemeinsam die Schule zu wechseln, inzwischen genauso besessen wie von diesem Tom.

Wahrscheinlich erlaubt er mir alles, was du darfst, antwortete Judith und war sich keineswegs sicher. Sie fühlte sich außerstande, an die Schule auch nur zu denken, sie konnte keine Entscheidung treffen, sie hatte weder Kraft noch Eile. Sie wollte es laufen lassen, selbst wenn das am Ende Altgriechisch hieß und sie schon in Latein keine Leuchte war. Sie wollte weiter mit Claudia und Xane in die Schule gehen und nachher mit beiden oder einer von beiden für die Hausübungen in die Bäckerei, Vokabeln lernen, Kakao und Kipferl, und es war ihr sowieso egal, was man sie, wo auch immer, zu lernen zwang. Sie wollte bestimmt nicht ohne Xane, nur mit Claudia und Altgriechisch zurückbleiben, aber Claudia alleinzulassen schien ihr auch nicht okay. Sie hasste diesen Tom, das war die einzige Gewissheit, die sie aber verbergen musste. Am liebsten wäre ihr ein endloser Sommer gewesen, mit Xane und den Zigaretten hinten im Garten und abends die Schallplatten, und vielleicht würde Xane irgendwann aufhören, Briefe zu schreiben, und noch später würde etwas passieren oder auch nicht, und eines Tages wäre trotzdem, wie von selbst, klar, wie es weitergehen sollte.

Wirst du mit ihm schlafen, fragte sie, ohne zu flüstern, in die Dunkelheit.

Judith! Spinnst du?!

Wieso? Da denkst du sicher drüber nach.

Nein, da denk ich nicht drüber nach! Das kann ich mir überhaupt nicht vorstellen, und außerdem geht es mir nicht darum, aber das verstehst du sowieso nicht.

Vielleicht geht es ihm ja darum, sagte Judith und grinste, ohne dabei gesehen zu werden.

So ist er nicht, zischte Xane, was weißt denn du. Halt einfach den Mund.

Judith wurde mitten in der Nacht von Geräuschen geweckt, denen sie im Aufwachen ratlos nachlauschte. Als sie ihr Zimmer verließ, kam ihr im Dunkeln Salome entgegen. Mit nackten Füßen, Hand in Hand, folgten sie dem Lärm nach unten bis vor die angelehnte Küchentür. Durch den Spalt beobachteten sie ihre Mutter, die in der Wanne saß, mit den Händen aufs Wasser patschte, spritzte und lachte und sang, manchmal schrie sie etwas, doch die Kinder verstanden es nicht. Ihr Vater stand davor, mit ausgebreitetem Handtuch, ein tragischer Torero, und bettelte. Zwischendurch setzte er sich an den Tisch, das Handtuch über den Knien, stützte die Ellbogen auf und schüttelte den Kopf in den Händen. Einmal stand er schnell auf, ließ das Handtuch zu Boden gleiten, eilte mit großen Schritten zu ihr und packte sie am Oberarm. Salome drückte Judiths Hand fester. Aber die Mutter lachte nur, sie warf den Kopf in den Nacken und schüttelte ihn blitzschnell hin und her, dass die Haare flogen wie ein nasser Pelz, und sie lachte dabei tief und unheimlich, so ähnlich wie ihr Hund die Tauben anbellte. Allmählich wurde sie leiser, weniger aufgeregt, aber bevor sie zu weinen begann, zog Judith Salome von der Tür fort, und sie schlichen zurück in ihr Zimmer. Dort brannte inzwischen Licht. Xane saß quer im Bett, mit dem Rücken zur Wand, und schaute erschrocken. Was ist los, fragte sie, während in der Küche Glas splitterte, ist etwas passiert, und da musste Judith wieder lachen.

Aber nein, sagte sie mit dem verbindlichsten Gesichtsausdruck, zu dem sie fähig war, während sie für ihre kleine Schwester die Bettdecke hob, die Mama badet halt manchmal mitten in der Nacht, das ist ganz normal, frag Salome. Und Salome nickte eifrig und wiederholte, sie badet, die Mama badet jetzt nur, und schlüpfte in Judiths Bett, schob sich an ihr vorbei, dicht an die Wand, rollte sich dort ein und schlief.

Am nächsten Tag stand Mama in der Küche, blass und duftend, und kochte Marmelade ein. Xane, sagte sie und lächelte mit zur Seite gelegtem Kopf, dass man sie umarmen hätte mögen, immer größer, immer hübscher – geht's dir gut? Habt ihr's schön, ihr zwei? Und Xane nickte und schien beruhigt und ging ihr natürlich gleich mit den Unmengen an Zwetschken und Marillen zur Hand, die Heinz wohl in aller Herrgottsfrühe vom Großmarkt geholt hatte. Die rituelle Frage, ob sie sich auf die Schule freue, nutzte Xane sofort dazu, ihre Altgriechisch-Zweifel auszubreiten, sie ging sogar so weit, zu gestehen, dass man sich noch bis kurz vor Schulbeginn in einer anderen Schule anmelden könne, dass sie das herausgefunden habe, aber Mama lächelte nur, wie benommen vom Fruchtgeruch, und murmelte abwehrend, sie wisse nicht, davon verstehe sie zu wenig, um ihr raten zu können, und Judith wäre gewiss sehr traurig, wenn Xane die Schule verließe. Und sie selbst übrigens auch.

Judith schaute, dass sie davonkam.

Später, als Salome und sie sich verkeilt am Boden wälzten, kamen die beiden angerannt wie ein Einsatzkommando. Mama hatte nicht einmal das Obstmesser weggelegt. Als Salome sie sah, schwoll ihr grässliches Kreischen ins Fortissimo an, sie boxte und trat, als gäbe es vor Publikum Extrapunkte. Es gelang ihr, sich loszureißen, und sie stürzte zu ihrer Mutter. Als sie die Arme um sie schlang, hob diese nur abwehrend die Ellenbogen und ließ sich festhalten. Ihre Hände waren wahrscheinlich klebrig vom Einkochen.

Judith setzte sich auf.

Sie hat in mein Bett gemacht, sagte sie und zeigte auf die zerwühlten Decken. Und jetzt will sie es nicht neu überziehen.

Das stimmt nicht, heulte Salome, ich hab nur Wasser ausgeschüttet. Judith zog das Leintuch zu sich her, knüllte es zusammen und warf es in ihre Richtung: Beweis es mir, indem du daran schleckst.

Ihre Mutter lehnte im Türrahmen und sagte nichts. Noch immer hielt sie, wie ein fluchtbereiter Vogel, die Arme von ihrer jüngeren Tochter weg und in die Höhe, in einer Hand das Messer.

Xane hob das Leintuch auf. Wo gibt's ein neues, fragte sie, und Judith sah sie böse an und sagte: Der Wäschekasten ist im blauen Salon. Xane floh und hatte wohl Mühe, das Richtige zu finden, denn als sie endlich zurückkam, flocht Judith Salome einen Zopf, und Salome hielt ihre Schachtel mit den bunten Tüchern auf dem Schoß, von denen sie unbedingt eines Xane und eines ihrer Schwester schenken wollte. Durch das Haus zog Obstgeruch.

In diesen Tagen rief immer wieder Claudia an, doch im Hause Baer ging man selten zum Telefon. Der Vater war meistens zu weit weg und zu geräuschvoll beschäftigt, die großen Mädchen trieben sich, wenn sie nicht in den Weinbergen spazierengingen, weit hinten auf dem Grundstück herum, die Mutter wich dem Apparat aus wie jedem anderen Fremden, und so antwortete, wenn überhaupt, Salome, die oft in der Küche saß und malte. Wie alle Elfjährigen hatte Salome ein schlechtes Gedächtnis. Deshalb richtete sie Claudias Botschaft, dass sie zurück sei und

Judith und Xane unbedingt treffen wolle, nicht nur zu spät aus, sondern auch ohne leidenschaftliches Drängen.

Die Keuschli hat ihre Ziegen und Kühe im Stich gelassen, sagte Judith träge, während sie in der Hängematte schaukelte, und Xane stöhnte: Jetzt ist ihr natürlich fad.

Sie konnten sie nicht gebrauchen, nicht gerade jetzt. Judith hatte schon mit dem körperlosen Tom, der ihr einen beträchtlichen Anteil an Xane stahl, genug zu kämpfen, und Xane brütete über der besten Strategie für den Schulwechsel. Da war Claudia ein unsicherer und gerne vernachlässigter Faktor. Aber wie die Erbse im Bett der Prinzessin schien es sie zu drücken, das wiederkehrende Läuten des Telefons, das sie hie und da hörten, wenn die Fenster der Villa offenstanden, Heinz nicht bohrte oder sägte und der Wind aus der richtigen Richtung kam.

Judith wollte unbedingt Shit kaufen; oben bei den Heurigen war sie einmal von einem Burschen angesprochen worden. Auf seiner Handfläche, die er ihr sekundenkurz zeigte, hatten Aluminiumkügelchen geglitzert, von denen sie sich einiges versprach. Xane vermied das Thema, so gut es ging; wenn Judith sie direkt darauf ansprach – kommst du jetzt mit oder nicht? Ich geh auch allein! –, behauptete sie, sie fände es schade ums Geld. Wahrscheinlich war sie von der Anti-Drogen-Propaganda ihrer Eltern paralysiert und stellte sich vor, dass sie durch die Welt taumeln würde wie eine Hypnotisierte und nicht im Geringsten mehr wüsste, was sie sagte oder tat. Zur Ablenkung maulte sie, dass sie das für kindisch halte, ein teures, wirkungsloses Spielzeug für solche, die allein auf die Verlockung von Verboten hereinfielen.

Eines Morgens setzte Judith fest, dass sie an diesem

Tag, unabänderlich, das Zeug kaufen und rauchen werde. Widerwillig kam Xane mit.

Auf dem Weg nach oben, kurz vor den Heurigen und dem Prominentenrestaurant, wo sie den Burschen mit den Kügelchen damals gesehen hatte, stand eine Telefonzelle. Von dort, schlug Xane vor, könnte sie ihre Mutter anrufen, um ihr endlich ihren Entschluss zum Schulwechsel mitzuteilen. Vielleicht, wenn alles halbwegs glattging, konnte man sie dazu bringen, abends mit Judiths Eltern zu telefonieren.

Okay, fragte Xane, ist das okay für dich?

Sie zuckte die Schultern.

Judith, drängte Xane, ich kann nicht behaupten, du willst auch unbedingt, und dann fragen sie dich, und du sagst, dir ist es egal ...

Mir ist es nicht egal, sagte sie, ich will nicht allein bei Claudia und der Fausch bleiben.

Sie saßen im Gebüsch an der Grundstücksgrenze und rauchten. Einmal waren sie auf dem Panoramaweg von irgendwelchen Mumien gefragt worden, ob sie schon sechzehn seien. Während Xane die Augen niederschlug und vermutlich am liebsten die Zigarette ausgetreten hätte, fragte Judith zurück: Und Sie, waren Sie bei den Nazis? Aber seither rauchten sie erst im Garten fertig und gingen danach hinaus.

Als sie bei der Telefonzelle ankamen, wollte Xane doch zuerst den Burschen suchen, da sie gar nicht wüssten, ob sie ihn überhaupt fänden. Oben, bei den Heurigen, war niemand. Judith lehnte sich an einen Zaun und zog die nächste Zigarette hervor.

Was machen wir jetzt, fragte Xane, und sie sagte: Warten, was sonst?

Nach einer Weile erschien ein kleiner Bub, höchstens

acht, sie winkte ihn herbei. Als sie ihm sagte, was sie wollte, lief er weg. Nach einer Weile tauchte der Typ auf, Xane hielt sich abseits, als würde sie gar nicht dazugehören. Sie ging sogar ein paar Schritte weg, stand an der Straße und sah in die Landschaft. Sie ließ sie alles allein machen.

Als es vorbei war, schlenderte Judith zu ihr hinüber: Gehen wir?

Hat's nicht geklappt, fragte Xane, gerade so, als würde sie sich freuen, und Judith hob die Augenbrauen und sagte: Doch, wieso?

Nun fühlte sie sich hoffentlich wie ein Vollidiot.

Sie näherten sich der Telefonzelle.

Sie fragte, hast du überhaupt genug Schillinge, und Xane sagte, sicher. Und damit war klar, dass sie es tun musste, den Stein lostreten, obwohl sie es beide in diesem Moment vielleicht gar nicht mehr wollten.

Xane brauchte lange; Judith sah sie Münzen einwerfen, wählen, sprechen und den Bügel wieder herunterdrücken, die Münzen aus dem Metallfach klauben und neu einwerfen. Wahrscheinlich musste sie ihre Mutter erst finden; die befand sich immer irgendwo zwischen Friseur, Freundinnen, Kaffeehaus und Tennisclub. Xane hatte alle Nummern im Kopf.

Xanes Mutter lobte auch Judith gegenüber gern und wortreich die Schönheit von Judiths Mutter. Xane, die oft abfällig über ihre Mutter und deren Oberflächlichkeiten sprach, unterstellte ihr, nicht fassen zu können, dass eine Frau, die arbeitete, trotzdem gut aussah. Doch Judith hörte in Frau Molins Worten den melancholischen Neid. Ihre Eltern wurden von vielen, besonders den Frauen, als das perfekte Paar angesehen, weil sie alles gemeinsam machten, die Bäckerei gemeinsam führten, gemeinsam ein altes Haus renovierten, das war die allgemein verbreitete Ansicht. Sie stimmte ja auch, irgendwie.

Frau Molin wiederum blieb für Judith ein freundliches Rätsel, manchmal überbesorgt, dann wieder äußerst großzügig. Im Gegensatz zu ihrer eigenen Mutter führte sie einen perfekten Haushalt und war, wenn sie denn zu Hause war, immer dabei, aufzuräumen und sich über Unordnung zu beklagen, von der gar nichts zu sehen war.

Schule und Noten waren dagegen im Hause Molin kein Thema. Xanes Eltern interessierten sich schlicht nicht dafür; da Xane von Anfang an eine der Besten war, interessierte es sie noch weniger. Deshalb wunderte sich Judith, dass sie aus dem Schulwechsel so eine Sache machte. Xanes Eltern würden höchstens über den Aufwand stöhnen, den es kostete, Formulare auszufüllen und ihre Tochter ab- und woanders anzumelden. Xanes Vater war dauernd in Geschäftsangelegenheiten unterwegs, und die Mutter müsste im schlimmsten Fall einen Friseurtermin oder eine Bridgepartie verschieben. Vielleicht wünschte Xane sich bloß, dass es mit ihren Eltern schwieriger wäre, und nahm deshalb einen so langen Anlauf. Vielleicht war Xane sich weniger sicher, als sie tat.

Als sie aus der Telefonzelle kam, schien sie nachdenklich. Sie gingen schweigend ein paar Schritte. Warum uns das nicht früher eingefallen ist, berichtete sie schließlich, und was uns einfällt, dass wir noch nicht mit der Claudia geredet haben.

Ohne Keuschli kein Französisch, sagte Judith und stieß Xane aufmunternd mit der Faust, in der sie die kleine Aluminiumkugel verborgen hielt, gegen die Schulter, ist doch eigentlich egal.

Ein vertrautes Gesicht, sagte Xane mit dem schafsartig

andächtigen Ausdruck, mit dem sie üblicherweise Claudia imitierten.

Ein guter Kerl, ergänzte Judith mit derselben schlaffen Grimasse, und dann lachten sie und konnten gar nicht mehr aufhören und standen da und bogen sich und ließen die Tränen laufen und japsten, dass sie sich gleich in die Hose machen würden, so wie früher, als sie noch kleiner waren, da war ihnen das wirklich manchmal passiert.

Am Abend kam die Mutter erstmals zum Essen heraus. Heinz versuchte gerade, Xane das Palatschinkenwerfen beizubringen, aber nachdem ihre erste zum allgemeinen Vergnügen auf dem Badewannenrand gelandet war, weigerte sie sich, es noch einmal zu machen. Xane konnte schlecht verlieren, und wenn ihr etwas nicht sofort gelang, schämte sie sich.

Judith nahm an den Unterhaltungsprogrammen ihres Vaters grundsätzlich nicht teil, sondern saß bucklig am Tisch und wartete auf das Essen. Salome hingegen wollte es unbedingt versuchen, aber nachdem ihr zu viel Teig in die Pfanne geschwappt war, wurde ihr Vater wütend. Diese Palatschinke kann man nicht mehr wenden, schimpfte er, das ist ja beinahe schon Kaiserschmarren.

Unwendlich, ließ sich da Mama vernehmen, eine unwendliche Geschichte, und Heinz schaute so erstaunt, als täte ihm etwas sehr weh.

Zur vereinbarten Zeit läutete das Telefon, Xane senkte das Kinn und wurde ein bisschen rot.

Für einen von euch, sagte Salome zu ihren Eltern, das ist die Frau Molin.

Ihr Vater runzelte die Stirn, bevor er den Hörer nahm, und sah zu Xane hin, aber die hatte sich gefangen und lächelte unschuldig zurück.

Das Gesicht nicht verlieren, dachte Judith und stocherte in ihrem Essen herum, verlier jetzt nicht dein Gesicht, man kann auch den Kopf verlieren, und den Verstand, und das Bewusstsein. Sogar das Leben.

Mama rührte in einem Marmeladeglas. Fehlt Zimt, fragte sie, als wäre sie gerade erst aufgewacht. Xane versicherte, dass das die beste Marmelade sei, die sie je gegessen habe, denn eigentlich esse sie nie Marmelade. Ich bin nämlich keine Süße, sagte sie mit einer Formulierung, die sie bestimmt von ihrer Mutter hatte, und Mama hob den Kopf und antwortete, da sei sie aber froh. Ihre Töchter seien alle beide Süße, Salome habe damals sogar Judiths Schultüte geplündert …

Und vors Schultor gespieben, warf Judith ein.

Wirklich, sagte Mama, daran erinnere ich mich gar nicht. Jedenfalls, wenn ich von mir auf die Kinder schließe, wird das jetzt bald ein Problem.

Ein Problem, fragte Xane, die wohl die Konversation in Gang halten wollte, um nichts von dem Telefonat zu hören, das ohnehin hauptsächlich von ihrer Mutter geführt zu werden schien.

Na, schau mich an, lächelte Mama, ich bin bald die Venus von Willendorf, und Xane lachte und sagte: Jetzt übertreiben Sie aber maßlos!

Heinz gab den Hörer an Xane weiter, stand auf und winkte Judith mit hinaus. An der Tür sah sie, dass Xane ihr verstohlen das Daumen-hoch-Zeichen machte. Dann folgte sie ihrem Vater in das Saunahäuschen.

Als sie zurückkamen, streckte Mama mit ungewohnten Schnalzlauten die Arme nach ihr aus, doch Judith ging vorbei, wich mit der Hüfte ein wenig aus und setzte sich.

Möchte jemand noch eine Palatschinke, fragte Mama in die Stille, ich würde sie machen, ich will auch eine werfen, ich möchte gern wissen, ob ich es noch kann oder ob ich mich verwerfe, wäre das verwerflich? Sie kicherte.

Du kannst es immer am besten, beschwichtigte Salome, das verlernt man doch nicht, aber sonst sagte keiner etwas, und niemand wollte mehr Palatschinken.

Aber Heinz, fing Mama da noch einmal an, Französisch ist schön, ich hätte gerne richtig Französisch gekonnt, und Papa sah sie an und sagte, ja, Zsuzsa, ich weiß.

Doch damit war ihm das Thema noch einmal aufgezwungen, und er begann zu predigen, kurz und scharf und leise, dass er es nicht schätze, bereits getroffene Entscheidungen in letzter Minute umzuwerfen.

Denn ihr habt euch ja für eure alte Schule entschieden, sagte er und sah Xane an, damals im Jänner hat jeder sagen müssen, ob er bleiben will. Da hat euch das nicht interessiert. Deshalb aber ist das jetzt schon die zweite Entscheidung, die ihr in dieser Sache trefft, nicht die ›erste richtige‹, wie deine Mutter es verständnisvoll darstellt. Ich bin, und Judith weiß das genau, der festen Überzeugung, dass man zu Ende bringt, was man, ich betone: aus eigener Entscheidung, einmal angefangen hat, und dass es besser ist, früh mit Selbstdisziplin zu beginnen.

Xane schluckte und schien den Tränen nahe. Die Arme, jetzt hatte sie sich so lange für Heinz' beste Freundin gehalten.

Aber man konnte hören, worauf es hinauslief: Er erlaubte es, er würde noch eine Weile Theater machen, aber am Ende würde er es erlauben, Xane und Judith wechselten die Schule, und Claudia blieb freiwillig zurück.

Xanes Mutter zufolge war Claudia nämlich in Tränen ausgebrochen, als sie von Judiths und Xanes Entschluss hörte. Ihre Entscheidung jedoch sei so spontan wie eindeutig gewesen. Sie würde da bleiben, wo sie sich auskannte, bei der Frau Professor Fausch und den anderen Kindern; und dass man sich auf euch beide nicht verlassen kann, hat sie jetzt wohl begriffen, hatte Heinz gezischt, bevor er die Schnalle öffnete.

Xane hatte gewonnen. Wie immer bekam sie alles, was sie wollte. Frau Molin hatte bereits die Anmeldeunterlagen besorgt, gleich zweimal, auch für Judith.

Und Claudia waren sie los, obwohl man sich ja theoretisch weiterhin in Claudias und Xanes Wohnhaus treffen konnte. Xane und sie würden auf das Leopoldeum gehen, mitten in der Innenstadt, die Sitten, hörte man, seien dort viel lockerer, sie bräuchten kein blödes Altgriechisch zu lernen, alles würde neu und anders. Jetzt fehlte nur, sich zu freuen.

Der Inhalt der Aluminiumkugel sah aus wie hundertjährige Schokolade, grau, trocken und bröselig. Judith zerrieb das Zeug mit den Fingern, über die vorbereiteten Tabakhäufchen, die sie mit der dünnsten Häkelnadel ihrer Mutter aus zwei Zigaretten geholt hatte. Xane saß am Boden, den Rücken gegen die Wand, die Knie aufgestellt und die Arme lang dazwischen. Wir müssen die Claudia anrufen, oder nicht, fragte sie, und Judith nickte. Sie schnitt ein Dreieck aus Papier und rollte es zu einem dünnen Trichter.

Was für ein Aufwand, sagte Xane, macht man das so oder hast du dir das ausgedacht?

Normal mit Zigarettenpapier, sagte sie, die Häkelnadel zwischen den Zähnen, und füllte den Tabak vorsichtig zurück in die hohlen Zigaretten, aber die wissen hier alle, dass mein Vater nur ›Milde Sorte‹ raucht.

Später saßen sie im dunklen Garten, zogen abwechselnd an der ersten umgebauten Zigarette und danach an der zweiten. Schon vor dem ersten Zug mutmaßte Xane, dass der Typ da oben sie gewiss betrogen hatte, na, schauen wir einmal, was er dir da verkauft hat, dröhnte sie.

Dass es keine getrocknete griechische Mulischeiße war, erkannte man genau daran, dass Xane auf solche Formulierungen kam.

Betrug, kicherte Xane, ich hab's dir gesagt, das wirkt überhaupt nicht.

Und es schmeckt ekelhaft, sagte sie und hustete, sie lachte und schwadronierte, was Judith sich da habe andrehen lassen, Schokolade von der Großmutter dieses Typen, wahrscheinlich erst im Weinberg vergraben, Erdgärung, wie die Schweden mit den Fischen, wir rauchen Schokolade, hustete sie, wie es sich in unserem Alter gehört, Schokoladezigaretten oder Mulischeiße. Und so ging es weiter, bis sie irgendwann zu jammern begann, ihr sei schlecht, und sie habe Kopfweh.

Judith lag auf dem Rücken im Gras und fühlte sich ganz leicht. Sie hatte keine Schmerzen mehr. Der Sternenhimmel über ihr war nicht gleichmäßig gewölbt, denn sie konnte ihn mit ihrem Blick zum Ausdehnen zwingen. Er wich zurück und wurde noch größer, sie verursachte Ausbuchtungen dort, wo sie länger hinschaute, Sterntaschen, Milchstraßenfalten, Finsternisbeulen. So viel Macht hatte sie, und nur sie allein wusste davon.

Sie hörte Xane schnattern und war froh, dass sie da war. Antworten musste sie ihr nicht, denn egal, was sie sagte, Xane verstünde es doch nicht. Xane verstand eigentlich gar nichts, und wenn sie ehrlich war, verstand sie Xane auch nicht. Und trotzdem liebte sie sie. Sie liebte auch Claudia, das verschwitzte Schweinchen. Sie liebte sogar ihren Vater, jedenfalls den Teil von ihm, der ihre Mutter liebte, die anderen Teile brauchte sie nicht geschenkt. Den Gürtel hätte er stecken lassen können, das war echt übertrieben. Sie könnte ihren Hintern Xane jetzt sogar zeigen, denn am nächsten Morgen hätte sie es ohnehin vergessen. Aber dazu war sie zu faul. Sie lag im Gras, die Knie aufgestellt, und drängte mit den Augen die Sterne in den Hintergrund, und Xane schnatterte und schluchzte und kippte plötzlich um, es war noch immer so warm hier draußen, und alles war gut.

Am nächsten Morgen brachte Heinz die drei Mädchen in den Prater. Er gab Judith ungewöhnlich viel Geld und schaute ihr nicht in die Augen. Sie fuhren Autodrom und Taggada, sie ließen Salome schaukeln und Dosen werfen, weil sie sich nichts anderes traute, sie kauften ihr ein Langos und zweimal Eis.

Am frühen Abend riefen sie bei Claudia an, doch sie erreichten niemanden.

In dieser Nacht badete die Mama noch einmal, unter herrlichem, grauenhaftem Gesang. Alles Geschirr blieb diesmal heil, nur Salome tauchte wieder bei ihnen auf. Als Xane, die das Licht angeknipst hatte, Judiths Gesichtsausdruck sah, hob sie zögernd ihre Decke. Ich hab wirklich nur Wasser ausgeschüttet, das letzte Mal, beteuerte Salome, rückte dankbar an die Wand und schlief sofort ein.

Am Tag darauf saßen sie hinten im Gebüsch und warfen den Spaziergängern draußen Kiesel vor die Füße, als Salome, verschmiert von ihren Wasserfarben, angekrochen kam. Verschwinde, zischte Judith, doch Salome wandte sich an Xane und sagte: Deine Mutter sitzt vorn beim Papa und weint. Xane sprang auf, und sie konnte sie gerade noch am Bein festhalten und ihr ein Lutschbonbon hinstrecken.

Sie fanden die Erwachsenen am Gartentisch. Die beiden sahen aus wie primitiv bewegte Roboter, Xanes Mutter bebte, rotnasig, von Taschentüchern umgeben, die sie abwechselnd knetete, Heinz saß steif, die Hände auf den Knien, nur den Kopf schüttelte er, hin und her, hin und her. Und die Mädchen hatten den Geschmack von Ricola Schweizer Hustenzuckerln auf der Zunge, das würde Judith noch viele Jahre später wissen.

Als Frau Molin Xane sah, sprang sie auf, kam ihr entgegen und umarmte sie. Heinz ging zögernd auf seine Töchter zu, bis er mit der Hand Judiths Schulter erreichte und sich dort irgendwie festhielt. Salome griff nach Judiths Hand. Ihr Haus, die Villa, die unverbesserliche Ruine, stand da, prächtig, bröckelnd, die Sonne schien, und es war immer noch Sommer.

Die Mama lag im gelben Salon zu Bett und summte vermutlich La Traviata.

Judith hatte ihr Zuckerl in die Backe geschoben, wo es klebrig schmolz. Sie sah, dass Xanes Mutter zitterte. Später saßen sie in der Küche, und sogar die Mama schlüpfte irgendwann herein wie ein erschrockenes Gespenst, alarmiert vom richtigen Leben. Xanes Mutter schien den schäbigen Bademantel gar nicht zu bemerken. Und dann haben sie die Geschichte erfahren, mehrmals hintereinander, in kaum variierten Schleifen, eine sehr kurze, rätselhafte Geschichte, sie handelte von Claudia, die in der Nacht Kopfschmerzen bekam, schreckliche, unerträgliche Kopfschmerzen, und Lizzie hat nichts Besseres gewusst, als in die Nachtapotheke zu rennen, denn was soll das schon sein, Kopfschmerzen, wenn sie Fieber gehabt hätte oder Krämpfe, aber es waren ja nur Kopfschmerzen. Lizzie hat warten müssen, nicht lange, nur ein anderer vor ihr mit seinem Rezept, sie kaufte eine große Packung Aspirin, und als sie nach Hause kam, waren keine zehn Minuten vergangen, aber Claudia hat da schon nicht mehr gelebt.

Xane wurde entführt, zurück in die Stadt, und Judith blieb allein. Wie zur Bestätigung kippte der übertriebene Sommer ein paar Tage später in einen zu frühen Herbst. Salome und Judith halfen ihrem Vater beim Rasenmähen, frästen ungeschickt einen Hauch von sinnloser, verspäteter Ordnung in den Urwald.

Heinz war mit der Sauna fertig geworden, und die Mama klatschte vor Begeisterung in die Hände. Sie malte sich aus, wie sie sich im Winter dort aufheizen würde, so sehr, dass sie sich nachher nackt im Schnee wälzen könnte. Von dieser exaltierten Ankündigung abgesehen, änderte sich nicht viel. Sie blieb tagsüber in ihrem Zimmer, sie ging manchmal nachts spazieren, und Judith lernte, die Waschmaschine zu bedienen. Einmal fuhren Salome und sie mit dem Bus in die Stadt, um die Sachen für den Schulanfang zu besorgen.

Am Telefon erzählte Xane, dass sie und ihre Mutter viel Zeit unten bei Lizzie Denneberg verbrachten. Dass die Großeltern aus Tirol gekommen seien und im Wohnzimmer Rosenkränze beteten.

Damit möglichst viele Schüler teilnehmen konnten, wurde Claudia erst am Nachmittag des ersten Schultags begraben.

Heinz weckte Judith im Morgengrauen und sagte ihr, dass er die Mama ins Spital bringen müsse. Irgendetwas musste in der Nacht passiert sein, aber diesmal hatte sie nichts gehört. Sie trat ans Fenster und sah ihnen nach.

Heinz führte Mama am Arm durch den Garten zum Auto, sie ging langsam, als wäre sie alt, der Hund lief neben ihr her und sprang immer wieder an ihr hoch, aber sie reagierte nicht.

In der Küche stand eine halbe Tasse Kaffee, Judith trank sie aus. Der Geschmack war fremd und fürchterlich. Aus dem Kasten ihrer Mutter holte sie ein schwarzes Kleid mit Spitzeneinsätzen und schwingendem Rock. Sie nahm ein lila Seidentuch und band es sich wie einen Turban um den Kopf, die Haare fast ganz darunter verborgen. Nur oben ließ sie ein Büschel herausschauen, wie eine Flamme. Salome lachte. Du schaust aus wie eine Opernsängerin, sagte sie.

Bevor sie gingen, holte Judith sich Papas alten Trenchcoat, auf den hatte sie es schon lange abgesehen. Sie verzierte ihn mit zwei Stickern – *No future* und *Atomkraft, nein danke* –, dann war sie bereit für den Tag.

Hoffentlich sind wir früher zurück als die Eltern, sagte Salome zweifelnd, und Judith sagte: Aber sicher, Baby.

Judith suchte eine Weile, bis sie das richtige Klassenzimmer fand. Vor der Tür stand Xane und sah aus, als traute sie sich nicht hinein. Sie roch geföhnt und nach Vanilleshampoo, das Vertretbarste waren ihre schmutzigen Tennisschuhe. Ein Mädchen mit kurzen pinken Haaren und einem Nasenring kam auf sie zu; so etwas war in ihrer alten Schule einfach undenkbar.

Hast du Feuer, fragte das Mädchen Judith. Durch Xane sah sie hindurch.

Zu spät, Pinkie, sagte Judith und deutete nach hinten, wo eine Lehrerin den Gang entlangkam. Sie blinzelte dem Mädchen zu wie einer alten Bekannten und ging mit ihr zusammen hinein.

Sie waren nur zu zwölft, und alle verstreuten sich wie im Kaffeehaus, mit möglichst viel Abstand zueinander. Das pinke Mädchen setzte sich an Judiths Seite, so bildeten sie mit Xane schon fast eine Gruppe. Die Lehrerin schwang sich vorne auf ihren Tisch, schlug die Beine übereinander und stach mit dem Finger durch die Luft in Richtung eines verschlafenen Burschen, der aussah wie zwanzig: Smutny, in die letzte Reihe, wie immer, und wenn du nur ein einziges Wort sagst, fliegst du raus und bleibst bis Weihnachten draußen.

Smutny stand langsam auf, wie ein zugedröhnter Bär, und ging nach hinten. Seine Tasche schleifte er am Träger nach. Er tat Judith beinahe leid, er wirkte nicht gefährlich, eher behindert. Die Lehrerin sah aus wie eine Kassierin im Supermarkt, scharfe Nase, blondiert, Krähenfüße. Sie kramte in ihrer Tasche, sah auf einen Zettel, sah Judith und Xane an und fragte: Molin, Baer? Wer ist wer? Sagt man Mólin oder Molín?

Molín, sagte Xane ein bisschen zu schrill, das bin ich.

Und du heißt wirklich Roxane? Na, dein Problem.

Einige lachten. Judith verzog verächtlich den Mund, das konnte man so oder so deuten.

Mit den anderen macht ihr euch sicher selbst bekannt. Mein Name ist Frenkel, und ich habe das Unglück, der Klassenvorstand dieses traurigen Haufens zu sein.

In diesem Stil ging es weiter. Judith amüsierte sich. Hier ließ es sich gut aushalten. Hier würde sich Xane ein wenig umstellen müssen, fern von der mächtigen Fausch, deren ruppig behandelter Liebling sie gewesen war. Diese Frenkel sah nicht so aus, als ob Lateingenies ihr Eindruck machten.

Nach einer knappen Stunde war die Sache vorbei. Sie bekamen einen Stundenplan und waren entlassen. Draußen am Gang öffnete die Frenkel ein Fenster, zog eine Zigarette heraus und schnippte mit dem Finger nach der Pinken. Die zuckte mit den Schultern und zeigte auf Judith. Judith gab der Lehrerin Feuer. Sie hätte zu gern selbst eine geraucht.

Ein Jahr noch, ungefähr, fragte Frau Frenkel kumpelhaft, ich geh gleich, und dann seh ich nichts mehr. Als Judith sich grinsend zu Xane umdrehte, schwang ihr tollkühnes Kleid unter dem Mantel. Doch Xane war schon weit weg, auf der Flucht in Richtung Treppenhaus.

Judith verbrachte den Vormittag mit der Nasenring-Person, die Doris hieß, aber Dodo genannt werden wollte. Sie war die Stieftochter eines bekannten Theaterregisseurs und hielt sich für bisexuell. Die Haarfarbe und das Piercing gehörten zu der verzweifelten, aber wirksamen Verkleidung, die die meisten unerwünschten Personen (Erwachsene, uncoole Kinder) auf Abstand hielt; in Wahrheit war sie ein unsicheres Hühnchen, das vorsichtshalber jedem erst einmal ins Gesicht sprang. Judith hatte das nach drei Minuten durchschaut; nach vier Minuten fraß Dodo ihr aus der Hand. Als sie hörte, dass Judith in den Prater musste, wollte sie mit. Dodo hatte Geld; sie hatte massenhaft Zigaretten, und sie fuhr furchtbar gern Autodrom. Beinahe hätten sie die Zeit übersehen. Dodo folgte Judith bis zur Straßenbahn, und Judith sah keinen vernünftigen Grund, sie nicht zum Friedhof mitzunehmen, als sie darum bat. Nun würde sie ihre Sticker nicht abnehmen können, aber das war egal, die Fausch ging das sowieso nichts mehr an.

Auf der langen Fahrt unterhielten sie sich über dies und das. Dodo behauptete, sie könne über ihren Stiefbruder exquisiten Shit besorgen. Mach dir keine Mühe, sagte Judith, obwohl das eine großartige Nachricht war.

Über Claudia, zur Erklärung, sagte Judith düster: Sie war meine beste Freundin.

Dodo fragte erleichtert, nicht der dünne Mod, wie heißt sie, Molin?

Ach, die kleine Spießerin, seufzte Judith und sah aus dem Fenster, und Dodo kicherte und sagte: Ja, so was sieht man immer gleich.

An Claudias Grab stand der Schulchor der Unterstufe, lauter Kinder zwischen elf und vierzehn, teils verstört, teils umso lachlustiger, manchmal beides zugleich. Nicht alle waren angemessen gekleidet, das war das Problem, wenn so etwas mitten in den Ferien geschah. Die Nachricht erreichte nie alle.

Xane hatte sich zum Chor gestellt, oder sich hinter dem Chor versteckt, Judith sah nur einen Zipfel ihres Parkas. Xanes Eltern standen vorne, bei Lizzie. Judith blieb hinten.

Der Chor sang *Tauet Himmel, den Gerechten*, was nicht passte, aber das einzige Kirchenlied im Repertoire war.

Die Musik, egal welche, war bei einem Begräbnis die Hauptsache. Das Gerede machte nichts besser, aber das schöne Lied war der Moment, noch einmal fest an Claudia zu denken.

Dass sie da vorne in der Holzkiste liegen sollte, die ganze Claudia mit ihrem Schweinsnäschen und den blonden Haaren, die sie ihr bestimmt noch einmal gewaschen hatten, konnte einem Platzangst machen. Es war unvorstellbar. Sie konnten sie nicht im Ernst da hineingelegt haben; Claudia hat nämlich Angst vor der Dunkelheit. Sie hat deshalb eine Nachtlampe, mit Maikäfern, total kindisch. Zu den Skikursen und Landschulwochen bringt sie einen Smiley mit, den man direkt in die Steckdose steckt.

Notlicht, kaum Stromverbrauch. Wenn man es aussteckt oder zum Spaß mit der Hand abdeckt, weint sie, ganz leise und hoffnungslos, so wie sie eben weint. Sie mag Blumen und Tiere. Sie hat im März Geburtstag, sie ist Fisch, Aszendent Steinbock. Ihre Lieblingsfarbe ist, Judith schloss die Augen und dachte nach, ihre Lieblingsfarbe war bis vor einem Jahr Grün, aber seither, sie hörte Claudias Stimme mit dem affigen Satz: Seither mag ich alle Kombinationen von Weiß und Orange am liebsten.

Ich möchte Biologie studieren. Ich würde später gerne in einem Nationalpark arbeiten, nicht im Zoo, Zoos sind schrecklich für die Tiere. Schau, Judith, ich hab den Engel aus Goldpapier fertig, aber ich krieg ihn einfach nicht auf die Laterne drauf. Ich vermisse euch und die Stadt und das richtige Leben, hier ist es schon schön, aber auch ein bisschen fad. Mein Opa bringt mir das Ziegenmelken bei. Gestern war ich mit der Oma in den Schwammerln. Ich wünsch mir zu Weihnachten eine Getreidemühle. Xane, was heißt ›pernicies‹? Judith, hast du noch türkise Wolle? Könnt ihr runterkommen und mir die Mathehausübung erklären?

Denn erfüllet ist die Zeit, machet euer Herz bereit.

Nach dem Lied löste sich die Ordnung auf, und alles ging durcheinander. Dann formierten sich die Menschen zum Dreieck, dessen Spitze zur Trauerwarteschlange ausdünnte. Langsam vorrücken, irgendetwas draufwerfen auf Claudia, Blumen oder Erde. Das Geräusch der Erde auf dem Sarg musste von innen entsetzlich klingen.

Xane wartete mit einem Strauß heller Rosen hinter den Chorkindern. Judith scherte aus, machte einen großen Bogen um die Trauergesellschaft und drängte sich neben sie. Sie zupfte sie am Ärmel und streckte ihr eins der beiden braunen Papiersackerln hin, die sie im Prater besorgt hatte.

Es raschelte. Xane sah sie verständnislos an. Da riss Judith das Papier einfach auf, und zum Vorschein kamen die beiden dicken Bälle Zuckerwatte, rosa Zuckerwatte, die gar keine Ähnlichkeit mit Judiths Haarfarbe hatte, sondern eigentlich den Ton von Dodos Igelfrisur. Judith streckte Xane einen der Holzstiele entgegen, doch Xane hatte die Hände voll mit ihren Rosen. Judith verstand, nickte, schaute sich um, da war Dodo hinter ihr und nahm Xane die Blumen ab.

Dann stehen sie noch einmal nebeneinander, Judith und Xane, die schrille Dodo hält sich im Hintergrund. Sie zupfen beide an ihrer Zuckerwatte herum, durch den Transport sind die flauschigen Spindeln ein bisschen flachgedrückt worden. Xane und Judith streicheln ihre Zuckerwatte, sie frisieren sie zurecht und rücken gemeinsam vor, bis sie am offenen Grab stehen. Da unten ist Claudia. Oben sind Xane und sie, zum letzten Mal zu dritt. Judith in Papas Mantel, dazu der lila Turban und die Sticker, no future, nein, für Claudia nicht mehr.

Judith zählt leise vor, und auf drei werfen sie die rosa Bälle hinunter. Das macht kein Geräusch, nur ein leises Knirschen der Zuckerfäden, Claudia wird es nicht hören, sie wird davon nicht erschrecken, und selbst, wenn die Farbe nicht stimmt, schirmt sie der Zucker ein wenig ab von der hinterherfliegenden Erde. Sie bleiben noch einen Moment, dann treten sie zur Seite.

Am Ausgang stehen Xanes Eltern mit der Fausch zusammen. Xanes Mutter hat rote Augen. Der Gesichtsausdruck der Fausch, als sie Judith die Hand gibt. Xane ist wieder hinter ihr.

Hat es dir dort gefallen, Xane, im Leopoldeum, fragt die Fausch. Sie fragt im Singular. Und zum ersten Mal nennt sie eine Schülerin beim Vornamen, wahrscheinlich weil die Eltern danebenstehen. Da kann man schlecht ›Molin‹ schnauzen, wie sonst. Eigentlich typisch, dass sie alle Vornamen gekannt hat, auch die gebräuchlichen Abkürzungen, sie hat immer alles gewusst und sich einen Spaß daraus gemacht, es zu verbergen.

Xane antwortet nicht gleich, wahrscheinlich heult sie noch immer. Sie ist schwach, und deshalb wird alles so werden, wie es am besten für sie ist. Sie ist wieder ein kleines Kind mit Vanilleshampoo, kein Teenager mit überstürzten, aber umso heftiger vorgebrachten Entscheidungen, dem die Erwachsenen schon wegen seiner schieren Körpergröße willfahren. Dann schüttelt Xane heftig den Kopf, mit niedergeschlagenen Augen, und wehrt sich nicht, als ihre Mutter ihr den Arm um die Schultern legt.

Judith nickt den Molins zu, hebt grüßend die Hand und geht. Hinter ihr schlurft Dodo, Judith wendet sich im Gehen halb zu ihr um und macht die Gebärde für Rauchen. Obwohl sie noch viel zu nahe sind.

Errare humanum est, hört sie hinter sich die Fausch mit ihrer ironischen Schulstimme sagen, komm morgen wieder zu uns zurück, und wir vergessen das Ganze.

Judith geht mit hocherhobenem Kopf in Richtung Straßenbahn. Sie raucht, Kleid und Mantel wogen um ihre Beine, und sie erregt Aufmerksamkeit, damit und mit der verrückten Nudel an ihrer Seite. Und das sind jetzt eben die neuen Verhältnisse, getrennte Wege, das Ende der Kindheit.

Man kann nicht leben mit einer Erfahrung,
die ohne Geschichte bleibt, scheint es,
und manchmal stellte ich mir vor, ein andrer habe
genau die Geschichte meiner Erfahrung ...

– Max Frisch –

2 Am Vorabend war Bernays noch mit Pauline zusammen gewesen, Paula, Pavla, Pola, Poletta, Polina. Und jetzt saß er im Flugzeug, sein ganzer Kopf ein Statement, dass er niemals erwachsen werden wollte: ein Hennaexperiment mit Mitte vierzig. Er hatte es ihr bereits gebeichtet, vom Flughafen aus. Sie hatte gekichert, ein wenig gelangweilt, und ihrer Hoffnung Ausdruck verliehen, dass es sich herausgewaschen haben würde, bis sie einander wiedersahen. Das kränkte ihn, denn es klang, als wollte sie ihn so nicht haben, abenteuerlustig, veränderungsbereit. Umso lauter hatte er gelacht und sich dabei wie ein Affe gefühlt, ein plumper, neuerdings rothaariger Affe. Aber jetzt hob er ab, er ging auf Reisen, von Pola nach Polen. Ein schlechter Scherz. Und außerdem gar nicht wahr. Er flog nach Wien, um seine Reisegruppe abzuholen. Sein persönliches Häuflein Unbeirrbarer würde er mitten unter den alten und neuen Nazis um sich scharen und ausgerechnet nach Auschwitz entführen, seine Bernays-Österreicher, im Gegensatz zu den Schindler-Juden. Er strich sich durch die Haare, tat so, als würde er seine Kopfhaut massieren, obwohl ihn niemand beach-

tete. Eine der typischen menschlichen Allmachtsphantasien. Immer verwechselt man den eigenen Blick mit dem der anderen. Nur weil man selbst vor dem eigenen Spiegelbild noch mehr als sonst erschrickt – die unausgeschlafene Blondine hatte viel zu viel geschnitten –, ist man noch lange nicht auffälliger. Auch er, auf seiner ewigen Suche nach Unschuld und Wahrheit, beobachtete am liebsten die Selbstvergessenen, Mädchen, denen der Ausschnitt immer über dieselbe Schulter herunterrutschte und die am linken Daumen kauten, während sie Prüfungen schrieben, Yannick, der in der Sauna seinen Schwanz lang zog, als wäre er ihm unwillkürlich zu kurz. Er bemerkte das gar nicht, denn während er zog und zog, direkt nach oben zum Nabel oder die Oberschenkel entlang Richtung Knie, dass andere allein vom Zuschauen Schmerzen bekamen, diskutierte er auf höchstem Niveau über die Beurteilung von Arisierungsakten. Oder Pauline, deren rechtes Augenlid zuckte, als sie Bernays wieder einmal den Unterschied zwischen ihm und Andrej erläuterte, der eine kein Vater, der andere kein Liebhaber. Dass sie aber beides brauche, nicht wahr. Und um zu betonen, wie ernst sie das meinte und wie vollkommen legitim das war, hatte sie die Hände auf dem Tisch übereinandergelegt und sah ihm geradeaus in die Augen, ein Bild der Ruhe und überwältigenden weiblichen Weisheit. Wenn nur das rechte Lid nicht gezuckt hätte.

Verstohlen rieb sich Bernays hinter den Ohren. Nicht kratzen, Kopfkratzen ist ekelhaft. Reiben, massieren, so tun, als würde man Druckpunkte kennen. Dann legte er die Hände schnell auf den Oberschenkeln ab, wo er sie unauffällig mustern konnte. Keinerlei Farbe daran. Man müsste einmal nachschlagen, ab wann sich Menschen die Haare gefärbt haben und womit; im Prinzip ein hübsches

Dissertationsthema, die gesellschaftlichen Implikationen des Haarefärbens von der Steinzeit bis heute. Er hatte zu viel getrunken, am Vorabend, nachdem er zu Hause angekommen war. Anstatt zu packen, war er am Fenster gesessen und hatte stupide getrunken.

Seit fünfzehn Jahren schlief er mit Pauline; die ersten Jahre hatte er sie für die Liebe seines Lebens gehalten. Als sie Andrej heiratete, musste er einsehen, dass sie das offenbar anders sah. Obwohl sich erst wenig änderte; sie verreisten weiterhin zusammen, sie erkundeten die Welt, und überall, in Rom und in Lissabon, in Jerusalem und in Kapstadt, bildete er sich ein, dass fremde Menschen ihn verstohlen musterten, als wäre ihnen unbegreiflich, was diese fragile Schönheit an ihm fand.

Es folgte eine schreckliche Pause, die sie ihm nicht richtig erklären konnte, Abstand, Neuordnung ihrer Gedanken und Gefühle. Er hatte es für das Ende gehalten; es war die schlimmste Zeit seines Lebens. Er hatte sogar an Selbstmord gedacht, nicht ernsthaft, aber immerhin. Sie hingegen wollte nur sicherstellen, dass tatsächlich Andrej der Vater ihres Kindes wurde, so, wie es ihr moralisch geboten schien. Bernays wurde reichlich entschädigt, denn sobald sie schwanger war, brauchte sie mehr Sex als je zuvor. Da durfte wahrscheinlich sogar Andrej öfter ran, wie sich Bernays damals manchmal bitter vorstellte. Inzwischen war er über solche Dinge längst hinaus.

Als der richtige Zeitpunkt für ein zweites Kind gekommen war, schlug sie ihm vor, sich ein Freisemester zu gönnen. Er gab ihr überschwänglich recht, obwohl sie die Ironie nicht bemerkte. Er errang ein bedeutendes Forschungsstipendium in Washington, ein Jahr lang, und war wild entschlossen, die erstbeste zutrauliche Amerikanerin zu heiraten. Er traf mehrere, die hübsch waren und zu ihm aufsahen; nur wollte er dann sein Leben nicht aus Trotz zerstören. Bei keiner fühlte er sich wie bei Pauline: so nichtswürdig, unzulänglich und dennoch geliebt, wie es sonst nur Kindern geschieht. Das Rätsel der Liebe, das süchtig macht. Inzwischen hatte sie drei Kinder, *meine kleine Bigamistin*, wie er sie manchmal, seine Finger zwischen ihren Beinen, nannte.

Andrej und er waren die besten Freunde. Ob dieser schlanke, freundliche Intellektuelle der dümmste oder, im Gegenteil, der großzügigste und weiseste Ehemann der Welt war, wusste Bernays noch immer nicht zu entscheiden. Polina danach zu fragen, hütete er sich. Wenn er, Andrej, verunglückte, müsse Bernays für die Kinder sorgen, am besten gleich Pauline heiraten, dieses Versprechen hatte Andrej ihm vor Jahren abgenommen und ihn damit fast zum Weinen gebracht.

Bernays liebte Paulines Kinder auf eine hilflose, tapsige Art; er war ihnen und seiner Liebe zu ihnen nicht gewachsen. Als Autorität unbrauchbar, wie Pauline sagte, aber Autoritäten gebe es ja zum Glück genug. Manchmal hielt er sie tatsächlich für seine eigenen Kinder, diese amüsanten kleinen Menschen, die Pauline ihm vorenthalten oder erspart hatte, je nachdem. Was machte sie eigentlich so sicher, dass er kein Vater sein könnte? Ein Großteil der Menschheit beklage sich rein habituell über die eigenen Väter, hatte er einmal, nackt bis auf zeltartig abstehende Seidenshorts, in einem venezianischen Hotelzimmer ausgerufen. Damit sei über die Faktizität dieser Klagen gar nichts ausgesagt! Draußen schneite es, Nebel über den Kanälen, und ein fast unanständig flauschiger Teppich kitzelte ihn zwischen den Zehen. Ach Liebling, seufzte Pauline vom Bett aus, schau dich doch an.

An Wien fand er, abgesehen vom Wetter, alles furchtbar. Den provozierend jungen und gutaussehenden Assistenten namens Mario, der ihn vom Flughafen abgeholt und schon im Auto aus seiner proskynetischen Verehrung für Rozmburk kein Hehl gemacht hatte. Das Hotelzimmer, das steril aussah wie überall sonst auf der Welt – ausgerechnet bei den Oberflächlichkeiten erwiesen sich die Österreicher als lernfähig und opferten das wenige, das man an ihnen eventuell schätzen konnte: Stil, schwelgerische Überladenheit. Der negative Höhepunkt aber war die Uni, kalt, baufällig und innen in einem Ausmaß verwahrlost, dass es in Bukarest oder Kiew nicht schlimmer sein konnte. Wie immer, wenn er hätte schreien mögen, lächelte Bernays und gab den Zurückhaltenden. Dass die Zivilisation eine Fessel war, eine der menschlichen Natur zuwiderlaufende Rüstung, wurde ihm in solchen Momenten körperlich bewusst.

Er stand mit Mario vor der Tür eines spärlich besetzten Seminarraums, und sie tauschten zum wiederholten Mal ihre Sorgen über Rozmburks Gesundheit aus; schon wurde das Einzige, was sie einander zu sagen hatten, zum Rederitual. Wie lange das noch gut gehen würde? Irgendwann würden sie unweigerlich zu Rozmburks wissenschaftlichen Leistungen kommen, und spätestens dann würde Bernays aus dem Takt des Höflichkeitsballetts geraten. Gerade äußerte Mario den verlogenen Gemeinplatz, dass Rozmburk sich seit Gisèles Tod einfach nicht mehr richtig erholt habe, und Bernays holte Luft, um seinen ersten Widerspruch nicht unhöflich ausfallen zu lassen. Aber dazu kam es nicht mehr, denn plötzlich wurden sie von der Abordnung umringt. Anders könne man das nicht beschreiben, erzählte er später Xane, die über diese Geschichte so lachen musste, dass sie den Kopf senkte und sich die Haare vors Gesicht fallen ließ.

Es hatte jedenfalls wie eine Abordnung wirken sollen, Überwältigung durch Masse, denn seiner, allerdings durch Wut getrübten Erinnerung nach hatte ja nur ein Einziger gesprochen, der stellvertretende Institutsleiter Kabasta, der so näselte wie die bedauernswerten Wiener Emigranten, die in den Hollywoodfilmen der Vierziger- und Fünfzigerjahre die Psychoanalytiker spielen mussten. Die anderen hatten bloß genickt und an den richtigen Stellen geseufzt, ein summender Chor des Bedauerns. Auch das Opfer am Pranger hatte die Professorenmafia mitgeführt, eine schreckensstarre Sekretärin als Sündenbock. Bernays konnte sich später lange nicht verzeihen, diese Sekretärin nicht mindestens beruhigt, am besten aber supermanhaft in den Arm genommen zu haben. Denn dass dem dicklichen Mädchen die unteilbare Schuld zugeschoben wurde, inmitten dieser säuselnden, verbindlich nickenden, untröstlich den Kopf schüttelnden Intriganten, das war ja absurd.

Als die Sekretärin von Rozmburks Erkrankung hörte, habe sie allen Anrufern beschieden, dass das Seminar abgesagt sei, erklärte Kabasta händeringend, besonders gescheit habe es sein wollen, das junge Mädchen, na ja, unerfahren, wo jeder wisse, dass eine so lange im Voraus geplante Veranstaltung niemals einfach abgesagt, sondern mit dem bestmöglichen Ersatz erst recht durchgeführt werde, was heißt Ersatz, verzeihen vielmals, Herr Professor, ganz das falsche Wort, eine höchst erfreuliche Wendung, beinahe, möchte man sagen, eine unverhoffte Aufwertung, wenn das überhaupt möglich, Rozmburk selbst sage ja immer, die Jugend, und dass der verehrte Professor Bernays, und nur Bernays, sein einziger wahrer Nachfolger, nur leider, wie wir hören, dort in Frankreich fix gebunden, aber bitte schön, die Ausschreibung in zwei Jahren, doch davon später, jetzt haben wir andere Sorgen, nicht wahr, dank dieser voreiligen jungen Dame da.

Denn das – er zeigte anklagend durch die offene Tür in den Seminarraum, in dem die wenigen neugierig die Köpfe drehten – sei das Ergebnis der unverzeihlichen sekretarialen Eigenmächtigkeit: sieben Teilnehmer von ehemals dreißig. Bernays war sofort klar, dass diese sieben nicht wegen besonderer Schlauheit da saßen. Im Gegenteil: Die sieben lasen keine Zeitungen, verfolgten keine Nachrichten und warteten daher unverzagt auf Rozmburk. Rozmburk könnte tot sein, die Zeitungen voll mit mehrseitigen Nachrufen und stimmungsvollen Schwarz-Weiß-Porträts, das Ehrengrab könnte in diesen Minuten ausgehoben werden, doch die sieben würden da sitzen und demütig warten und sich beglückwünschen, dass sie einen Platz bekommen hatten in dem begehrten Seminar.

Nein, Bernays hatte nicht mit leiser, scharfer Stimme gefragt, ob denn die junge Sekretärin alleinverantwortlich das Institut leite, er hatte nicht, wie es ihm auf der Zunge lag, bemerkt, dass man überall und jederzeit, nicht nur nach 45, die kleinen Chargen bestrafe und die Großen entkommen lasse. Zwar hatte er sich nachher gewünscht, dass es so verlaufen wäre, aber es hatte keine Gelegenheit gegeben, sich zu äußern, denn Professor Kabasta war bereits einen schockierenden Schritt weiter. Er war bei seinen kreativen Bemühungen angelangt, das Desaster abzuwenden, ja, es womöglich in einen Vorteil umzuwandeln. Das betone ich ja immer, nicht wahr, sagte er und vollbrachte das Kunststück, Bernays ergeben von unten anzulächeln, obwohl er gleich groß war: Wir kennen keine Probleme, wir kennen nur Herausforderungen.

Und daher hatten sie das Exkursionsseminar geöffnet, praktisch für jedermann. Sie hatten aktiv Teilnehmer geworben, Interessierte, Kollegen, sogar einen Schriftsteller! Sie hatten für diesen Versuch einer, äh, Wiedergutmachung die Institutskräfte gebündelt, die Institutsinfrastruktur genutzt und Institutsgelder aufgewendet, das würde sowieso etwas geben, nachher im Rechnungsausschuss, aber das lassen Sie mal meine Sorge sein.

Lass ich, murmelte Bernays. Zum Glück war die Zeit knapp gewesen, und er würde nicht mit einem Reisebus voller österreichischer Pensionisten losziehen müssen, die endlich den Ort sehen wollten, um dessentwillen ihre Papas und Opas damals entnazifiziert worden waren, obwohl sie wirklich von nichts gewusst hatten!

Nein, Kabasta und Co hatten, wie er behauptete, besondere, interessante Teilnehmer aufgetrieben, den erwähnten Schriftsteller (ein Brite!), dazu zwei deutsche Mittelbau-Kollegen, die gerade ein Forschungssemester in Wien verbrachten, und einen Dissertanten von der Technischen Universität, Architektur mit Schwerpunkt Baugeschichte. Außerdem einen alten Journalisten mit privatem Beweggrund, er werde nichts darüber schreiben, das habe er versprochen. Und schließlich Rozmburks Nichte. Rozmburk hat keine Nichte, dachte Bernays, aber er sagte nur, missbilligend: Eine höchst inhomogene Gruppe.

Gewiss, stimmte Kabasta freundlich zu, der auf die jahrhundertealte Fähigkeit seiner Landsleute zurückgreifen konnte, Aggressionen und Beschwerden höflich klimpernd durchzulassen wie ein Perlschnurvorhang: Inhomogen, aber spannend. Ich würde sogar sagen, eine echte Herausforderung!

Kein Problem, sagte Bernays, aber den Witz verstand

Kabasta nicht, oder er wollte ihn nicht verstehen, wer weiß.

Ich war sicher, dass Sie es so sehen würden, sagte Kabasta, und seine Unterabgeordneten nickten und maunzten und gaben ihrer Erleichterung auf kunstvoll-sprachlose Weise Ausdruck. Und dann hatten sie ihn, Verzeihung, Verzeihung, schon viel zu lang von seinem Seminar abgehalten. Und daher entfernten sie sich, und als Bernays das später Xane erzählte, behauptete er, sie hätten das rückwärts getan.

Der angebliche Schriftsteller war ein einsilbiger Mann Mitte fünfzig, Pfeifenraucher, und Bernays, der sich Schriftstellern mit leicht geduckter Verehrungsbereitschaft näherte, die bei Enttäuschung der Erwartungen (nicht berühmt, nicht verrückt, nicht genial genug) sofort in höfliches Desinteresse umschlug, befand ihn schnell als langweilig. Er hieß Richard Rogers und hatte zwei historische Romane geschrieben, von denen Bernays nie gehört hatte. Er wollte mit nach Auschwitz, weil er einer Geschichte über vier Jüdinnen auf der Spur war, die in der Munitionsfabrik gearbeitet hatten.

Der alte Journalist war pensionierter Sportreporter und von Jugend an Kommunist. Er hieß Georg Slezak, aber seine Mutter habe ihn Schurl gerufen, und ihretwegen wolle er dorthin fahren. Das gestand er mit Angst in den Augen. Hier war er schon, der erste Problemfall, Bernays stöhnte innerlich. Betroffenheitstourismus, man würde auf Schurl achtgeben müssen.

Der Dissertant sah ähnlich durchschnittlich aus wie Richie Rogers, doch hatte er die Energie eines Springteufels. Sein heller Kopf schien ständig irgendwo hervorzuschnellen, er war einer dieser Menschen, die, kaum wach, schon produktive Unruhe verbreiten. Er stellte ehrfurchtsvolle Fragen, die erkennen lassen sollten, dass er Bernays' Bücher bis in die Fußnoten gelesen hatte, und würde Bernays fraglos ein reiches Feld zur Selbstdarstellung bieten. Der spürte zwar, dass er von einem Streber eingewickelt wurde. Trotzdem: Für die vielen Stunden, die man miteinander verbringen würde, war ein Stichwortgeber keine schlechte Sache, redete Bernays sich ein. Und ließ zu, dass der Streber mit Mario in heftige Konkurrenz trat. Knappenstreit. Liebesdienerhändel. Als armseligen Distanzierungsversuch vermied Bernays, sich den Namen dieses Menschen zu merken, und nannte ihn stumpfsinnig Herr Architekt, obwohl er noch gar keiner war.

Das war die deprimierende Lage: Bernays, eifersüchtig umworben von zwei jungen Wissenschaftlern, und keine einzige interessante Frau in Sicht, nicht einmal das mindeste theoretische Flirt-Surrogat. Unter den Studenten gab es zwei Mäuschen, blass und bebrillt, vermutlich aus der österreichischen Provinz, die bestimmt Lehrerinnen werden wollten, am Gymnasium von Steyr oder Amstetten oder Wels. Bernays nannte sie bei sich Uschi und Muschi und hoffte, dass er sie nicht wirklich so ansprechen würde.

Die dritte Studentin fiel optisch in die Kategorie Kampflesbe, martialische Schuhe, unzureichend gestützte Hängebrüste, kurze Haare. Pauline sagte ja immer, Frauen mit großen Brüsten müssten mit der Frisur gegensteuern. Je größer die gottgegebene Ausstattung, desto wichtiger eine möglichst aufgebauschte Frisur. Bernays, der oft darüber staunte, auf welch abseitigen Gebieten Pauline Prinzipien haben konnte, musste ihr recht geben. In der ersten Sitzung, in einer Art Vorwärtsverteidigung nach dem Kabasta-Schock, hatte Bernays diese Studentin vortreten lassen. Er bat sie, einen Fuß auf den Stuhl zu stellen, und pries ihre Schuhe als das einzig Wahre an, falls es in Birkenau regnen sollte. Die anderen Studenten kicherten unbehaglich. Bernays beharrte darauf. Ihre Schuhe – wie heißen Sie? –, Moni, danke, also Monis Schuhe sind die richtigen, auch wenn sie ein wenig an die SS erinnern. Aber das tut hier nichts zur Sache. Ich bitte Sie inständig: Packen Sie für die Reise robustes Schuhwerk ein. Sonst könnte es für uns alle unangenehm werden. Vielleicht verrät Ihnen Moni ja anschließend, wo man sie bekommt.

Die deutsche Dozentin hieß Frauke und war das erwartbare deutsch-blonde Akademikerpferd aus dem Ruhrgebiet: gute Laune, starke Knochen, etwas zu viel Zahnfleisch. Beim Lachen. Leider oft und schrill. Ihr Kollege Jürgen war farblos, irgendwie abwaschbar und wahrscheinlich ihr Freund. Oder wollte es gern sein. Das wäre herauszufinden, vorsichtig, damit Frauke nicht gar ermuntert wurde, sich auf ihn, Bernays, zu stürzen.

Wer natürlich fehlte, war Rozmburks Nichte. Bernays, in dessen Kopf sich diese Formulierung wie eine Verheißung festgehakt hatte, hielt sie inzwischen für eine grashalmfeine Bosheit Kabastas. Rozmburks Nichte, das klang wie der Maria-Theresien-Orden, wie das Maximum von Ehre und Anerkennung, das man Bernays, dem tapferen Ersatzmann, gerne zugebilligt hätte, aber leider doch nicht verfügbar hatte. Kabasta musste wissen, dass Rozmburk keine Geschwister hatte, dass keines seiner Geschwister überlebt hatte und dass es bei Gisèle genauso war. Aber was wusste schon Kabasta!

Am letzten Abend vor der Abreise, im Hinterzimmer eines landestypischen Beisls, führte Bernays auf zwanglose Weise das große Wort. Dabei sonnte er sich in Marios leidender Bewunderung, parierte maliziös die Fragen des

Herrn Architekten und ließ sich von Fraukes Gelächter berieseln. Jürgens kollegiale Zurückhaltung störte nicht weiter, der englische Schriftsteller wiederum schien unter Alkoholeinfluss etwas aufzutauen. Der alte Journalist saß am anderen Ende des langen Tisches und kümmerte sich väterlich um Uschi und Muschi, die anderen Studenten tranken irgendwo dazwischen still ihr Bier.

Irgendwann fiel der Name Kabasta, und weil er seinen Groll für eine allseits bekannte und gerechtfertigte Tatsache hielt, erboste es Bernays, dass ihm nicht sofort eine Flut ehrenrühriger Gerüchte serviert wurde. Die Studenten waren zurückhaltend, der Vorgänger sei viel schlimmer gewesen. Bernays ärgerte sich und versuchte, es zu verbergen. Der Wiener Weißwein, dies pfeffrige, säuerliche Getränk, putschte ihn auf. Nun schwang er sich wenigstens verbal zum Ehrenretter der beschuldigten Sekretärin auf, die er kleiner, dümmer und unschuldiger machte, als sie selbst es sich hätte gefallen lassen.

Die Studenten schwiegen, Mario schwieg, der Herr Architekt hatte sich ein spätes Gulasch bestellt und schwieg, weil er den Mund voll hatte. Bernays schimpfte in eine ablehnende Stille hinein und hörte sich selbst wie auf Band. Als er, mitten im Satz, einen Schluck Wein nahm, kicherte Frauke: Aber er hat mir so schön die Hand geküsst. Sie sah erhitzt aus. Wenn an einem so großen Mund der Lippenstift verläuft, ist das äußerst ungünstig, dachte Bernays. Tomatenroter Lippenstift. Ein Clown. Es gibt Frauen, die als Clowns geboren werden. Als plappernde Kumpel. Sie finden später schweigsame Männer, die Windjacken zum Bürstenschnitt tragen und die, gemeinsam mit ihren pferdestehlenden Clown-Frauen, ihr Leben lang nicht erfahren, was die Liebe wirklich ist, wie hysterisch, widerlich, grausam, göttlich und vernichtend sie sein kann.

Die Hand geküsst. Hier tat sich eine Möglichkeit auf, die Bernays lange nicht mehr in Betracht gezogen hatte. Eine Fähigkeit, die mit seiner österreichischen Mutter zu tun hatte, an die er ungern dachte. Ob er es noch konnte? Den typischen Wiener Akzent nachahmen, mit all den singenden Hebungen und Senkungen, dem klebrigen Auseinanderziehen mancher Silben und dem bewussten Verschlucken anderer? Das subtile Streuen von wenigen, aber harten Dialektworten über das, was diese Leute für eine Hochsprache hielten, aber in Wahrheit nur besser artikuliertes Österreichisch war? Das, was ihm, gerade bei Kabasta, wie parfümiertes Gewimmer vorkam, das, worüber seine Mutter früher manchmal so hatte lachen können?

Es war egal. Er hatte hier nichts zu verlieren. Die Kabasta-Schelte nahmen sie ihm übel, so bildete er es sich ein. Er wollte sie zurückgewinnen. Er verwandelte seine kleinherzigen Beschwerden in eine ironische Darbietung, die mehr Raum für Sympathie ließ. Er spielte Kabasta, den ganzen Monolog und viel mehr, er näselte, summte und seufzte, unverzeihliche sekretariale Eigenmächtigkeit, diese junge Dame da, und daaas – aufspringen, ausgestreckter, vor Indignation zitternder Zeigefinger – ist das Ergebnis: sieben von dreißig, aber wir kennen keine Probleme, wir kennen nur Herausforderungen. Er übertrieb, und er hob ab. Er war wieder das Kind, das seiner Mutter den *gschamsten Diener* vorspielte, wenn sie plötzlich so traurig war, jenes Kind, dem zur Belohnung in Aussicht gestellt wurde, dass es bald nach Wien reisen werde, wo es sich im Kaffeehaus so viele Kuchen und Torten bestellen dürfe, wie es wolle, ja, das verspreche ich dir, von mir aus so viele, bis dir schlecht wird, egal, wir speiben dort auf den Boden und gehen, diesmal reiben sie selber auf. Es kam nie dazu.

Er hatte sie in der Hand, sie kicherten, sie amüsierten sich. Aber erst als der fade Schriftsteller am einen und der sonst so bedrückte Schurl Slezak am anderen Ende des Tisches abwechselnd ziemlich ausgefallene Lachlaute hören ließen – der eine röhrte wie ein in einem Schacht gefangener Hirsch, der andere quietschte wie eine Gummisohle auf nassem Boden –, kippte die Stimmung ins Ausgelassene.

Am Ende seiner Darbietung stand Bernays auf, verbeugte sich, holte einen weiteren Stuhl aus einer Ecke, hob ihn an zwei Beinen schwankend über seinen Kopf und schrie: Und hier unser unbekannter Stargast – die Nichte von Rozmburk! Er ließ den Stuhl herunter, zeigte darauf, als würde er einer Prinzessin den Thron zurechtrücken, setzte sich und genoss den Applaus, der allem, nur nicht der Schluss-Pointe galt, die außer Mario niemand verstand.

Aber dann stand tatsächlich eine da, eine junge Frau in Jeans und einer dunkelroten Bluse, die schmal und doch so lose über ihre Hüfte fiel, dass sie die Schlankheit eher betonte als verbarg. Sie stand da, im Halbdunkel, und kniff die Augen zusammen. Sie hätte ein Gast aus dem Hauptlokal sein können, verirrt auf der Suche nach der Toilette, oder eine Hilfskellnerin, bloß dass die Bluse dazu nicht passte. Sie trat auf Bernays zu, dem noch gratuliert wurde, der gerade Auskunft über die Herkunft dieses österreichischen Tonfalls geben sollte, den er übergestreift hatte wie einen Maßanzug, da trat das fremde Mädchen in den Kreis und fragte: Entschuldigen Sie bitte, sind Sie Professor Bernays?

Da er sich erst von Fraukes Lippen abwenden musste, trug er einen grellen, angeheiterten Ton in seine Antwort hinein: Wenn Sie die Nichte von Rozmburk sind?

Ein etwas zu langer, nachdenklicher Blick machte ihm zu seiner Bestürzung klar, dass sie genau die war, wie auch immer sie zu der Bezeichnung gekommen sein mochte. Dass der Scherz, den er auf Kosten einer Ahnungslosen hatte machen wollen, auf die Eingeweihte peinlich wirkte.

Rozmburk hat keine Nichte, sagte sie kühl, setzte sich aber auf den freien Platz, ich bin eine Art Patenkind.

Jetzt kann die Reise losgehen, dachte Bernays, und sein Hochgefühl kehrte zurück, in einer wärmeren, weniger giftigen Farbe. Rozmburks Nichte existierte nicht nur, sie war außerdem die Frau, die so dringend gefehlt hatte. Ein Geschenk in einer roten Bluse. Denn alles Nötige hatte er erfasst. Sie war hübsch, auf eine Weise, die ihr selbst wahrscheinlich kaum bewusst war. Bernays mochte schlanke, im Ganzen irgendwie bräunliche Frauen mit hellen Augen, solche, die ihn an die zwanzigjährige, längst in Fleisch und Make-up versunkene Pauline erinnerten. Dieses Mädchen hier war jung, aber sein Auftreten sagte ihm, dass es keine Studentin mehr war. Sie war schon selbst irgendjemand, wer, das würde er herausfinden.

Er rückte vom Tisch weg und drehte seinen Stuhl in ihre Richtung. Er machte Wind um sie, um von sich selbst abzulenken. Seine Vorstellung war ihm plötzlich unangenehm. Mochten die anderen ruhig glauben, er habe diese Frau erwartet. Was möchten Sie trinken, fragte er, und stand, als sie einen Wunsch geäußert hatte, auf, schlenderte hinaus und holte an der Schank das Getränk. Dafür wurde er bei seiner Rückkehr mit einem großen Blick belohnt. Er hoffte, dass er nicht betrunken war, und wenn, dass sie es nicht merkte. Aber natürlich, die Wienerinnen, die hatten Erfahrung damit. Das konnte ein Vor- wie ein Nachteil sein. Wahrscheinlich würde sie es merken, genauso wahrscheinlich wäre es ihr egal. Hier waren alle immer im Öl, aber nur, wer es erwähnte, galt als betrunken.

Sie selbst trank hastig zwei Gläser Wein. Anfangs war sie zurückhaltend, doch bei der ersten längeren Antwort wurde sie lebhaft. Als sie ums Haar sein Glas umgestoßen hätte, setzte sie sich auf ihre Hände wie ein geniertes Kind. Sie schien mit ihrem Temperament zu hadern; ein stummer Kampf mit einer unbeherrschbaren Kraft. Ein bisschen kratzbürstig kam sie ihm vor, an manchen Stellen, oder vielleicht nur: angeraut. Das Gegenteil von den so ebenmäßig draufloslachenden Amerikanerinnen damals, oder von Frauke. Sie hieß Roxane.

Der Vorname einer persischen Königin. Sagte er.

Und sie erwiderte: Schön, dass Sie mir nicht mit *The Police* kommen.

Ein Punkt für ihn. Später pflückte sie von einem herrenlosen Teller kalte Pommes frites und winkte errötend ab, als er ihr die Karte reichte. Rozmburks Patenkind also. In keinem religiösen Sinne, erklärte sie, eher ein selbsterfundenes linkes Zeremoniell, wahrscheinlich haben sie mich als Baby mit Bier benetzt. Mit ihm und seinen Gruppen habe sie niemals dorthin fahren wollen. Um eine Einzelführung habe sie ihn erst recht nicht gebeten. Aber jetzt, da Rozmburk krank sei, wer weiß, wie sehr, dränge es sie auf einmal, zu fahren. Sie habe es ihm gar nicht erzählt. Vielleicht sei es nur Abwehrzauber. Und wahrscheinlich werde sie bis zur letzten Minute nicht wissen, ob sie sich wirklich traue.

Das wäre aber sehr schade, sprach es aus Bernays heraus.

Sie sah ihn an und verzog den Mund. Was sie dachte, konnte er sehen.

Für wen, fragen Sie sich, stürmte er also vorwärts und

rang um eine überraschende Wendung, na, für Sie und Ihren Onkel, für das, was Sie zwar nicht besprechen müssen, was aber trotzdem da ist.

Onkel. Ein Wort wie Onkel zu dieser jungen Frau. Ihm wurde klar, dass er fliehen musste. Ihr Gesicht schwamm lockend vor ihm durch die verrauchte Luft, aber die Bedeutung ihrer Blicke konnte er nicht mehr entziffern. Das immerhin gestand er sich ein. Beim Sprechen ein Gefühl wie eine lose Zahnprothese. Langsam, als müsse er gähnen, dabei wollte er nur das Lallen vermeiden, fragte er nach einem gemeinsamen Frühstück. Sie nickte schnell, er war also nicht völlig abstoßend. Zehn Uhr, Café Zögernitz. Im Aufstehen strich er ihr über den Unterarm, eine müde, erwachsene Beschützergeste. Dem Rest des Tisches winkte er flüchtig zu, eilte hinaus, beglich an der Schank seine Rechnung, nahm die zwei Glas Wein des Mädchens in erneutem Überschwang hinzu, warf sich draußen in ein Taxi und begann mit seinen Schamgrimassen erst, als der Wagen um zwei Ecken war.

Er erwachte mit Kopfschmerzen, als das Telefon klingelte. An dessen spezielle Konstruktion hatte er sich noch nicht gewöhnt, der Hörer war irgendwie eingehakt, sodass er, zumal verschlafen, beinahe den Apparat zu sich ins Bett riss. Es war Pauline, die Kinder längst in der Schule, Andrej im Institut, und bestimmt war ihr Mund makellos geschminkt. Ihre Lobbyarbeit begann erst später. Bernays fasste sich aus Gewohnheit an den Schwanz, doch es flammte eine Rote-Blusen-Erinnerung auf, und er zog die Hand zurück. Er gab eine Schilderung seiner Reisegruppe, ohne Xane, so boshaft, wie er nur konnte.

Keine interessanten Frauen, fragte Pauline, du verheimlichst mir etwas.

Bernays schüttelte ertappt den Kopf, aber seine Stimme blieb unverdächtig, wie frisch geölt. Ja, sagte er, du hast recht, die Kampflesbe wäre natürlich eine Sünde wert. Glaubst du, sie behält im Bett die Schuhe an?

Später probierte er im Bad, wie lange er sein Gesicht in absurd verdrehter, halbgeduckter Haltung im eiskalten Wasser des Waschbeckens versenken konnte. Denn er hatte Schwellungen und Rötungen entdeckt, im Gesicht des alternden Idioten, der er war, und dem mit einem Mal ein fremdes, viel zu junges Blusenmädchen wie die letzte Rettung erschien. Ich war betrunken, versuchte er sich zu beruhigen, ich war verzweifelt, ich habe eine Midlife-Crisis – und sie ist Rozmburks Nichte! Da lachte er laut, so allein im Hotelzimmer. Das Abschwellwasser war rötlich, ein Abglanz sowohl der Bluse wie seiner Hautfarbe, dabei verabschiedete sich vermutlich nur das Henna, nach bloß einer Woche. Bernays betrachtete sein Gesicht, die ersten geplatzten Äderchen, so schlimm war es nicht. Man könnte mich vielleicht doch lieben, dachte er, vielleicht ist meine Lächerlichkeit in anderen Augen charmant. Und da schien ihm, so freundlich habe er über sich schon lange nicht mehr gedacht, sehr lange, wahrscheinlich nicht mehr, seit er Paulinchen stieß.

Auf dem Weg ins ›Zögernitz‹ verlief er sich zweimal, und der zweite Passant, den er ansprach, machte ihm ein unfreiwilliges Kompliment, als er mit abfällig geschürzten Lippen fragte: Wo sind Sie denn her? Aus Graz?

Es war ein erster Frühlingstag, und alles fühlte sich danach an, noch kühl, aber untendrunter im Werden.

Xane stand im Mantel mitten im Café. Sie lächelte ihm entgegen, wedelte mit den Armen, weil kein Tisch frei war, verdrehte die Augen, als ein Kellner sie fast umrannte, und überließ Bernays selbstverständlich ihre Wangen, erst die eine, dann die andere. In Frankreich drei, beharrte er, und sie hob das Kinn, bot noch einmal die rechte Wange und sagte wie zur Vergeltung: Aber meine Rechnung kann ich selber zahlen.

Sie bestellte zwei Eier im Glas und pries die Arbeit, die man sich in Wiener Kaffeehäusern damit machte: Versuchen Sie einmal, ein weichgekochtes Ei zu schälen, ohne dass es reißt. Bernays konnte kaum hinsehen, diese glatten weißen Kugeln in einem kleinen Glaspokal, mit Schnittlauch bestreut. War das die menschliche Größe dessen, woran es ihn erinnerte, oder machte er sich wieder einmal zu große Hoffnungen? Sie stach gnadenlos hinein, und Dotter floss. Sie sprach ihn, ihm schien, leicht ironisch, mit Herr Professor an und wollte wissen, ob er Belgier, Franzose oder Israeli sei. Während Bernays sich nach einer Kopfschmerztablette verzehrte. Er fragte sich, ob seine Rühreier mit Speck in einem vom Weißwein übersäuerten Magen gut oder vielmehr besonders schlecht zu liegen kommen würden, und murmelte: Geboren in Polen, britischer Pass. Ich heiße übrigens Hugo.

Ich weiß, Professor, sagte sie und lachte und hielt sich wie am Vorabend die Hand vor den Mund. Sie flirtet mit mir, dachte Bernays, und Misstrauen flog ihn an. So viel Glück hätte er sich nicht zugetraut. Warum tat sie das? Weil er der Chef der Exkursion war? Es gab ja Frauen, die in jeder Lebenslage Kurs auf den Leitwolf hielten.

Warum halten Sie sich beim Lachen eigentlich die Hand vor den Mund, fragte er. Langsam nahm sie die Hand herunter, dahinter lachte es nicht mehr. Dafür ging ein Zeigefinger hinauf und lüpfte die Lippe.

Schiefer Schneidezahn, sagte sie, und er lehnte sich zurück, ahmte ihre Bewegung an seinem eigenen Mund nach, nur weiter seitlich, murmelte, schiefer Eckzahn, nahm den Finger herunter, sah sie, so machohaft zurückgelehnt, zweieinhalb Momente zu lange an und stellte fest: Ich glaube, wir können uns duzen.

Die Ankunft um drei Uhr morgens hatte die übliche Wirkung. Obwohl Bernays auf der harten Liege kaum geschlafen hatte, zog er die polnischen Nachtzüge jedem gecharterten, klimatisierten, musikberieselten und zu einer normalen Zeit eintreffenden Reisebus vor. Ohne dass er etwas tun oder verhindern musste, bekamen seine Leute gleich den angemessenen Schlag, mitten in ihre Müdigkeit hinein. Die schlechte Straßenbeleuchtung, die ärmlichen Bauten, die Stille, die Menschenleere und dazu das Schild ›Oświęcim‹ reichte den meisten erst einmal. Es sah aus wie ›Nacht und Nebel‹. Kein Schnattern, kein Lachen, darauf war Verlass. Ein strammer Fußmarsch zur Jugendbegegnungsstätte, dann durften sie ins Bett, denn am nächsten Morgen, wenn es an die Arbeit ging, übte dieses erste Nachtbild weiterhin seine subtile Wirkung aus.

Vom Frühstück an verschanzte sich Bernays hinter seiner Rolle. Er konnte sich denken, dass er zumindest Xane, aber wahrscheinlich auch die meisten anderen mit seiner orange-grün-grauen Ausrüstung befremdete. Erklärungen gab er keine ab. Seit er das Zeug in einem Outdoor-Spezialgeschäft in Frankfurt am Main gekauft hatte, nannten Pauline und er es seinen Auschwitz-Anzug, aber das waren interne Scherze, die man ansonsten nur Menschen wie Rozmburk gegenüber machen durfte. In den verregneten zehn Monaten, in denen Bernays für seine Dissertation recherchiert hatte, hatte er so viele Schuhe und Hosen verschlissen, dass ein Notkauf bei einem Krakauer Herrenausstatter nicht mehr zu vermeiden gewesen war. Ich bin Historiker, kein Pfadfinder, hatte er Pauline, die in jener Zeit außergewöhnlich zartfühlend mit ihm umging, in teuren Ferngesprächen angejammert. Es war ihre Idee gewesen, bei den Archäologen um Rat zu fragen. Aber es ging nicht nur um das Praktische. Bei so vielen Besuchen brauchte man eine Art Arbeitskleidung, etwas, das man überstreifte, um sich selbst klarzumachen, jetzt bin ich wieder da. Und die Montur, die er sich aus den Abteilungen Bergsport und Trekking zusammengestellt hatte, war außerdem grell von allen Geweben entfernt, die an diesem Ort je in Verwendung gewesen waren.

Das Verrückte war ja, gerade hier brauchten die Menschen einen Führer, nicht bloß einen Guide, wie die Angestellten hießen, die man im Museum buchen konnte. Natürlich konnten sie keine Führer zur Miete anbieten. Guide, das klang so hilfsbereit, sanft und international, änderte aber nichts an der Anforderung an die Person, das hatte er vor Jahren bei Rozmburk gelernt. Egal, ob es ein Zeitzeuge wie jener, eine von den kantigen polnischen Historikerinnen oder ein pickeliger österreichischer Zivildiener war: Von allen wurde erwartet, dass sie den Leuten sagten, wo es langging, in jeder, auch in der innerlichsten Hinsicht. Bernays' Überzeugung war: Je strenger man loslegte, desto weniger scherten sie später aus, emotional, alkoholisch. So klar geregelt wie Sadomaso, dachte er manchmal, man legt ihnen ein autoritäres Halsband an, damit sie sich nicht selbst verletzen. Das war jedes Mal aufs Neue anstrengend. Aber ihm half dabei seine Jacke, mit all ihren Innentaschen, Reflektorstreifen, Klettverschlüssen und der Kapuze, die bei gutem Wetter im Kragen verschwinden konnte.

Er begann wie immer am Marktplatz der Stadt. Denn dies war, auch, ein ganz normales Städtchen, kein finsteres Weltende. Es war kein schwarzes Loch. Es war nicht der Anti-Ort schlechthin, das mussten sie als Erstes begreifen. Dass auch hier Kinder geboren wurden und Blumen verkauft. Breitbeinig, die Daumen in den Gürtelschlaufen, stand er da und spulte seine Erzählung ab, die wie alles, was er in den kommenden Tagen sagen würde, auf das Unterhöhlen vorgefertigter Gefühle zielte. Die blühende jüdische Gemeinde des neunzehnten Jahrhunderts, ein weit nach Europa hineinstrahlendes geistiges Zentrum, das sogenannte Oświęcimer Jerusalem. An dieser Stelle ähnelten sich die Gesichter aller seiner Gruppen, sie sahen drein, als hätten sie auf etwas Verdorbenes gebissen, wofür sie am liebsten denjenigen verantwortlich gemacht hätten, der ihnen diese Details servierte. Während sie spürten, dass das zu einfach war.

Er sprach weiter, Zahlen, Daten, historische Wendungen, die nur retrospektiv absurd klangen, wie jene, dass die Ersten, die dem geplanten Nazilager und dem Wohnraumbedarf seiner Wachmannschaften hatten weichen müssen, die ortsansässigen Auschwitzer Juden gewesen waren, die zuerst in die Ghettos von Bendsburg und Sosnowitz deportiert wurden, um dann, als alles fertig war, zurückgebracht und sozusagen zu Hause ermordet zu werden.

Auf einer zweiten, freien Gedankenspur sann er über Xane nach. Wie und wo er ein kleines Loch in sein Survivalkostüm schneiden konnte, nur für sie. Gestern im Zug hatte sie, als die anderen vor dem Abteil rauchten, kurz den Kopf an seine Schulter gelehnt, nachdem er seinen Apfel mit ihr geteilt hatte.

Erfolgreiche jüdische Schnapsbrennereien, wie die bekannteste von Jakob Haberfeld, sagte er gerade, als ihm auffiel, dass die Aufmerksamkeit von ihm weggeebbt war. Irgendetwas war hinter ihm, das sie ablenkte. Er versuchte, die

Gruppe mit Blickkontakt zu sich zu zwingen. Mario sah fest zurück, aber seine Mundwinkel zuckten. Der Herr Architekt bildete rosa Flecken auf den Wangen aus. Xane stand an der Seite, den Schal bis ans Kinn, fixierte ihre Fußspitzen und wippte vor und zurück. Der Schriftsteller nickte ihm gütig zu, quasi von Vaterfigur zu Vaterfigur. Schurl Slezak wirkte besorgt. Einige der Studenten, darunter die drei Mädchen, schauten ihn an, ohne ihn richtig zu sehen, als hielten sie die Augen krampfhaft von etwas anderem weg. Die Übrigen waren so abgelenkt, dass sie sich nicht einmal mehr den Anschein gaben, zuzuhören. Da hob Xane die alte Nikon, die sie um den Hals trug, vor ihr Gesicht und richtete sie auf ihn. Sie stellte ein paar Sekunden lang scharf, drückte ab, einmal, zweimal, dreimal, Gelächter platzte auf, unterdrückt und hysterisch, er kannte das ja. Aber jetzt schon, und hier?

Bernays brach mitten im Satz ab und drehte sich um. Hinter ihm, sechsbeinig im flachen Brunnenbecken, koitierten zwei Straßenköter, so kreatürlich hektisch und selbstvergessen, wie sie fressen und ausscheiden, egal, wo sie sind.

Bernays schloss einen Moment die Augen. Die Gruppe in seinem Rücken war still, die gespannte Aufmerksamkeit wieder ganz bei ihm. Er wandte sich ihnen zu und sagte: Wenn man das sieht, könnte man es sich abgewöhnen. Dabei sah er nur Xane streng und herausfordernd an und jubelte innerlich darüber, wie gepeinigt sie aussah. Dann ging er einfach los in Richtung Stammlager, so schnell er konnte, und seine beschämte Gruppe lief ihm eilig hinterher.

Er nahm einen Seiteneingang und kam von hinten auf das Krematorium I zu. Sie hatten wahrscheinlich gar nicht recht begriffen, dass sie schon auf dem Gelände waren, denn sie arbeiteten sich noch mit angestrengtem Sarkasmus an Himmlers Sauna ab, auf die Bernays sie im Vorübergehen aufmerksam gemacht hatte. Der Reichsführer-SS hatte sie aus Finnland importieren lassen, überzeugt von der segensreichen Wirkung, die das Saunieren auf Körper und Geist hatte. Inzwischen diente sie, in einem ungepflegten Vorgarten, als Hühnerstall. Dieser kleine Holzschuppen führte zu den üblichen Gedankenspielen und Zoten. Einer erzählte von einem ›Tatort‹, wo eine Saunatür von außen zugestellt worden war, und dass man habe sehen können, wie ein dicker Mann mit rotem Kopf vergeblich versuchte, von innen die Scheibe einzuschlagen. Die Ähnlichkeit der Bilder übersahen sie in ihren kindlich-befreienden Rachegefühlen. Nichts, was man hier denken konnte, war unschuldig.

Noch einmal um die Ecke, und da war er, der Hintereingang, sie stolperten hinter ihm drein, und während sie ihre Augen an das Halbdunkel gewöhnten, erkannten die Ersten die Verbrennungsöfen, vor denen ein paar rote Grablichter flackerten. Sind alle da, fragte Bernays, das Zeichen für den Herrn Architekten, noch einmal zum Eingang zurückzugehen und sich davor als Wegweiser aufzustellen.

Xane kam, mit dem alten Sportreporter plaudernd, er fasste sie warnend am Arm, sie lachte, als sie über die Schwelle trat, dann sah sie auf, erblickte Bernays, schaute ihn verwundert an, sah sich um und machte einen winzigen Schritt, eigentlich nur eine Andeutung davon, rückwärts.

Bernays war klar, dass sie sich auf ihn stürzen würde, und freute sich beinahe darauf. Sie war einerseits so rätselhaft, wie ihm alle Frauen waren, jedenfalls die paar, für die er sich interessierte. Doch in einer bestimmten Hinsicht lag sie für ihn offen wie ein Buch. Ein paar Sätze am ersten Abend hatten genügt, über ihren Hintergrund und ihr Zögern, mitzufahren, und er konnte ihr weiteres Verhalten halbwegs vorausberechnen. Ein klassischer Fall halbjüdischer Doppelhelix, wie er das bei sich nannte, ein schwer auflösbares Geflecht aus Angst, Schmerz über unklare Zugehörigkeit, ironischer Distanzierung und Selbstüberschätzung auf der Suche nach der angemessenen Haltung. Das war sehr viel anstrengender als der eindeutige, manchmal ziemlich selbstgerechte Zorn der meisten jungen Israelis, viel verworrener als noch die verzweifeltste, tränenseligste Scham der meisten älteren Deutschen. Er, Bernays, Sohn des ehemaligen Partisanen Jan Biernacki und dessen jüdischer Frau, kannte das genau. Er hatte diesem Ort sein Leben gewidmet, weil er das Geflecht so gut kannte. Mittels harter Arbeit wollte er es zumindest vom Wuchern abhalten. Kleinkriegen ließ es sich nicht. Vielleicht hatte er Xane deshalb gleich so anziehend gefunden wie eine Droge, ein Spiegelbild, nur fünfzehn Jahre jünger. Wenn das der Grund war für diese sonnige, wie beschwipste Aufregung, die ihn ergriff, sobald er morgens die Augen aufschlug und an sie dachte, dann war es kein schlechter. Er wusste schon lange, dass es zwischen den Menschen Unüberwindliches gab, das man an diesem Ort sichtbar machen konnte wie nirgendwo sonst. All die ihm bekannten deutsch-jüdischen Ehepaare, die ihr Hitler-überwindendes Glück ausstellten, funktionierten nur, weil sich der deutsche Partner wollüstig in eine lebenslange Büßerhaltung begab! Die niemals zustande gekommenen Ehen, die Missverständnisse, die Trennungen und all die scheidungsgenerierten Antisemiten hatte keiner je gezählt. Und deshalb hatte

Pauline, diese Enkelin eines Rabbiners, diese Tochter eines Kantors, Andrej Sussman geheiratet und nicht ihn. Obwohl sie ihm hingebungsvoll die Eisbeutel gereicht hatte, damals, an jenem erniedrigenden Wochenende nach seiner Beschneidung, und obwohl sie bis heute erfreut war, um wieviel länger er seither konnte.

Herr Professor, inszenieren Sie das hier als Geisterbahn, fragte Xane, und Bernays bewunderte den Instinkt, mit dem sie zum tiefgefrorenen ›Sie‹ zurückkehrte. Der Sportreporter berührte sie noch einmal am Arm. Sie fuhr zu ihm herum und zischte: Das macht er absichtlich. Er will uns kleinkriegen.

Bernays ging zu ihr und nahm ihre Hand, die sie ihm, er spürte es, am liebsten weggerissen hätte. Komm, sagte er und zog sie langsam zum anderen Ausgang. Die anderen fluteten hinterher wie eine trauernde Schafherde. Von dem kleinen Vorraum aus zeigte er durch die nächste Tür in einen größeren Raum, der voller Menschen war, Kameras, Lärm, zwei Führungen, eine auf Englisch, die andere auf Ivrit. Junge Israelis, in Blau-Weiß, dazu Fahnen. Einige hielten sich an den Händen und summten eine klagende Melodie.

Hättest du da durchwollen?

Xane stand stocksteif. Mit beiden Händen schüttelte er ihren Arm, wie um sie aufzulockern.

Können wir weitermachen?

Als sie nickte, gingen sie alle zurück, Bernays verschränkte für die paar Schritte, im Rücken der anderen, seine Finger mit ihren, als wären sie schon ein Liebespaar, und anschließend sprach er eine Weile über die Methoden der Holocaust-Leugner, das war für alle entspannend, weil so zweifelsfrei indiskutabel wie Himmlers Sauna.

Beim Mittagessen setzte er sich zu ihr, Mario und dem Herrn Architekten an das Tischende. Die beiden beschatteten Xane, seit sie begriffen hatten, dass das eine Methode war, um nah am Professor zu sein. Beim Herrn Architekten vermutete Bernays außerdem ein weitergehendes Interesse, immerhin war er in ihrem Alter und neigte auch auf anderen Gebieten zur Selbstüberschätzung. Mario wiederum, der eventuell schwul war, war wahrscheinlich von ihrer Verbindung zu Rozmburk beeindruckt.

Xane schien sich ergeben zu haben. Sie bekämpfte Bernays' Art, hier Pädagogik zu treiben, nicht mehr, sondern überließ sich ihm nun völlig. Das lächerliche Scharmützel, das sie erzwungen hatte, hatte seinen Zweck erfüllt. Sie hatte bekommen, was sie wollte: eine Autorität, der sie sich unterwerfen konnte. Ein Satz von Werfel fiel ihm ein: Niemand konnte so bedingungslos glauben wie diese scharfe Kritikerin.

Ich habe gar keinen Film dringehabt, sagte sie.

Er sah sie an.

Na vorhin, am Rynek, sagte sie.

Ich verstehe es noch immer nicht.

Ich wollte dich nur aufmerksam machen, jammerte sie, ich wollte dich nicht bloßstellen!

– Aber warum …

Was hätte ich denn tun sollen, rief sie ungeduldig, und die anderen, die weiter wegsaßen, horchten auf, hätte ich rufen sollen, Vorsicht, fickende Hunde?

Bernays lachte. Das hätte mir, glaube ich, besser gefallen.

Ach, schleich dich, murmelte sie und sah ihn dabei so zärtlich an, dass er schnell aufstand und sein Tablett wegbrachte.

Vorübergehend verlor er die Haltung. Er fütterte sie, ironisch grundiert, mit Herrschaftswissen, das er den anderen vorenthielt. Von der Kantine gingen sie direkt zur Filmvorführung, und auf dem Weg dahin flüsterte er: Ich wollte dir das Essen nicht verderben, aber diese Kantine war früher ein Duschraum. Ein richtiger Duschraum für die Häftlinge ... Wie in ›Schindlers Liste‹!

Sie bemühte sich, zu grinsen. Übles Machwerk, sagte sie, Rozmburk allerdings war begeistert.

Weil er selbst überlebt hat, vermutete Bernays, aber da nahm Xane ihn in Schutz: Du weißt ja, am wichtigsten ist ihm die Aufklärung der Massen. Strenggenommen ist er kein Intellektueller.

Noch nie hat ein Intellektueller eine Kathedrale erbaut, zitierte Bernays, und sie fragte: Von wem ist das?

Von Kissinger.

Und glaubst du das?

Mit Kathedralen kenn ich mich nicht aus.

Dafür mit Gaskammern.

Ja, kokettierte er, ich muss ein schöner Idiot sein.

Irgendjemand muss sich darum kümmern, widersprach sie, und die Bewunderung in ihrem Blick war tatsächlich nackt, etwas, das er nicht sehen durfte, weil es falsch und zu viel und kompromittierend war. Die Holocaust-Leugner ...

So etwas macht man nur für sich selbst, unterbrach er sie, wobei er sich fragte, ob das stimmte und nicht nur gut klang.

Er wartete, bis alle Platz genommen hatten, und führte Xane zu einer leeren Reihe weiter hinten. Er ging voran, in die Mitte. Unser erster gemeinsamer Kinobesuch, scherzte er, und sie schüttelte missbilligend den Kopf, obwohl er ihr so doch am besten gefiel.

Was kommt jetzt, fragte sie, und er sagte: Nichts, was du nicht schon gesehen hast.

Aber will ich es noch einmal sehen?

Wahrscheinlich nicht. Ich schau es mir nicht mehr an. Ich mach die Augen zu und konzentriere mich auf die Tonspur.

Warum zeigen sie das überhaupt, flüsterte sie später, als die Leichen mit dem Bagger zusammengeschoben wurden.

Weil sie glauben, dass es dazugehört.

Man kann nicht mehr glauben, dass es Menschen sind, wimmerte sie, es sieht aus wie menschenähnlicher Müll. Eigentlich ist das Nazipropaganda.

Mach die Augen zu, befahl er, und sie bockte: Das ist keine Lösung!

Dann gehst du am besten hinaus! Darauf schwieg sie, blieb aber sitzen, mit einem Ausdruck, als betrachtete sie ein misslungenes Musikvideo. Ihre Hand zu nehmen, kam nicht mehr in Frage.

Den Rest des Nachmittags hielt sie sich im Hintergrund. Einmal hörte er, wie sie einen Studenten zurechtwies. Das war einer, der wenig sagte, aber dauernd fotografierte, in Schwarz-Weiß, Selbstentwickler, wie er im Zug stolz erzählt hatte. Der junge Mann, im Grunde ein halbes Kind, hatte seine Kamera auf die nach innen gekrümmten Zaunpfähle aus Beton gerichtet, zwischen denen sich der Stacheldraht bauschte, und dabei gemurmelt: Das schaut gut aus, wie die Pfosten die Köpfe hängen lassen. Und Xane konnte nicht anders, als ihm sarkastisch zuzustimmen: Ja, und ich finde, das ›Arbeit macht frei‹ ist hier auch besonders schön geschmiedet. Bernays zog scharf Luft durch die Nase, sie hörte es und zuckte die Schultern, während der Junge zu stammeln begann, so habe er es gar nicht gemeint.

Sie wurden wieder auseinandergetrieben. Denn inzwischen hatten sich auch die anderen akklimatisiert, und Teile der Gruppe erwachten zum wissenschaftlichen Leben. Der Herr Architekt hatte erwartungsgemäß viele Fragen, aber auch Frauke und Jürgen, die beiden deutschen Kollegen, interessierten sich mit einer verräterischen Akribie für die kleinsten Details. Sie fragten, also funktionierten sie noch.

Bernays sprach über Konservierung und Renovierung, die hier noch viel umstrittener waren als anderswo. Über den Schaden, den gutgemeinte, aber falsche Rekonstruktionen kurz nach dem Krieg angerichtet hatten. Auch, weil die Kommunisten im Kalten Krieg nicht zugeben wollten, was sie, und warum, rekonstruiert hatten. Er sprach über die schweren Konflikte zwischen den Polen und jüdischen Gruppen, vor allem amerikanischen. Über den weltweiten Aufruhr, als sie in Washington für eine Ausstellung eine kleinere Menge Original-Haar haben wollten. Über den täglichen Balanceakt zwischen Museum und Friedhof.

Er wurde müde und stumpf, wenn er nur daran dachte, an all die Querelen und Kämpfe, an die unzähligen Ausschüsse, in denen er selbst gesessen war, seit Rozmburk nicht mehr konnte, wo sich die Parteien unversöhnlich angifteten, jede in der festen Überzeugung, im alleinigen Auftrag der Toten zu handeln.

Er bat darum, alle Fragen zu den genauen Abläufen von Vergasung und Leichenverbrennung auf den nächsten Tag, auf Birkenau, zu verschieben, obwohl Frauke nicht abließ, immer wieder in diese Richtung zu bohren. Zehntausend, *approximately*, gab er schließlich seufzend für Krematorium I an, unvorstellbar, einerseits, aber ein Klacks im Vergleich. Er wusste, dass Zahlen ihnen manchmal halfen, Baupläne und Zeichnungen, das war zwar konkret, aber trotzdem viel abstrakter als die Koffer oder Kinderschuhe. Und wieder zeigte sich, dass vor allem die Älteren zu ihm drängten wie unter die Flügel der Glucke. Der Sportreporter Slezak hielt sich dicht bei ihm, obwohl er nichts fragte, sondern nur stumm den Kopf schüttelte, fast ohne Pause. Bernays, der geglaubt hatte, er sei längst auf alles gefasst, ließ sich nach einer Weile doch davon irritieren.

Kann ein Mensch stundenlang den Kopf schütteln, ohne Schaden zu nehmen?

Eine Frage, die Mengele sicher interessiert hätte.

Wenn man länger hier war, schafften es die Assoziationen einfach nicht mehr aus dem Referenzraum hinaus. Irgendwann würde das auch Xane verstehen. Deshalb wolltest du ja gar nicht erst kommen, wegen dieses Zynismus, mit dem man sich schützt. Ich mich schütze, nicht man. Allen sage ich, dass sie nicht dauernd ›man‹ sagen sollen, wenn sie hier sind, sondern ich, ich, ich. Xane, wenn du erst einmal öfter, zusammen mit mir, hier gewesen bist, dann wirst du verstehen ... Vielleicht brauchst auch du einen Anorak. Er würde dir stehen. Du bist sowieso zu hübsch, trotz deiner dauernd gekrausten Stirn, du weißt es gar nicht. Der Anorak würde deine Tulpenhaftigkeit ein bisschen verbergen, gleichzeitig könnte ich dich an den Reflektorstreifen erkennen, noch in der dunkelsten Baracke.

Der Schriftsteller machte Notizen, auf einem kleinen Block, in winziger Schrift, und blieb öfter stehen. Den Abstand, der dadurch entstand, überbrückte er anschließend mit hektischen Bocksprüngen, die kalte Pfeife zwischen den Zähnen. Nur schnell wieder zurück zum Professor, ins Zentrum von Historiografie und Ratio.

Die Studenten dagegen, auch Xane und Mario, ließen sich immer weiter an den Rand fallen, blieben nur noch in loser Verbindung. Sie schlenderten umher und schauten, sie ließen es wirken, diese jungen Menschen, sie schafften es besser, sich auszusetzen. Sie brauchten weniger Worte, sie gebrauchten ihre Instinkte. Sie hatten noch welche, waren nicht, wie die Älteren, in die wechselnden Moden der Gedenkpropaganda verheddert. Bernays war beleibe nicht der Meinung, dass das oberflächlich war, es war nur anders. Er wusste selbst genau, wie man sich mit Fakten, Zahlen, Kausalketten und Fußnotengeschwadern polstern konnte gegen das Grauen.

Inzwischen war es spät geworden, eine gnädige Abendsonne blinzelte hervor. Höflichkeitshalber hatte er kurz im Archiv vorbeigeschaut, während er der Gruppe freie Zeit gab.

Die Kollegen im Archiv sagten voraus, dass es regnen werde. Manchmal kam es ihm vor, als wäre er immer nur bei Regen in Birkenau gewesen, dabei wusste er, dass er oft genug gesehen hatte, wie Besucher im Gras in der Sonne saßen. Regen also für den nächsten Tag, man konnte es nicht ändern. Irgendwann mussten sie ohnehin mit den Referaten beginnen, und leere Baracken gab es ja genug. Er verabschiedete sich betont herzlich von den Archivaren, zu deren Gemeinschaft er eine Zeitlang gehört hatte. Jetzt war er wieder ein Fremder, obwohl er Hausrecht beanspruchte. Er war einer, der gehen durfte und deshalb nie wissen würde, wie es wirklich war. Diese Überzeugung war ihnen anzusehen. Sie waren ein brummiges Volk, diese Polen, jedenfalls die meisten, mit denen er hier zu tun gehabt hatte. Man wurde nur schwer mit ihnen warm. Vielleicht lag es an ihm. Vielleicht aber auch daran, dass er Ausländer und Jude war. Für beides hielten sie ihn, wahrscheinlich zu Recht. Seine väterliche Herkunft hatte er nie erwähnt. Es wäre ihnen und ihm als Anbiederung erschienen. Und es war nicht die biografische Seite, die ihm selbst wichtig war. Der polnische Nationalismus nach 45, der brutale Antisemitismus gegen die wenigen, die die Nazis übriggelassen hatten, hatte ihn immer abgestoßen. Das war etwas, für das sein Verlangen, alles in kleinste Bestandteile zu zerlegen, um es besser zu begreifen, einfach nicht mehr reichte.

Er fand Xane mit ihren beiden Kurschatten vor dem Swimmingpool. Sie spazierten auf und ab wie auf einem Korso und schienen sich angeregt zu unterhalten. Aus der Ferne kam ihm die Szene friedlich vor.

Hat sie also nichts mehr in die Zynismus-Kehle gekriegt.

Es gab hier ja kein *richtiges* Benehmen, aber es tat weh, sich das einzugestehen. Dabei war das nur der allererste von vielen Schritten, die immer schwerer wurden. Einer der letzten war die Erkenntnis, dass es wahrscheinlich fast jeder kann, erst Vergasungslogistik erörtern und danach nach Hause gehen und sich vom Söhnchen Schuberts Forelle vorspielen lassen. Wenn man, wie Bernays, lange genug dabei ist, schwindet das Unvorstellbare bis auf einen minimalen Rest. Während gleichzeitig ein Wort wie ›Arbeitsteilung‹ zu einem Nachtalb wird, obszön und erstickend.

Sie trug einen sehr hübschen blauen Schal, bis hinauf zur Nase. Wenn sie stehen blieb, wickelte sie manchmal ein Bein um das andere, das sah linkisch aus, und rührend. Es schien zu ihren Selbstvergessenheiten zu gehören, außerdem, dass sie auf Haarsträhnen kaute. Sie hatte sehr schmale, kleine Hände, und das Parfum, das sie benutzte, roch nach Zitrone und Holz. Als er auf sie zuging, versuchte er, sich gemessener zu bewegen, als er sich fühlte. Er fühlte sich beschwingt. Sollte er noch einmal nach Übersee gehen, für eine Weile, weg von den sogenannten Originalschauplätzen, weg von Pauline und ihrer Honigfalle? Vielleicht käme Xane mit? Die Vorstellung, mit ihr in ein Flugzeug zu steigen, mit ihr ein Hotelzimmer zu betreten, war reizvoll, aber beängstigend. Da säße sie im Schneidersitz auf einem cremefarbenen Sofa und schnalzte Küsschen in einen Hörer? Dann würde sie auflegen und sagen: Rozmburk lässt dich grüßen. Und du sollst den Aufsatz für die Anthologie abgeben, sonst schmeißt er dich raus?

Als Xane ihn erblickte, blitzte etwas in ihren Augen. Vielleicht war es dieses Blitzen gewesen, die Verbindung zu dem Tagtraum, Xanes nackte Füße auf dem gemeinsamen Sofa, so wie das Weckergeräusch gleichzeitig Auslöser und Schlusspointe eines gefühlt kinofilmlangen Aufwachtraums ist.

Sie sprang einen Schritt zur Seite und machte exaltierte Bewegungen, als würde sie fechten.

Herr Professor, rief sie, meine Kollegen und ich haben hier etwas entdeckt, das die Forschung revolutionieren wird! Ein Swimmingpool! Das ist der letzte fehlende Beweis dafür, wie gut es den Juden hier ging! Ansprechende Umgebung, beste Verpflegung, sportliche Ertüchtigung! Sie senkte die Stimme zu einem verschwörerischen Raunen: Auch die Sauna, die wir heute gesehen haben, war nur ein Prototyp. Eigentlich war es Himmlers großer und menschenfreundlicher Plan, in jede Baracke eine einbauen zu lassen …

Sie wurde wieder lauter. Und hier sehen Sie, meine Damen und Herren, ein Becken, das es mit anderen internationalen Wettkampfstätten jederzeit aufnehmen kann. Es bietet allen Insassen, äh, den glücklichen, zufriedenen und wohlgenährten Bewohnern, täglich die Möglichkeit … Bernays beschloss, laut zu lachen, Mario und der Herr Architekt taten es ihm nach. Xane brach ab und machte ein Äffchengesicht. Die beiden anderen begannen gerade zu klatschen, als Bernays vortrat und sie in den Arm nahm, und so schien der kurze Applaus auch ihm zu gelten.

Zeigen Sie mir die Löcher, und ich lasse die Klage sofort fallen, flüsterte er in ihr Ohr, ein Zitat aus dem Irving-Prozess. Es ging um die Einwurflöcher für die Zyklon-B-Dosen, eine widerliche Geschichte. Daher hatte sie auch das andere, das Gerede von den gutgenährten Juden, die bloß als Arbeitskräfte in den Osten geschickt worden waren, wo sie manchmal leider an Typhus verstarben. Rozmburk war furchtbar aufgeregt gewesen, als die Klage in London zugelassen wurde. Bernays hörte ein Geräusch aus Xanes Kehle oder tiefer, wollte es für Glucksen halten, lieber als für Schluchzen, er hielt sie locker im Arm, und plötzlich schob sie ihre Hände unter seiner offenen Überlebensjacke um ihn herum bis zu seinem Rückgrat und umarmte ihn. Die beiden anderen wendeten sich wohlerzogen ab. Und wenn er nicht gerade so falsch und raubtierhaft gelacht hätte, wäre es jetzt richtig gewesen. Denn da standen sie, aneinandergeklammert, so hilflos und idiotisch wie alle Besucher, mit der Einschränkung, dass gar nicht alle bemerkten, wie hilflos und idiotisch sie waren. Wäre es Sommer gewesen, hätten sie sich hineinfallen lassen sollen, in den moosigen Pool direkt am Stacheldraht. So verkniff er sich bloß das Lachen über sie beide, das befreiend gewesen wäre. Er war also schon wieder nicht ehrlich. Er ließ sie los, trat einen Schritt zurück, steckte eine Hand in die Tasche und bot ihr den Arm.

Warum, fragte sie, weil man in ihrem Alter wahrscheinlich das Einhängen bei Männern als grotesk empfand, und er fragte zurück: Warum nicht? Manchmal war es recht mühsam, dass sie auf jedem Zentimeter schwierig sein wollte. Aber da legte sie ihre Finger brav in seine Ellenbogenbeuge, und sie traten den Heimweg an, ins Jugendheim.

Pauline hatte zweimal angerufen, beim ersten Mal hatte er sie weggedrückt, inzwischen war sein Telefon rund um die Uhr lautlos gestellt. Er fühlte sich ein bisschen schuldig. Und wenn etwas mit einem der Kinder wäre? Er hatte keinen Geburtstag vergessen! Ophélies Bat Mitzwa war erst in vier Wochen. Er hasste sich dafür, dass er sich Gedanken machte. Pauline an seiner Stelle hätte sich bestimmt keine gemacht. Er war auf einer Exkursion, er war nicht rund um die Uhr erreichbar, und wenn bei ihrem Fundraising wieder etwas schiefgegangen sein sollte, würde sie sich gedulden müssen.

Er war der Erste beim Frühstück; als Xane kam, waren die Plätze um ihn herum besetzt. Sie lächelte ihm zu, ein bisschen verwaschen, wie ihm schien, und setzte sich zu den Studentinnen.

Danach standen alle vor der Tür und warteten auf den Herrn Architekten. Man hatte ihm, wahrscheinlich am Vorabend, sein Portemonnaie gestohlen, und nun telefonierte er hektisch mit seiner Bank und ließ die Karten sperren. Xane hatte ihm Bargeld geborgt, jetzt stand sie am Rand und spielte mit ihrer Kamera. Bernays erzählte dem Schriftsteller alles, was er über die Zwangsarbeit in der Munitionsfabrik wusste, aus Höflichkeit und schlechtem Gewissen. Frauke gab sich tapfer-patent. Xane stellte sich zu ihnen. Gerade, als er sich ihr zuwenden wollte, fiel ihr etwas ein. Sie murmelte eine Entschuldigung, ging ein paar Schritte weg und angelte in ihrer Tasche nach dem Telefon. Er hörte sie sprechen, lebhaft, mit einer hohen, fröhlichen Stimme und so entspannt, wie sie mindestens seit dem Frühstück in Wien nicht mehr gewesen war. Wenn überhaupt. Und obwohl er keine Worte unterscheiden konnte, fühlte er sich verraten.

Es war wie ein Zwang, der ihn seinerseits zum Telefon greifen und Pauline anrufen ließ, was er in dem Moment bereute, als er ihrem ironischen Redeschwall ausgesetzt war. Er wusste nicht, wie viele aus der Gruppe Französisch verstanden, aber er fing einen amüsierten Blick Xanes auf, die selbst längst fertig war und ihn bis auf die Knochen zu durchschauen schien. Als er auflegte, sagte er unbestimmt in die Runde: Schöne Grüße von Pauline Sussman, falls jemand sie kennt. Kampflesbe Moni stieß eine Art Entzückensschrei aus: Pauline Sussman? Die kennen Sie? Und Bernays dachte, unfassbar, jetzt habe ich ausgerechnet bei der einen Punkt gemacht.

Er ahnte, was kam, er hatte es schon früher gelegentlich erlebt. Den ganzen Weg nach Birkenau brandeten Enthusiasmus-Wellen an ihn heran, denn diese Moni, die er, unbelehrbar, wie er war, aufgrund der Äußerlichkeiten für jemanden gehalten hatte, der sich am Wochenende den juvenilen Überdruck der Drüsen in Punkrock-Kellern wegstampfte, interessierte sich im Gegenteil für klassische Musik. Klarinette, erfuhr er zwanzig Sekunden später, seit ihrem sechsten Lebensjahr. Eine Musikerin. So fand ein jeder seine persönliche Holocaust-Teilmenge. Beeindruckend, sagte er und lächelte gequält, und Sie haben eines von Paulines Büchern gelesen?

Alle, rief Moni und begann detailreich zu sprudeln, wobei sie sich von Bernays ab- und ihren Kollegen zuwandte, denn da gab es Unwissende zu missionieren. Sie sprach mit dem überbordenden, selbstvergessenen Eifer der Schüchternen, der oft in Bestürzung endet, wenn er zum Ende gekommen ist und dem eigenen Nachhall lauscht.

Was Bernays von Paulines Arbeiten hielt, hatte er sich niemals eingestanden. Sein Über-Ich brachte ihn sofort zur Räson. Hier, weit weg von zu Hause und mit Xanes hübscher Figur vor Augen, wagte sich jedoch ein böses Stimmchen hervor. Wie auf jedem wissenschaftlichen Gebiet gab es auch in der Shoah-Forschung die harten und die weichen Themen. Und wie überall gab es Forscher, die die wenig belohnte Grundlagenarbeit machten, zum Beispiel jene, die seit Jahren die Deportationswege mit den Truppenbewegungen abglichen, um die vertrackte Frage zu klären, wie sehr die Nazis durch den logistischen Aufwand, den sie für die Judenvernichtung betrieben, ihre eigene Kampfkraft geschwächt hatten. Ob sie das wussten. Oder ob es dem hierarchischen Chaos geschuldet war.

Und es gab die anderen, die auf das leicht Vermarktbare setzten, Bernays nannte das ›Menscheln nach dem Spielberg-Prinzip‹. Der einzige Unterschied zu anderen Forschungszweigen war, dass hier selbst diese Themen moralisch vergiftet waren. Shoah-Business, kreischten die einen, doch die anderen, wie Pauline, lächelten selbstgefällig und fühlten sich nie gemeint. Sie ordneten der sogenannten Breitenwirkung vieles, manchmal alles unter. Pauline war ihr Thema quasi vor die Füße gefallen. Als junges Mädchen interviewte sie ihres Vaters Freunde und Kollegen, auf deren Knien sie als Kind gesessen war. Und so wurde sie, weil sie warm und herzergreifend schreiben konnte, zur ersten Expertin für die Häftlingsorchester. Sie arbeitete biografisch, beschrieb die Vorkriegskarrieren und die Nachkriegstragödien der jüdischen Musiker, die selten darüber hinwegkamen, dass etwas so Zufälliges wie ihr Talent ihnen das Leben gerettet hatte. Dank ihrer Beschreibung der bevorzugten Musikstücke erfuhr man auch etwas über den recht konventionellen Musikgeschmack der Nazi-Bonzen, die diese Orchester zum fröhlichen Spiel gezwungen hatten, während sie alle anderen in den Tod schickten. In ihren Vorträgen streifte Pauline dieses Thema mit kleidsamem Ekel. Als ihr nach mehreren Büchern die Neuigkeiten und die Überlebenden ausgingen, wurde sie Lobbyistin. An die Ambivalenzen zwischen zynischem Zwang und dem Glück, das die Musik den Menschen überall vorzugaukeln imstande ist, traute sie sich nie recht heran. Sie schien zu wissen, dass sie für eine tiefergehende wissenschaftliche Karriere weder genug Ausdauer noch Talent hatte. Und das bewunderte Bernays dann wieder sehr an ihr, denn eine solch knallharte Selbsteinschätzung ging ihm, das ahnte er, ab.

Es begann zu regnen, Bernays hatte sich von dem trockenen Himmelsgrau schon verhöhnt gefühlt. Er rollte seine Kapuze aus dem Kragen und schritt schneller aus. Er begann in den Latrinen, da hatten sie es vorübergehend wenigstens trocken, was historisch gesehen wieder ein großer Witz war. Er hielt seine Stimme so tonlos und technisch wie möglich; er spulte die Fakten ab, für die es keine adäquate Darbietungsform gab. Es war das immergleiche Problem, jenes, das Xane bei der Filmvorführung benannt hatte: Die Taten waren so obszön, dass es bereits obszön war, sie zu schildern, all die mörderischen, absichtlichen Schlampereien, dass die grandiosen Erbauer dieser Stätte auf ein paar richtige Rohrdurchmesser und Neigungswinkel gern verzichtet hatten, um den Menschen, die sie nicht gleich, sondern erst später umbrachten, schon mal zu zeigen, wofür sie sie hielten. Es war obszön, Bilder der *shit*-Kommandos heraufzubeschwören, die täglich Tonnen von Exkrementen weggeschaufelt hatten, oder von den wenigen Sekunden zu sprechen, die man den Häftlingen, nebeneinander auf den Löchern hockend, gewährte, bevor sie wieder hinausgehetzt wurden.

Bernays war trotzdem der entschiedenen Meinung: entweder ganz oder gar nicht. Für die, die ohne Führung, manchmal mit Musik auf den Ohren, hier bloß durchwanderten, um den schwarzen Geist des Ortes durch sich hindurchwehen zu lassen, hatte er nichts übrig. Wer hierherkam, musste alles erfahren, da gab es keine Schonung, das war die Pflicht. Die meisten hatten anschließend Jahre Zeit, ihr neues Wissen zu verarbeiten, und die alten Leute, meistens: die alten Deutschen, die sich erst bei letzter Gelegenheit hertrauten, hatten es eben nicht anders verdient, wenn sie es bis zu ihrem eigenen Tod nicht mehr aus dem Kopf kriegten.

Heute würde der schwierigste Tag werden. Auch das war immer das Gleiche. Er musste sich um den Sportreporter kümmern. Der würde ihm sonst bestimmt als Erster durchgehen. Er holte ihn an seine Seite und begann, ihn auszufragen. Die Dankbarkeit auf seinem Gesicht erfüllte Bernays mit Zufriedenheit. Ja, die Schwankenden stützen, auch das war eine Qualität des guten Führers. Oder Hirten. Die anderen, die Jüngeren, kamen schon irgendwie durch, er selbst hatte es ja auch immer geschafft.

Schurl Slezak sprach langsam, er bemühte sich um eine gepflegte Ausdrucksweise, um vollständige Sätze und um möglichst wenig Wiener Akzent. Das war zwar alles nicht nötig, aber vermutlich half es ihm, die Umgebung auszublenden. Wie gesagt, seine Mutter. Die anscheinend hier gewesen war, doch erzählt hatte sie nichts. Ihre Schreie in der Nacht, als Slezak ein Kind gewesen war. Dass er sie habe wecken müssen. Ihre wirren Haare und Augen, der Nachtanblick. Dass Slezak später eine Zeitlang nicht sicher gewesen sei, in welcher Rolle sie hiergewesen war. Dass er es eine Zeit lang für möglich gehalten habe, dass sie mitgemacht hatte, als Aufseherin oder so. Weil sie rein gar nichts über politische Vorlieben habe erkennen lassen, nach dem Krieg! Wie sehr er sich inzwischen dafür schäme. Denn er sei schon sehr früh zu den Roten gestoßen, das könne kein Zufall sein. Dass er aber einfach nicht aufhören könne, ihr Vorwürfe zu machen, dafür, dass sie ihm alles verschwiegen habe. Jetzt sei sie täglich länger tot, aber seine Vorwürfe würden eigentlich mehr. Sie habe ihre Ruhe, aber seine eigene sei dahin. Ob Bernays glaube, dass das eine Altersfrage sei. Da tauchte hinter zartgrauen Regenschleiern der Wald aus Schornsteinen auf.

Bernays stellte sich vor, dass dies seine letzte Exkursion wäre. Der Gedanke erstaunte ihn, so fremd und neu war er. Bisher hatte er es immer wieder gemacht, weil er wusste, dass er gut war. Auschwitz mit ihm, das war ein besonderes Erlebnis, das hatten ihm alle über die Jahre versichert, die Studenten, Kollegen, Rentner, deutsche, französische, jüdische Gruppen, welche Fahne auch immer er hier vorangetragen hatte. Wenn er es nicht machte, würde es ein anderer machen. Ein Schlechterer. Sicher, es machten ohnehin so viele andere, Gute, Schlechte, aber das war kein Argument. So argumentierten Nichtwähler. Aber vielleicht hatte er sein Soll allmählich erfüllt, obwohl ja dieser Ort jede Sollerfüllung ausschloss, zumindest eine, nach der man weiterlebte. Trotzdem: Vielleicht war es einfach genug. Sich auflehnen, desertieren. Sich losreißen, hiervon und von Pauline. Die Outdoorjacke verschenken, am besten gleich dem Herrn Architekten, der würde in Zukunft auch viel draußen sein.

Er gab Mario ein Zeichen. Der Mann war eigentlich gut, seriös und verlässlich, viel weniger gelackt, als Bernays gedacht hatte, noch vor einer Woche, am Flughafen. Das, was er für affig gehalten hatte, war lokaltypisch, der Wiener Zuschlag. Wir müssen ein bisschen aufpassen, raunte er ihm zu, auf den alten Slezak, wahrscheinlich auch auf Xane, unsere falsche Nichte. Die anderen kann ich schlecht einschätzen. Was meinst du?

Mario nickte. Wenn sich Frauke und Jürgen um ein paar Studenten kümmern, haben sie selbst etwas zu tun, schlug er vor, und Bernays war verblüfft, wie schnell er begriff und die Sache weiterspann.

Okay, sagte er und grinste, du Xane, ich den Sportreporter, ich gebe Frauke einen Tipp, und du sagst dem Herrn Architekten, er soll sich von Moni noch genauer über die Häftlingsorchester informieren lassen? Jungenhaft hob Mario die Hand, und Bernays klatschte ihn ab. Wieder jemanden glücklich gemacht. Das war das erste Mal, dass er Mario seinem plappernden Konkurrenten vorzog. Und außerdem überließ er ihm Xane.

Sie waren auf dem Weg zu den Ruinen der unterirdischen Gaskammern inzwischen beim Wäldchen angekommen. Bernays gab die notwendigen Informationen, über die Grenzen der Kapazitäten, die mit der ungarischen Aktion erreicht worden waren, als innerhalb von nur zwei Monaten ein Drittel aller Opfer ermordet und verbrannt wurde. Dass die neu eingetroffenen Familien hier im Wald, der die Krematorien verbarg, warten mussten, bis sie dran waren, sie dachten ja, zum Duschen. Manche Kinder hatten noch Blumen gepflückt. Dass die Krematorien nicht gereicht hatten und zusätzlich Verbrennungsgruben ausgehoben werden mussten. Aus Nazisicht ein bedauerlicher technologischer Rückschritt.

Vor allem aber bat Bernays, nichts aufzuheben, egal, was sich ihnen in den Weg legte. Es gab immer wieder Verrückte, die Zähne als Souvenir mitnahmen, oder Fingerknöchelchen. Andere versuchten, so etwas schnell zu vergraben, wie bestürzte Eichhörnchen. Wieder andere brachten die kleinen Teile ins Museum und weinten dabei.

Als sie bei den Überresten der gesprengten Krematorien ankamen, hörte es auf, zu nieseln. Bernays holte einen Bauplan aus dem Rucksack und erklärte ihnen die Anlage. Wie wenig es für die Sache an sich gebraucht hatte, nur den unterirdischen Raum und die vier winzigen Löcher im Dach, vom Durchmesser einer Schuhcremedose. Dort hatte die SS die geöffneten Zyklon-B-Dosen eingeworfen, an einer Schnur, sie fielen in einer Säule aus Maschendraht zu Boden und wurden anschließend wieder herausgezogen. Logistik brauchte man nur vorher und nachher, Treppen hinunter, da konnten sie noch selbst gehen, Eingangsbereich, Auskleiden, Schuhe schön zusammenbinden, damit man daheim in Deutschland etwas davon hatte, und nachher den Aufzug hinauf, der die Leichen zu den Öfen transportierte, zwanzig bis fünfundzwanzig pro Fahrt, und sie brannten und brannten, Tag und Nacht.

Richtig wütend wurde Bernays nur noch selten, und nur, wenn er darüber nachdachte, wie gut sich die Dinge manchmal fügen, wenn man sie nur weit genug treibt. Als gäbe es innerhalb des absolut Bösen immer noch Grenzen oder Steigerungsstufen, und wer sie ungerührt überschreitet, wird am Ende sogar belohnt. Denn die Gaskammern waren nicht nur schnell und effizient, sondern führten außerdem dazu, dass die Verantwortlichen selbst so gut wie raus waren. Sie mussten sich die Hände nicht mehr schmutzig machen. Man schläft dann einfach besser. Die Opfer machten alles selbst, das ist wahrlich ein immenser Vorteil von Gewaltregimes. Der in der Gaskammer seine Vollendung fand. Die aus Häftlingen bestehenden Sonderkommandos zogen die ineinander verkeilten Leichen Stück für Stück heraus, schleppten sie zum Lift und stopften sie oben in den Ofen, so lange, bis sie selbst ins Gas mussten, von frischeren Sonderkommandos abgewickelt. Die einfallsreichen Deutschen dagegen schonten ihre zarten Nerven, denn dass einige zarte Nerven hatten, war weiter im Osten ruchbar geworden, bei den Massenerschießungen. Da schaute einen so ein Opfer glatt noch an, bevor es, sein Kind auf dem Arm, hintenüber in die Grube sank. Kein unpersönliches Angelspiel mit Dosen voller Giftkristalle und einer lustigen gasdichten Maske über dem Gesicht.

Er faltete den Plan zusammen und verstaute ihn. Von all dem hatte er nichts gesagt, nur die Abläufe geschildert. Das war für Neulinge ohnehin schlimmer. Gegen die Täter zu wüten, lenkt ab, aber sich, Fuß auf demselben Boden, zu vergegenwärtigen, was mit den Menschen, die auf den Fototafeln so ängstlich dreinblicken, im Detail geschehen ist … Das will ja keiner.

Er lächelte aufmunternd, ohne jemand Bestimmtes anzuschauen. Am besten richtet man den Blick auf Brustbeinhöhe, schweift verschwommen von einem Kragen zur nächsten Halskette. Ergebnis seiner Bildrandbeobachtung: Aus manchen Fäusten, und nicht nur weiblichen, lugten weiße Zipfel. Taschentuchhinweise. Allerdings war es ingesamt etwas feucht. Er trieb sie weiter, zu dem Bunker, in dem Edith Stein gestorben war. Dort fiel ihm auf, dass der junge Student wieder zu fotografieren begann. Der Schriftsteller zu kritzeln. Dass ein paar andere wieder flüsterten. Xane stand am Rand und sprach leise auf Mario ein. Der nickte, nickte immer wieder, und war blass.

Das Schlimmste haben wir geschafft, sagte Bernays zu Schurl Slezak, der wieder in sein Kopfschütteln verfallen war. Schurl hielt kurz inne und nickte. Dann schüttelte er weiter, beinahe hätte Bernays gelacht. Xane weiß so viel über Erschießungen, murmelte Schurl, sie erzählt es gerade Mario.

Wahrscheinlich Browning gelesen, erwiderte Bernays.

Wie bitte, fragte Slezak, hob den Kopf und schaute ihm in die Augen. Er sah aus wie ein ratloses Kind.

Nicht so wichtig, winkte Bernays ab und beobachtete sich dabei, wie er ihm jovial auf die Schulter klopfte: Sag mal, Schurl, die Kommunisten in Österreich waren in einer komischen Rolle, oder? Es gab eine winzige Pause, in der Slezak bestimmt überlegte, ob es feige war, nach dem Seil zu greifen. Dann lachte er, heiser, wahrscheinlich ein Ex-Raucher, ein Wunder eigentlich, Kommunisten waren doch die Letzten auf der Welt, die noch verlässlich rauchten. Da hast du recht, stimmte er zu und begann zu erzählen, und Bernays gratulierte sich, denn er wusste, der Rest des Tages würde nur noch ein langer Trauermarsch sein, der Höhepunkt war vorbei, man bleibt sitzen und isst auf, aus Höflichkeit, aber auch, weil man die Zeit braucht. *Alles hat seine Zeit.*

Zum Abschluss standen sie an den Bahngleisen, die erst relativ spät durch das Tor gelegt worden waren. Die normalen Touristen wussten das nicht. Sie entstiegen ihren klapprigen polnischen Reisebussen, die in Krakau und Umgebung mit der einzigartigen Sehenswürdigkeit

Auschwitz lockten, sahen diesen Querriegel von einem Tor, dieses Symbol, das sie längst aus Kino und Fernsehen kannten, auch wenn es dort meistens ein Nachbau war, und gruselten sich bei der Vorstellung, dass die vielen hunderttausenden Opfer erst durch dieses Tor gefahren und dann aus den Viehwaggons herausgebrüllt worden waren. Doch das stimmte nicht. Die längste Zeit waren sie woanders angekommen, an der sogenannten Judenrampe, aber was machte das schon für einen Unterschied.

Am Vorabend, bei einer weiteren deprimierenden Käse-Wurst-Brot-Mahlzeit auf Plastiktabletts, hatte Xane Bernays gestanden, dass sie deshalb nie mit Rozmburk mitgefahren war. Sie habe ihm nie zugetraut, ihr das beizubringen, was sie wissen musste. Das klinge wahrscheinlich absurd. Sie brauche aber kein Mehr an Gefühl, sondern an Fakten, sozusagen gegen diese ekelhaften Gefühle aus zweiter Hand. Bernays versicherte ihr, dass er das nicht absurd fand. Er verstand genau, was sie meinte. Die existenzielle Erfahrung ist nicht nur eine andere, sie hat auch andere Rechte. Rozmburk hätte so etwas über die Judenrampe sagen können, mit einem Achselzucken: Was macht das für einen Unterschied? Rozmburk konnte das egal sein, denn er war ja hier angekommen. Aber jemand wie Bernays bedankte sich für den Zufall der späten Geburt mit der Akribie des Wissenschaftlers. Die Verschonten haben kein Recht auf das Ungefähre. Dass Xane das verstand, ja, dass sie es selbst schon wusste, machte ihn einerseits glücklich, andererseits war das ja die Voraussetzung für alles. Er bildete sich ein, ihr das gleich angesehen zu haben, obwohl ihn das rote Hemd abgelenkt hatte.

Die Frage von rechts oder links, begann er und bemerkte, dass ihn die Blase drückte, hat nichts mit falscher

Erinnerung oder unglaubwürdigen Zeugen zu tun. Die Links-rechts-Geschichte hatte meistens einen ähnlichen Effekt wie jene vom blühenden Oświęcimer Jerusalem, mit der er – das war erst am Vortag gewesen! – begonnen hatte. Insofern ein würdiger Abschluss. Auch sie attackierte die inneren Fabeln. Nein, wir kommen nicht hierher, um an einem scheinbar gut bekannten Ort vorfabrizierte Gefühlsstürme vom Stapel zu lassen, Trauer, Wut, Empörung, je nach Charakter. Das wäre so kreativ und lehrreich wie eine Runde auf der Carrera-Bahn. Vielmehr erfahren wir etwas über die Abweichungen von unseren festgestanzten Annahmen. Links war nicht immer der Tod, und rechts nicht das Leben. Es kam darauf an, auf welchem Gleis der Zug ankam. Ob einer Mann oder Frau war. Von welcher Seite die SS zu selektieren begann. Alltägliche Fragen eigentlich, die jedem einleuchten, der das hier als normales logistisches Problem zu betrachten in der Lage ist. So festgezurrt sieht es nur aus weiter, mythischer Entfernung aus, rechts oder links, wie ein göttliches Gebot. Genau das war es eben nicht. Nein, nein, es war Alltag, einmal so, einmal anders.

So, und jetzt habe ich die Schnauze voll, sagte er abrupt. Einige schauten erschrocken, wie ertappt. Mir ist kalt, ich habe Hunger, und außerdem platzt mir gleich die Blase, setzte er nach, als wären sie daran schuld, drehte sich auf dem Absatz um und marschierte zum Ausgang. Als sie sich vor den Toiletten wiedertrafen, reichte er Xane aufs Neue den Arm. Sie sah blass und müde aus und fragte ihn diesmal nicht, warum.

And, how did you like it, fragte er nach zweihundert Metern Schweigen.

Ich hasse dich, sagte sie.

Es hat dich also erwischt, fragte er.

Ich war mir sicher, dass ich mich nicht erwischen lasse, sagte sie, aber du wirst mir bestimmt gleich sagen, dass sich das alle vornehmen.

Ich habe heute genug geredet, erwiderte er, wäre schön, mir erzählt auch mal einer was.

Ich erzähl's dir später, sagte sie.

Warum?

Warum nicht?

Xane, komm schon …

Okay. In dem kleinen Wald. Bei dem Foto mit den ungarischen Kindern. Da ist es mir zu viel geworden … – und ich habe an meine Freundin denken müssen. Ich weiß aber nicht, in welcher Reihenfolge.

An welche Freundin?

Sie hieß Claudia. Sie ist gestorben, da waren wir vierzehn. Zu Hause im Bett, ein Gehirnschlag, so etwas Ähnliches. Nicht direkt friedlich, aber immerhin hat niemand sie umgebracht.

Und jetzt wirfst du dir vor, dass dir das hier eingefallen ist?

Und du wirst mir sicher gleich sagen, dass das normal ist? Weil das hier eben ein Ort der Toten ist? Das ist mir zu banal.

Woher du immer weißt, was ich gleich sagen werde.

Wolltest du nicht?

Ich weiß nicht, was ich wollte. Schmerzensort wäre mir lieber. Kann man das auf Deutsch sagen? Du störst einen manchmal beim Denken, weißt du?

Tut mir leid – nein, tut mir echt leid! Das meine ich nicht ironisch! Sag, bist du eigentlich Jude, ich meine, du weißt schon …

Pass auf: Letztens hat mir mein Freund Yannick folgende Geschichte erzählt. Jemand hat ihn gefragt, dieser

Bernays, ist der nicht Jude? Und Yannick hat darauf geantwortet: Bernays? Ach, wissen Sie, das stört mich gar nicht besonders!

Xane grinste, noch ein bisschen schief, aber immerhin. Bernays war zufrieden. Ab jetzt war alles erlaubt. Sie waren draußen, außerhalb des Lagergeländes, sie hatten sich gut geschlagen, alle miteinander, keiner war ausgeflippt oder zusammengebrochen, was meistens nicht das Unangenehmste war. Das Unangenehmste waren die Reaktionen der anderen. Sogar der alte Slezak war noch sprechfähig und würde bestimmt bald beginnen, sich am anderen Ufer hochzuziehen. Das andere Ufer hieß: Retrospektive. Es hieß: Vergangenheitsform. *Es war einer der Wendepunkte meines Lebens. Erst dort habe ich verstanden, dass. Seither bin ich ein anderer, weil. Man muss dort hinfahren, um zu begreifen, wie.*

Bernays war der Meinung, er habe eine Belohnung verdient. Er würde jetzt herausfinden, was das war mit dieser Xane. Sie suchte den Juden wie ein neugeborenes Kätzchen die Zitze. Sie suchte ihn, so wie Bernays als Student die Nähe zu Rozmburk gesucht hatte, dem Überlebenden. Hier aber trat die sogenannte geschlechtliche Dimension hinzu.

Das ist keine Antwort, sagte sie.

Du gibst nicht auf, neckte er.

Bei dir nicht, gab sie zurück und strahlte, weil sie sich so verwegen fand.

Pass auf, sagte er, nahm sie wieder an die Hand und steuerte auf das rotbeleuchtete, durchaus fragwürdige Etablissement namens ›Scorpio Club‹ zu, von dem er sich schon bei früheren Gelegenheiten hatte trösten lassen, wir trinken erst einen Wodka, und ich erzähle dir alles, was du wissen willst.

Die Gruppe stand im schummrigen, vollkommen leeren ›Scorpio Club‹ wie in der falschen Kulisse. Es wirkte, als hätte Bernays sie einmal mehr überraschen wollen, dabei hatte er bloß an seine eigenen Bedürfnisse gedacht. Regencapes und schlammverkrustete Schuhe, quietschbunte Rucksäcke und selbstgestrickte Wollmützen inmitten von abgeschabtem Samt und Tischlämpchen mit Fransen. Um sechs Uhr nachmittags. Hinter der Bar erschien ein gallengelber Kellner, drückte seine Zigarette aus und beobachtete sie mit dem Ausdruck, den die Besucher slawischer Länder gern für Unfreundlichkeit halten, der aber nur weltumspannende Gleichgültigkeit ist. Während Frauke und Jürgen in den Vorraum zurückgewichen waren, wo sie anscheinend versuchten, ihre Schuhe zu reinigen – Bernays dachte, typisch deutsch, wahrscheinlich kommen sie gleich auf Socken herein –, schlüpfte Xane mit einem Laut des Entzückens in eine der mittleren runden Logen, rutschte auf der Plüschbank nach hinten und zog an der schimmernden Schnur, die aus der Lampe baumelte. Als wäre sie im Separee aufgewachsen.

Einen Moment lang hatte Bernays eine seiner Visionen. Abenddämmerung in der Karibik. Ein Flugzeug, auf offenem Meer notgelandet. Die Passagiere rutschen diszipliniert über die Flügel ins Wasser, einer nach dem anderen, gegürtet mit gelben Schwimmwesten. Dann treiben all die Köpfchen auf dem lauen Wasser. Und der Erste schaltet sein Lämpchen an. Sagten sie einem nicht immer, dass die Schwimmwesten auch über Lämpchen verfügten, über Röhrchen zum Aufblasen, falls die Automatik nicht funktionierte, außerdem über ein Pfeifchen und ein Lämpchen? So ein trauliches Bild, all die schaukelnden Lichter auf dem Wasser, beinahe wie der Schwimmende Markt in Bangkok, fast gerettet, das Schlimmste jedenfalls überlebt.

Bernays rutschte Xane hinterher, direkt neben sie, danach kamen Mario, Frauke, Jürgen und der Schriftsteller. Sechs pro Loge. Der Herr Architekt kam zu spät, wahrscheinlich war er auf der Toilette gewesen oder hatte sich ebenfalls die Schuhe abgetreten, und diesen strategischen Fehler nahm er sich übel. Er musste mit dem Sportreporter in die Loge nebenan, zusammen mit ein paar Studenten. Links ging ein Lämpchen an, und rechts, bis sie alle sicher eingefahren waren in ihre heimeligen roten Buchten.

Der Kellner schlenderte herbei, verteilte wortlos in Samt gebundene Speisekarten und schien sich genötigt zu fühlen, weil Bernays, anstatt eines Danks, sofort eine erste Runde Wodka bestellte. Sie aßen zähes gebratenes Fleisch, das sich als Rumpsteak ausgab, dazu Fritky mit Ketchup und Mayonnaise. Der blasse Jürgen steuerte die merkwürdige Information bei, dass das in Berlin ›Pommes-Schranke‹ heiße.

Wieso Schranke, fragte Mario, und Xane rief: Klapp ihn rauf, Mario!

Wen, fragte Mario und wurde ausgelacht. Welche Farbe hat der Schranken vor deinem Kopf, fragte Xane.

Er schaute sie hilflos an.

Auch wenn du gerade kein D-Zug bist?

Da verstand er es, oder tat zumindest so.

Frauke bemerkte, in Deutschland heiße es ›die Schranke‹. Vom Nebentisch rief jemand, in Österreich heiße es ›der Butter‹ und ›das Teller‹.

Aber nur auf der Alm, protestierte Xane.

Am Nebentisch erprobte Schurl Slezak seine geringen Tschechisch-Kenntnisse am polnischen Kellner, ohne ihn zu erweichen. Liebesbedürftig und beschwipst, wie Slezak inzwischen war, lauschte er dem eisigen Golem die polnischen Ausdrücke ab und bestellte in immer kürzeren Abständen neue Runden. Geht alles auf mich, lallte er, die Mama hat mir etwas hinterlassen.

Moni und der Herr Architekt stritten erneut über die Frage, ob die Musiker, die in Auschwitz spielten, durch die Musik etwas wie Glück oder Zuflucht empfunden hatten. Der Herr Architekt schien absichtlich Öl ins Feuer zu gießen, um Bernays' Interesse zu erregen. Der aber fühlte genüsslich seine Hornhaut wachsen. Dieser Architekt war ja auch nicht sauber. Das schien eine rein technische Opposition zu sein, alles und jedes zu hinterfragen und probeweise umzukehren, um geistig in Bewegung zu bleiben, wie er das wahrscheinlich genannt hätte. Man könnte es geistigen Zappelphilipp nennen, ohne jeden Mehrwert. Und solche wie Moni hatte Bernays wahrlich oft genug gesehen. Der Starrsinn, mit dem sie auf ihrer blankpolierten Trennlinie zwischen Schwarz und Weiß, zwischen *garantiert* und *unmöglich* beharrte, war bei beschränkter Intelligenz die einzige Möglichkeit, angstfrei den moralischen Kurs zu halten.

Das war übrigens etwas, worüber man mit Rozmburk nicht reden konnte. Die Gründe, warum einer anständig war, waren ihm egal. Aber Bernays drängte es, zwischen primitiver und reflektierter Anständigkeit zu unterscheiden. Solche Diskussionen waren früher wie ein Gesellschaftsspiel zwischen ihnen gewesen, philosophisches Schach.

Du bist mir zu gescheit, stöhnte Rozmburk, wenn er nicht mehr weiterwusste, auch meine Unbildung verdanke ich den Nazis. Und dieser Satz beendete die Debatte, weil er Bernays in einer Weise aggressiv machte, die er weder verstand noch überwinden konnte.

Mario und Jürgen versuchten, *You are down and out* zu singen, und scheiterten an ihren unterschiedlichen

Stimmlagen. Xane und Frauke hielten sich dekorativ die Ohren zu. Der Student, der so gern fotografierte, strich mit einem Mal Uschi, oder war es Muschi, über die Wange und wirkte dabei erwachsener. Bernays sah es aus dem Augenwinkel. Wieder einmal bin ich Zeuge einer Mannwerdung, dachte er, kommt natürlich öfter vor, wenn man sein Leben unter Studenten verbringt. Ob ich meine eigene deshalb verpasst habe?

Als er später auf dem Klo sein Handy überprüfte, waren da fünf versäumte Anrufe, alle von Pauline. Er schaltete das Gerät ab und kicherte sich im Spiegel zu. Im Licht der Neonröhre wirkten seine Haare rosa. Man sollte die junge Friseuse auspeitschen, mit Doderers Samtbändern, und die Sekretärin des Wiener Historischen Instituts gleich dazu. Sie waren ihm zu Zwillingsschwestern geronnen, die Sekretärin allerdings deutlich dicker. Als er an den Tisch zurückkehrte, gab es Schoko-Nuss-Palatschinken für alle. Xane, deren Augen alkoholisch glänzten, was ihr sehr gut stand, deutete mit Koboldsgrinsen auf Slezak. Der erhob sich vorsichtig, sobald Bernays wieder saß, und hielt eine rührende Dankesrede, die sich zu einer Lobeshymne auf *unseren großartigen, sensiblen und geduldigen Herrn Professor* emporschraubte. Er verhaspelte sich ein paarmal, Applaus und Gejohle, und Bernays kniete sich auf die Sitzbank und reichte ihm zeremoniell die Hand hinüber.

Als sie vor die Tür des ›Scorpio Club‹ traten, murmelte jemand: Night and Fog. Der Heimweg war geräuschvoll. Sie stolperten durch die Finsternis, einige versuchten es wieder mit Singen (*Hitler had only got one ball, Goering had two but they were small ...*), Moni wollte tatsächlich dirigieren und ging rückwärts. Bernays hatte für Xane bezahlt, Xane für den Architekten, der wieder blank war und mit rotem Kopf murmelte, sie bekomme in Wien alles sofort zurück. Frauke hatte sich bei Jürgen eingehängt, die beiden verglichen offenbar die philosemitischen Exerzitien ihrer Kindheit, die klassischen westdeutschen Wochenendausflüge zu den renovierten Synagogen der Umgebung, die man mangels Juden zu Kulturstätten oder Museen umwidmen musste. Bernays grinste in sich hinein. Aber sobald die israelische Armee irgend so einen Terror-Scheich aus seinem Wohnzimmer bombte, wurden israelische Klezmer-Musiker von den Betreibern der Ex-Synagogen kurzfristig ausgeladen. Nie wieder Auschwitz! In Deutschland renovierten sie inzwischen sogar die Erschießungsstätten der Nazis, um dort Kränze abzulegen. Was sind die schönen, gebildeten, toten Juden doch für ein Verlust! Die lebenden dagegen sind meistens recht schwierig. Auch damit brachte er Xane zum Lachen, das gelang ihm inzwischen oft. Insgesamt war das ein gutes Zeichen. Aber nun hielt sie sich sogar beim Gehen die Hand vor den Mund, die andere. Eine war ja bei ihm eingehängt. Bernays blieb stehen, nahm sie an den Schultern und drehte sie zu sich. Die anderen zogen vorüber, in einer losen, lärmenden, unaufmerksamen Kette. Er sah sie an. Er versuchte, so böse und bedrohlich zu schauen, wie er nur konnte. Ihr Mund stand ein bisschen offen. Sie wusste nicht, was kam.

Pass mal auf, meine Süße, sagte er, wenn du lachst, versteckst du nie wieder deinen Mund, verstanden? Zeig mir deinen schiefen Zahn, ich will ihn sehen!

An ihrem Blick sah er, wie es wirkte. Es war niederschmetternd. Frauen wollten in Wahrheit Machos, insgeheim, sie liebten ruppige Befehle mit schmeichelndem Kern. Pauline war im Grunde nicht anders, seit zwanzig Jahren beschränkte sich der Macho, den sie von ihm erwartete, allerdings aufs Bett. Er hatte es wohl immer falsch gemacht, war viel zu ehrlich er selbst gewesen, zu allen, besonders zu Pauline.

Ich hab nur gegähnt, sagte Xane, aber du schuldest mir noch die Geschichte deiner Beschneidung.

Was weißt du von meiner Beschneidung?!

Leider noch nichts. Du hast es in Aussicht gestellt, am Weg hierher.

Also Zahn gegen Vorhaut, flachste er, entschuldigte sich aber sofort.

Du brauchst dich nicht zu entschuldigen, sagte sie, ich persönlich halte Zahn gegen Vorhaut für einen fairen Deal, und er dachte, meine Güte, hat dieses herrliche Mädchen denn irgendeinen Fehler?

Also küsste er sie. Die anderen waren weit voraus, vom Nebel verschluckt. Er küsste sie mehrmals, mit geschlossenen Lippen, er haderte mit seinem Wodka- und Fritky-Atem. Sie ließ sich küssen, sie lehnte sich gegen ihn, er dachte später oft darüber nach. War er so betrunken gewesen, dass er sich das eingebildet hatte? Einverständnis, Entgegenkommen? Aktive Küsse? Komm, sagte er, wir müssen. Sie nickte, sagte nichts, und so liefen sie den anderen nach, Hand in Hand, doch als sie in der Jugendbegegnungsstätte ankamen, geschah es irgendwie, dass sie mit den anderen Tischtennis spielen ging, und er ging ins Bett, das er gerade noch fand.

Der Vormittag vor der Abfahrt verunglückte katerbedingt. Zwei Studenten hatten verschlafen, Bernays fauchte den Satz, den er an seinem Vater schon so sehr gehasst hatte, *Wer trinken kann, kann auch aufstehen*, und merkte, wie er saß, mit seiner gemeinen Verschränkung von Rausch und Pflicht.

Als sie als letzten Programmpunkt das Archiv besichtigen wollten, war keiner da. Bernays drückte die Klingel und kam sich, in seiner Gewitterstimmung, gedemütigt vor. Das machten sie absichtlich, die polnischen Archivare! Er schickte die Gruppe barsch weg, für eine halbe Stunde. Die Chefarchivarin kam zehn Minuten später und entschuldigte sich händeringend. Ein Anruf von Rozmburk! Der sich nach ihnen erkundigt hatte! Und über die neuen Vereinbarungen mit Yad Vashem informiert sein wollte. Ausgerechnet ihn habe sie doch nicht einfach unterbrechen können! Gott sei Dank gehe es ihm besser.

Die schwere Eingangstür hatte einen Knauf und eine Schließvorrichtung, Bernays war das nie zuvor aufgefallen. Man konnte sie nicht arretieren, weder mit einem Holzpflock noch mit einem Stein. Man hätte einen Grabstein gebraucht. Die Archivarin hob bedauernd die Schultern, sie schien das Problem nicht zu begreifen. Bernays ging hinauf, trank mit ihr einen Kaffee und stieg ein paar Minuten vor der vereinbarten Zeit wieder hinunter. Baute sich als Türsteher auf. Von seinen Leuten keine Spur. Die Ersten, die kamen, waren Mario und Xane, fast zehn Minuten zu spät. Bernays, der mit seinem Körper die Tür offenhielt, hatte inzwischen Zeit für detaillierte Gewaltphantasien gehabt, wie zum Beispiel, die ersten Ankömmlinge wortlos zu erwürgen. Eine blasse Uschi und der fade Jürgen würden da etwa liegen, im unbarmherzigen Sonnenschein; das typisch sinnlose Vergeltungs- und-Abschreckungs-Opfer, Lidice, Marzabotto, wie sie alle hießen. Aber Xane war dafür nicht vorgesehen, kriegswichtig, zur besonderen Verwendung.

Eine unglaubliche Unhöflichkeit, zischte er also mit einem theatralischen Blick auf seine Uhr, wo sind die anderen? Mario machte kehrt und rief, er werde sie sofort holen, Xane drängte ihn burschikos von der Tür weg und sagte: Geh schon rauf, ich halte offen.

Das machst du nicht, du nicht, stammelte er, und seine Wut wurde noch größer, weil er sie überhaupt nicht verstand. Da bog pfeifend der Herr Architekt um die Ecke. Der kam ihm gerade recht. Bernays sprang auf ihn zu, riss ihn fast in den Eingang hinein und schrie: Auch Sie keine Uhr dabei? Sie halten die Tür auf! Bis alle da sind! Zwölf ohne Sie, verstanden? Er packte Xane und zerrte sie die Treppe hinauf. Beruhige dich, sagte sie so liebevoll wie eine geschulte Ehefrau, du hast es fast geschafft mit uns. Er blieb stehen.

Kommst du mich besuchen, fragte er, sah sie tapfer an und fühlte sich wie damals, als ihm seine Mutter von den Strudeln, Kolatschen und Powidltatschkerln erzählte, und vom niemals versiegenden Schlagobers.

Das wäre natürlich schön, sagte sie und lächelte ihn an.

So bald und so lange du willst, sagte er, und sie wiederholte, das wäre schön.

Aber dann kam sie nie. Vor allen anderen umarmten sie sich auf dem Bahnhof in Wien; nur ein Zufall verhinderte, dass sie einander gleich am nächsten Tag an Rozmburks Krankenbett wiedertrafen. Sie telefonierten, am Anfang oft, dann seltener; irgendwann, nachts, ein Glas Rotwein in der Hand, erzählte er ihr von Pauline. Danach klang sie manchmal wie eine Psychotherapeutin, oder ein wenig ironisch, wenn sie sich nach Madame Sussman erkundigte.

Ophélie feierte eine wunderschöne Bat Mitzwa; mit dem hochbegabten kleinen Léon fuhr Bernays allein nach Antwerpen und zeigte ihm die Museen der Stadt. Als sich

Yannick in der Sauna wieder den Schwanz lang zog, fragte Bernays, ist das eigentlich angenehm, woraufhin Yannick zusammenfuhr wie ein Schlafwandler und es nie wieder tat. Das Henna war zum richtigen Zeitpunkt so schwach geworden, dass es niemandem auffiel, und auf Bernays' Haaransatz achtete ja keiner, außer der kleinen Friseuse dann und wann. Xane wollte lieber nach Paris, sie könnten einander ja dort treffen, aber als sie endlich mit einem Terminvorschlag herausrückte, fiel er mit der internationalen Vernichtungslager-Konferenz in Toronto zusammen.

Zwei Jahre später erzählte sie ihm aufgeregt, dass sie heirate. Verdammt, warum nicht mich, fluchte er, und sie lachte, kinderglockenhell, und sang, ach Hugo, du bist so süß, du warst immer so ein Süßer, und als er auflegte, wusste er, nun musste er Pauline wirklich verlassen, bevor er sich neben ihr noch sein Grab kaufte.

Denn sehen Sie, so ist das Leben:
Man setzt sich, doch man setzt sich stets daneben.

– Georg Kreisler –

3

Kennen ist wirklich zu viel gesagt. Das Fräulein hat eine Zeitlang Top 2 gemietet, Hochparterre links, damals, nachdem die Hofrätin Soyka gestorben ist und Hannelore auf eine Komplettsanierung bestanden hat. Die Hofrätin Soyka, mein Gott. Seit Ludwig sich erinnern kann, wohnten die Soykas da. Als Halbwüchsiger hat er manchmal von ihr geträumt, so schön war sie, angsteinflößend schön. Und daraus ist später diese vertrocknete alte Schachtel geworden, der man immerhin zugutehalten muss, dass sie keine Umstände gemacht hat beim Sterben. Ein Rettungswagen am helllichten Tag, von ihr selbst gerufen, das war das letzte Mal, dass man sie gesehen hat. Die Wohnung ungelüftet, aber sonst tipptopp in Ordnung. Da hat er schon anderes gehört über die Zustände von Wohnungen, aus denen man Uralte abgeholt hat.

Der Kontakt zu dem jungen Fräulein ist über Hannelore gegangen, beziehungsweise über deren redselige Freundin Irene. Die das Mädchen bei einer Veranstaltung kennengelernt, aber schon vorher viel von ihr gehört gehabt hat, oder so ähnlich. Für die Feinheiten des Gesellschaftslebens hat Diplomingenieur Doktor Ludwig Tschoch weder Geduld noch Talent. Das ist Frauensache, und das meint er nicht abwertend, im Gegenteil. Er würde niemals an jemanden vermieten, der von seiner Frau nicht approbiert worden ist. Hannelore ist immer auf dem neuesten Stand, das bedeutet eine Menge Arbeit, wobei das Vergnügen natürlich auch eine Rolle spielt. Er ist seit jeher der Meinung, dass Arbeit Spaß machen muss, damit sie gut erledigt wird. Alles andere wäre ja protestantisch, nicht wahr? Und man kann uns viel nachsagen, aber Protestanten sind wir keine!

Erst letztens hat er von Hannelore erfahren, dass sich der zweite Sohn vom Holaubek gesellschaftlich unmöglich gemacht hat, so sehr, dass inzwischen überlegt wird, wie man ihm den Tisch beim Ball der Althietzinger entzieht, so diplomatisch wie möglich. Ein Holaubek-Sohn! Der Vater ein Höchstrichter, der Bruder ein hohes Tier bei der Raiffeisen, alle seit Generationen bei den Rotariern, und dann das. Doktor Tschoch hat vergessen, worum es da genau geht, etwas Wirtschaftliches oder Sexuelles, aber es muss ja ein fortdauerndes Fehlverhalten sein, dass jetzt so reagiert wird. Dem jüngeren Sohn vom Holaubek würde man also nicht mehr vermieten, obwohl das immer ein guter Name war. Dem älteren dagegen mit Handkuss, jederzeit. Das meint er, Ludwig Tschoch, mit den Feinheiten. Um die sich die Frauen kümmern, dankenswerterweise.

Man sollte ja halbwegs zueinander passen, besonders, wenn man als Vermieter im selben Haus wohnt. Zum Glück kann man sich die Mieter aussuchen. Man besitzt ja keine Zinshäuser in Ottakring! Obwohl mit den Ausländern viel Geld zu machen wäre, aber da braucht es einen anderen Charakter. Wahrscheinlich den vom jüngeren Holaubek …

Auf der anderen Seite will man keine Freunde im Haus. Keine Kollegen und keine Tennispartner. Nein, nein, zu nah. Das tut nicht gut, da braucht es wenig Vorstellungsvermögen. Die Freunde der Kinder von Bekannten, oder die Bekannten der Verwandten von Freunden, so ist es perfekt. Es muss die Verbindung geben, aber sie soll lose sein.

So gesehen war die junge Dame eine recht ausgefallene Mieterin. Die Verbindung war mit freiem Auge kaum zu erkennen. Man wusste nicht genau, wer sie war, aber Irene war bereits begeistert. Ein begabtes Mädel, aus der wird noch was! Ludwig Tschoch vermutet manchmal vorauseilendes Prominenten-Denken bei Irene, aber natürlich hat er nichts gegen frischen Wind im Haus gehabt. Das Mädel gefiel ihm, obwohl sie beim Handeln ungeschickt war. Als er die Miete nannte, zuckte sie zusammen und schaute hilfesuchend zu Irene. Irene hob, freundlich lächelnd, die haarnadelfein gezupften Augenbrauen und schwieg. Sie ist ein Profi.

Ja, was haben Sie sich denn vorgestellt, fragte er mit tadelndem Unterton und machte eine Armbewegung, die die Herrschaftlichkeit der Wohnung hervorstrich, obwohl noch die Leitern der Maler herumstanden. Da gab sie, Augen auf den Boden gerichtet, ihre äußerste Grenze flüsternd bekannt, die hundertfünfzig Euro darunterlag, hob anschließend aber den Blick und sah ihn trotzig an. Hundertfünfzig Euro! Offenbar hatte ihr niemand gesagt, wie groß die Spannen waren, in denen gehandelt wurde. Ludwig Tschoch war fast enttäuscht. Ein anständiger, netter Mieter, ein sportlicher Handel, bis der Mietpreis feststand, das konnte einen Tag beleben und das Mietverhältnis stabil einrasten lassen für die nächsten Jahre. Sollte er ein schlechtes Gewissen haben, weil diese Geistesmenschen keinen rechten Umgang mit dem Geld hatten, das ihnen gerade deshalb fehlte?

Sie erbat Bedenkzeit, zwei Tage; Hannelore und Irene wirkten enttäuscht. Er fühlte sich schuldig und dachte über ein Lockangebot nach, das ihn das Gesicht nicht verlieren ließ. Es musste eine Küche eingebaut werden, hier gab es Verhandlungsspielraum. Wenn sie sich verpflichtete, ihre Küche nach Auszug in der Wohnung zu lassen, könnte man bei der Miete entgegenkommen. Nur zum Beispiel. Der Eindruck, dass die Wohnung überbezahlt sei, musste allerdings vermieden werden. Sie war nicht überbezahlt, ich bitte, die Lage! Die historische Bausubstanz, der Blick ins Grüne. Die Bemessungsgrundlagen waren hier eben elastischer als anderswo.

Seine Küchenüberlegungen erwähnte er Hannelore und Irene gegenüber nicht. Abwarten, beruhigte er, die kommt schon. Er war sich keineswegs sicher. Aber als das Fräulein bereits am nächsten Tag anrief und die Wohnung nahm, nachdem er theatralisch stöhnend hundert Euro nachgegeben hatte, galt er im Freundeskreis einmal mehr als Phänomen. Als besonders geschäftstüchtig, wenn nicht gar als Menschenkenner.

Danach geschah erst einmal nicht viel, was ja ein gutes Zeichen ist. Zum Unterschreiben des Mietvertrags kam sie herauf, gab sich beeindruckt von der zur kleinen Terrasse ausgebauten Dachgaube, die seine höchstpersönliche Idee gewesen ist, und wurde erst lebhaft, als Hannelore nach ihrer Arbeit fragte. Er verstand es nicht genau, weder hat er sich je besonders für Kabarett interessiert noch begriffen, wozu man heute so viel Peh-Err braucht und was das genau ist. Was diese beiden Dinge miteinander zu tun haben sollten, ging ihm eigentlich nicht ein. Das aber schien das Spezialgebiet des Fräuleins zu sein, wenn nicht gar ihre Erfindung, so viel immerhin hat er verstanden.

Hannelore tat äußerst interessiert. Ob man das im weitesten Sinn politische Arbeit nennen könne, fragte sie allen Ernstes. Das musste sie von jemand anderem haben. Ein Wort wie ›politisch‹ beim ersten längeren Gespräch war alles andere als guter Stil, aber wenn Hannelore es dennoch gebrauchte, versuchte sie wohl, den Ton der jungen Dame zu treffen.

Auch im engeren Sinne, antwortete die neue Mieterin und wurde wieder schweigsam. Plötzlich stand sie auf und ging zu dem Kreuz über Hannelores Sekretär. Ludwig war hocherfreut.

Interessieren Sie sich für Kunst, fragte er, eilte zu ihr und pries, ohne eine Antwort abzuwarten, die seltenen Schönheiten seines Grödner Jesulein aus dem frühen neunzehnten Jahrhundert.

Danach ging sie bald, und Hannelore wiegte den Kopf, was nur so zu verstehen war, dass er es mit diesem dezidiert christlichen Thema etwas übertrieben hatte.

Da kam ihm die Nase des Mädchens auf einmal … nein, nein, das konnte auch slawisch sein, oder besser: mediterran! Was ist Molin überhaupt für ein Name? Hannelore hätte bestimmt nicht … Das Religionsbekenntnis seiner Mieter ist definitiv nicht von Belang, trotzdem findet er, dass, im Sinne des angestrebten harmonischen Miteinanders, keine allzu großen Abweichungen vom Durchschnitt, von dem, was hier in Wien, jedenfalls im Bezirk, als normal … Das ist alles so furchtbar kompliziert zu erklären!

Ein Beispiel: Seine eigene Tochter Suzanne hat einmal Bekannte gebracht, ranghohe Diplomaten, Uno-City, aber … reizende Menschen, natürlich, wunderschöne Kinder, aber, aber … Pakistaner im Haus?! Zum Glück hat Irene beinahe zeitgleich den Zahnarzt aufgetrieben, und der, das hat Suzanne eingesehen, würde sich länger verpflichten als jegliche Diplomaten. Jetzt ist er bald zehn Jahre da, ein angenehmer, gepflegter Mensch, Ordination Montag bis Donnerstag, ab Donnerstagnachmittag hat man die Villa wieder ein bisschen mehr für sich, das ganze Wochenende lang.

Als sie einzog, brachte sie ein Klavier mit, ein neumodisches Pianino eines drittklassigen Herstellers, aber immerhin. Er mähte gerade den Rasen, als es ausgeladen wurde. Er stellte den Rasenmäher ab und fragte sie, ob sie spiele, was sie anscheinend in den falschen Hals bekam. Sie beteuerte mit einem unerklärlichen, irgendwie angespannten Gesichtsausdruck, dass sie nicht spiele, jedenfalls fast nie, und dass sie selbstverständlich vorher erwähnt hätte, wenn sie Lärm in Form von Klavierüben machen würde. Er war befremdet. Wir empfinden Musik nicht als Lärm, entgegnete er, wir spielen selbst. Unsere Kinder machen Hausmusik, manchmal fehlt ein Pianist, nur deshalb habe ich mir erlaubt …

Aber da lachte sie, völlig überraschend, warf mit aufgerissenem Mund den Kopf in den Nacken, dass er ihr in den Hals hätte schauen können wie bei einer eitrigen Angina. Er wusste nicht, wie ihm geschah. Sie klappte den Kopf wieder nach vorn und tippte mit den Fingerspitzen kurz an seinen Unterarm.

Entschuldigen vielmals, Herr Diplomingenieur, sagte sie und lachte noch einmal auf, wissen Sie, die Musik ist ein wunder Punkt bei mir. Ich gäbe viel darum, so gut zu spielen, dass ich mich für Hausmusik anbieten könnte, aber leider …

Und dann lief sie, den Kopf schüttelnd und sich die Augen reibend, mit großen Sprüngen hinein ins Haus, denn wahrscheinlich standen die Träger ja längst oben und fragten sich, wohin mit dem Klavier.

Man hörte das Klavier tatsächlich nie. Nachts hatte sie lange das Licht an, das weiß Ludwig nur, weil es fast jedes Mal brannte, wenn Hannelore und er vom Theater oder aus dem Konzert zurückkamen. Von ihren kulturellen Aktivitäten abgesehen, gehen die Tschochs früh schlafen.

Dann wieder schien sie tagelang verschwunden zu sein; die Fenster waren zu, die Rouleaus herunten, und der Briefkasten hat gut gefüllt ausgesehen, durch die Luftschlitze. Es geht uns nichts an, versuchte sich Ludwig zu sagen, bei der Hofrätin Soyka hat man den Tagesablauf auf die Minute gekannt, es war zu erwarten, dass das anders wird.

Die Soyka ist jeden Vormittag im Schlafrock zum Briefkasten gegangen, weil sie auf Post ihrer Kinder gewartet hat, meistens vergeblich, soweit er weiß. Drei Wochen war sie im Sommer in Ischl, mit Nachsendeauftrag. Ansonsten war sie da. Wenn der Briefkasten einmal nicht geleert gewesen wäre, hätte das bedeutet, dass sie gestorben, mindestens krank geworden war. Als sie damals mit der Rettung abfuhr, hat sie noch daran gedacht, ihre Schlüssel oben einzuwerfen oder einwerfen zu lassen, und am nächsten Tag war Hannelore schon unten drin, zum Lüften und zum Blumengießen. Als sie zurückkam, ließ sie die Bemerkung fallen: Komplettsanierung nicht zu vermeiden… Leitungen aus dem Jahre Schnee…, worauf er missbilligend antwortete, dass die Hofrätin gar nicht so schlecht ausgeschaut habe.

Die kommt nicht zurück, erwiderte Hannelore und behielt recht.

Der Alltag des Fräulein Molin dagegen schien irgendwie stoßweise zu verlaufen. Manchmal arbeitete sie offenbar woanders, dann wieder ganze Nächte hindurch in ihrer Wohnung. Hannelore erwähnte vormittägliche Begegnungen im Supermarkt, wo sie Milch, Kaffee und ein paar Semmeln geholt und einen abweisenden Ausdruck im Gesicht getragen habe. Die hat noch nicht geschlafen, bemerkte Hannelore an solchen Tagen, fleißig, diese jungen Leute.

Manchmal saß sie die Tage über lesend am Balkon, mitten unter der Woche. Ab und zu ließ sie das Buch sinken und zeichnete etwas in ein großformatiges Heft. Er hatte oben am Dachboden eine kleine Spiegelscherbe, mit der man auf ihre beiden Balkone blinzeln konnte. Die Scherbe steckte zwischen Regenrinne und Hauswand. Wenn er hinauf zum Füttern ging und die Dachluken öffnete, zog er sie hervor und überprüfte rasch alle Balkone seiner Villa. Nach Gebrauch steckte er sie jedes Mal sorgfältig zurück, Hannelore hatte davon keine Ahnung. Er traute den Mietern nicht. In all den Jahren war es zwar nur einmal vorgekommen, dass ein auf dem Balkon vergessener Pappkarton bei einem schweren Schauer aufweichte und den Abfluss verstopfte, aber ein Ludwig Tschoch hat seinen Besitz lieber im Blick. Die Balkone abblinzeln, so nannte er das bei sich. Er gab den Tieren ihr Futter, wechselte das Wasser und ging einmal reihum, die Luken zum Lüften zu öffnen. Danach zog er die Scherbe aus ihrem Versteck und blinzelte ab, einen nach dem anderen. Nie war etwas Besonderes zu sehen, Frau Molin, wie gesagt, oft lesend am großen Nordbalkon, die Mädchen vom Zahnarzt rauchend, wenn sie gerade Pause hatten, und Ludwig sah zufrieden, dass sie die großen roten Aschenbecher mit dem Schriftzug einer

Bank benutzten. Keine aschte über die Brüstung auf seine Rosen, das hätten sie nicht gewagt, hier draußen konnte man sich auf so etwas noch verlassen.

Aber das eine Mal fuhr er richtig zusammen, als hätte ihn jemand geschlagen. Denn er begriff, als was ihm sein Abblinzeln ausgelegt werden könnte, von Menschen, die einem nicht wohlmeinen. Und solche soll es durchaus geben.

Im ersten Moment dachte er an ein Gewaltverbrechen, als er den nackten Oberkörper des Fräulein Molin auf ihrem winzigen Küchenbalkon liegen sah, Polizeisirenen, die weißen Overalls der Spurensicherung und ein Zinksarg wie im Fernsehkrimi zuckten durch sein Hirn. Doch als sich die Leiche bewegte und die Brüste eincremte, konnte kein Zweifel mehr an ihrer köstlichen Unversehrtheit bestehen. Ja, am Nachmittag steht die Sonne tief in die schmalen Küchen der Westseite hinein, wirft einen langen Lichtstreifen über den theoretisch uneinsehbaren Klopfbalkon in den Raum. Das weiß er natürlich, obwohl sein kreativer Umbau Hannelore vor Jahrzehnten eine geräumige Wohnküche an der Südseite beschert hat und die alte Küche ein Teil des erweiterten Badezimmers geworden ist. Aber dass jemand auf die Idee kam, sich splitternackt auf den Küchenboden zu legen und zu sonnen, den Oberkörper auf den Balkon hinausragend … Er stellte sich vor, dass er vor Schreck die Scherbe losgelassen hätte. Mit ein bisschen Glück wäre sie nicht der jungen Dame auf den flachen Bauch, sondern nur in die Regenrinne gefallen, wo er sie einst gefunden hat, wahrscheinlich die Beute einer Elster, beschlagnahmt vom Hausherren.

Er steckte die Scherbe zurück in ihr Versteck.

Er bildete sich ein, dass seine Finger beinahe zitterten. Was er da tat, gehörte sich nicht. Dass ihm das vorher nie aufgefallen war! Die Sorge um verstopfte Balkonabflüsse rechtfertigte kein regelmäßiges Abblinzeln. Wahrscheinlich müsste man das beichten, aber ob Pater Hermann nicht insgeheim vermuten würde, dass er genau deshalb, auf der Jagd nach Brüsten …? Was der Stellvertreter Gottes auf Erden insgeheim denkt, tut nichts zur Sache, ermahnte sich Ludwig, Gott weiß ja, wie es wirklich war. Trotzdem. Sehr unangenehm. Vielleicht ist es, in einem tiefen Gebet, auf schmerzenden Knien vor dem Altar, direkt zu klären, obwohl ein solches Vorgehen wiederum etwas eminent Protestantisches hätte …

Nachdem er die Tiere versorgt hatte, stieg er langsam hinab, an der eigenen Wohnungstür vorbei, bis hinunter ins Hochparterre, und läutete an der Tür der neuen Mieterin. Dass sie länger brauchen würde, um zu öffnen, war ihm klar. Er würde warten. Als sich gar nichts regte, dachte er verärgert, stell du dich bloß nicht tot, und läutete noch einmal. Er ließ den Finger eine Spur länger auf dem Knopf. Sie öffnete, nur im Bademantel, und schaute ihn überrascht an. Entschuldigung, murmelte sie mit einer unklaren Handbewegung, ich habe gerade … und ließ den Satz verwehen.

Ich habe mich für die Störung meinerseits auf das Höflichste zu entschuldigen, erwiderte Diplomingenieur Doktor Ludwig Tschoch kalt, doch haben meine Frau und ich bisher leider verabsäumt, auf unseren Hausbrauch, die Namensschilder betreffend, hinzuweisen. Mit diesen Worten überreichte er ihr eine Karte von Nalada & Söhne: Uhren, Juwelen, Gravuren. ›Das Haus von Doktor Tschoch‹ genüge, man wisse dort Bescheid. Wir hoffen, dass Sie Verständnis haben, und entschuldigen uns für die Umstände, sagte er in ihre weit aufgerissenen Augen hinein, verabschiedete sich mit einer leichten Verbeugung und sah, als er wieder die Stiegen hinaufstieg, aus dem Augenwinkel, dass sie ihre eigene Visitenkarte, die sie lässig unter den Beschlag der Türglocke geklemmt hatte, herauszog und mit hineinnahm.

Zu bedauerlich, dass er beim Tarockieren war, als sie eine kleine Rache versuchte. Nur Hannelore war zu Hause. Sie kam eigens herauf, um letzte Anweisungen zur Anbringung des Namensschildes zu erbitten. Hannelore hat, wie es schien, das ironisch Aufreizende daran nicht begriffen; sie fand es sogar ausgesprochen rührend, dass sich Frau Molin sorgte, ob sie wirklich neue Löcher in das Holz der Eingangstür bohren dürfe. Frau Molin konnte ihr Schild nämlich nicht einfach da befestigen, wo früher ›Hofrat Soyka‹ gestanden war, weil der Lochabstand des Messingschilds von Nalada & Söhne unfassbarerweise nicht mit den noch zart sichtbaren Soyka-Löchern übereinstimmte. Du liebe Zeit! Die Soyka-Löcher waren viel älter als Ludwigs bereits Jahrzehnte währendes Schilder-Harmonisierungsprogramm! Dass er das nicht bedacht hatte! Das hatte er glatt vergessen. Es ärgerte ihn maßlos, zum Glück konnte sie sich nicht vorstellen, wie sehr.

Jedenfalls kam sie herauf und fragte. Er stellt sich vor, wie er, wenn er bloß dagewesen wäre, im Schlafanzug sein Werkzeug geholt und ihr spätnachts das Schild angeschraubt hätte, auf Knien vor ihrer Tür, auf ihrem rauen Fußabstreifer.

Hannelore aber wollte eine solche Frage nicht allein entscheiden, gleichzeitig kam es ihr unpassend vor, Frau Molin zu bitten, auf Ludwigs Entscheidung zu warten. Gewiss wollte sie ihr frisch graviertes, nicht billiges Schild sofort anbringen. Hannelore scheint Ludwigs Schilderdiktat seit jeher nicht ganz so zu unterstützen, wie er sich wünschen würde. Obwohl sie das nie zu erkennen gegeben hat. Er ist sich da trotzdem sicher. Die beiden Frauen einigten sich provisorisch auf ein Stückchen Teppichklebeband, ein Vorschlag von Frau Molin, den Hannelore so praktisch wie vernünftig fand. Zusätzlich anschrauben könne man das Schild immer noch, Ludwig, das war doch keine schlechte Idee?

Nein, nein, in Ordnung, brummte Ludwig müde, weil man beim Tarockieren Rotwein trank. Außerdem bekam er das Bild der eingecremten, mittelgroßen, jugendlich festen Brust seit Tagen nicht aus dem Kopf. Wie klein und spitz die Warzen waren! Wahrscheinlich war ihm deshalb beim Nachhausekommen gar nicht aufgefallen, dass Frau Molin bereits ein Namensschild hatte.

Am nächsten Morgen nahm er die Gartenschere und stieg hinunter. Nur einen schnellen Blick wollte er werfen, weil er sich fragte, ob ein Stück Teppichkleber nicht zu dick war, das Schild also ungebührlich abstehen würde. Außerdem war sehr fraglich, ob man es gerade bekam, mit einem Klebeband. Er konnte schlecht mit seiner Wasserwaage aufkreuzen, vor der Tür der Mieterin. Dass es nicht gerade war, sah er von Weitem. Ansonsten war es blankpoliert. Ob man es, wenn sie wieder einmal tagelang verreist war, irgendwie gerade drücken konnte? Darüber sann er nach, als er, fast vorbei an der Tür, den nächsten Schlag bekam. Weitergehen, einfach weitergehen, beschwor er sich, und als er im Garten längst unsystematisch an den Rosentrieben herumzwickte, dachte er immer noch stupide und vollkommen sinnlos, weitergehen, nichts anmerken lassen, denn es war unfassbar, da stand, säuberlich graviert auf dem von Tschoch normierten Messingschild, in der verlässlichen, immergleichen Schnörkelschrift von Nalada & Söhne, da stand tatsächlich *Xane Molin* und *Imre Bonami*, untereinander. Wer zum Teufel war Imre Bonami?

Hannelore wusste es nicht. Und sie tat allen Ernstes so, als wäre das weder überraschend noch interessant. Rechtlich ist die Sache klar, sagte sie leichthin, sie hat die Wohnung gemietet, allein. Solange sie nicht Frau Bonami wird – und selbst wenn. Sie ist doch eine amiable Person! Ludwig schüttelte den Kopf, holte das Fleisch aus dem Kühlschrank und stieg auf den Dachboden. Diesmal zog er das Füttern so in die Länge, dass es an Tierquälerei grenzte. Er lockte und trog seine Tiere, und dem stärksten Rüden, dem mit dem geheimen Namen, verweigerte er sein Stückchen so lange, bis er fauchte und mit der Tatze an den Käfig schlug.

Am darauffolgenden Samstagabend kamen die Kinder. Er hatte Wein aus dem Keller geholt, und als er das Wohnzimmer wieder betrat, schauten sie ihm alle lachend entgegen. Niemand machte sich Mühe, zu verbergen, dass sie über ihn gesprochen hatten. Hannelore musste ihn verraten haben, das wäre nur allzu typisch, denn sobald die Kinder da sind, werden ihre Loyalitäten volatil.

Papaa, sagte Suzanne und zog die zweite Silbe mahnend in die Länge, Imre Bonami ist ein ziemlich bekannter Zeichner, und die Molin hat gerade einen genialen, aber sehr umstrittenen Spot gemacht. Der wird dir wahrscheinlich überhaupt nicht gefallen, aber Hauptsache, sie wird auch in Zukunft ihre Miete bezahlen können. Schaut ihr eigentlich gar nicht mehr fern?

Was für ein Zeichner, fragte Ludwig, und Ludwig junior grinste: Kein neuer Dürer, Papa, ein Cartoonist. Und wieder lachten alle, nur Hannelore spielte mit ihrer rechten

Hand auf dem Tischtuch Klavier, als ob sie den Lauf der Dinge ändern wollte.

Cartoons? Wie Donald Duck?, fragte Ludwig, der für Hannelore mit einem Mal inniges Verständnis verspürte. Sie halten einen ohnehin für vertrottelt, also bestärkt man sie darin, dann geht es wenigstens ein bisschen harmonischer zu, als wenn man sich dauernd zur Wehr setzt. Und bevor einer antworten konnte, setzte er nach: Und mit *Spot* ist vermutlich kein Scheinwerfer gemeint?

Er ließ die Spiegelscherbe von nun an stecken. Das Wetter blieb trocken, keine Gefahr überfluteter Balkone. Frau Molin war meistens da. Wenn er sie traf, war sie freundlich, aber zerstreut. Die Ermahnung wegen des Namensschildes schien sie vergessen oder vergeben zu haben. Einmal war es abends unerwartet laut; sie hatte Gäste auf dem Balkon, die viel lachten und diskutierten, wie man so hörte. Zigarettenrauch stieg auf; was soll man machen, es lässt sich nicht verbieten. Ludwig wollte gerade schlafen gehen, da hörte er das Klavier. Jemand spielte, und mehrere Leute sangen dazu, nun ja, sie grölten. Das Lied kam ihm bekannt vor, wie ein alter Schlager, aber auf den Titel kam er nicht. Er schloss die Tür zur kleinen Terrasse. Hannelore bemerkte, sie sei froh, dass das Mädel keine Einsiedlerin sei.

Dann tauchte Bonami auf, unverkennbar. Einmal betrat er hundert Meter vor ihm das Haus, ein fremder Mann mit einem Haustorschlüssel. Ludwig ging langsam, um ihn nur ja nicht einzuholen. Bonami hatte schwarze wilde Haare, die ihm in die Augen hingen, und er trug Turnschuhe sowie eine Lederjacke, von der Hannelore behauptete, sie sehe zwar aus wie vom Flohmarkt, sei jedoch von einem bekannten Designer. Auf Nachfrage gab sie zu, dass sie das von Suzanne habe. Der Mann von Madonna trage dieselbe, habe Suzanne gesagt, seither sei die Jacke berühmt.

Als er Frau Molin und diesen Bonami zum ersten Mal gemeinsam traf, war er von dessen Herzlichkeit positiv überrascht. Bonami hob seinen schläfrigen Blick unter den Stirnfransen hervor, aber als Frau Molin ihm etwas zuflüsterte, ging ein Ruck durch ihn. Er schüttelte ihm pumpend die Hand und klopfte ihm auf die Schulter, ein bisschen aufdringlich, aber so sind wahrscheinlich die Künstler, besonders die südländischen. Bonami beteuerte, wie sehr er sich freue, Herrn Doktor Tschoch kennenzulernen, und was für ein super Haus er da habe. Und der Garten, so schön und, wie sagt man, farbenfroh? Er konnte nicht anders, als sich zu freuen. Er bemerkte den Blick des Fräuleins, forschend, beurteilend, so ein typischer Frauenblick wie der von Hannelore, wenn er sein Grödner Jesulein zeigt.

Am Ende bot Bonami seine Hilfe an, was in jeder Hinsicht unangemessen, aber anscheinend aufrichtig gemeint war. Ich kann Rasen mähen, ich kann etwas graben, ich kann Säcke tragen, Sie brauchen sicher viel frisches Erde für die Rosen, melden Sie sich, sagen Sie Bescheid, läuten Sie einfach die Tür!

Er schaute den beiden nach. Bonamis Akzent war minimal und charmant. Ab und zu ein Fallfehler, mehr nicht. Nach fünfzig Metern nahm Frau Molin die Hand ihres Freundes, und ein paar Schritte weiter schmiegte sie sich an ihn. Sie machte dabei einen ausgelassenen Hüpfer, und ihm fiel auf, dass sie mindestens gleich groß waren, wahrscheinlich war das Mädchen sogar eine Spur größer.

Einmal sah er die beiden streiten. Er öffnete das Eingangstor, da standen sie, in einem merkwürdigen Abstand zueinander, als wollte Bonami gerade gehen, und Frau Molin strebte ins Haus. Als hätten sie etwas anderes vorgehabt, zusammen weg oder zusammen hinein. Beinahe hätte Ludwig *Entschuldigung* gesagt, irgendein Zischen hallte nach, es war allen klar, dass er zumindest den feindlichen Ton vernommen hatte. Stattdessen nickte er nur freundlich, verzichtete mühsam auf die rituelle Frage nach dem Befinden und brachte die Müllsäcke zur Tonne. Als er zurückkam, standen sie immer noch so, Frau Molins Wangen glühten, Bonami dagegen schien sich beinahe zu amüsieren. Er schloss das Tor hinter sich und stieg geräuschvoll die Stiegen hinauf.

Im ersten Stock blieb er stehen und lauschte. Gesprächsfetzen setzten wieder ein, keine freundlichen. Wenn er schnell auf die Dachterrasse …? Das gehört sich nicht, dachte er, Spiegelscherbe. Was haben die jungen Menschen aber auch für Beziehungen. Diese beiden wohnten gewiss nicht zusammen, jedenfalls nicht im herkömmlichen Sinne. Manchmal sah man ihn wochenlang nicht, *viele, viele Reisen*, hat er Ludwig einmal verraten, mit seinen theatralischen, vermutlich südländischen Handbewegungen. Trotzdem ließ sie seinen Namen an ihr Schild schreiben. Hat sie damit nur Ludwig ärgern wollen? Da misst er sich gewiss zu viel Bedeutung zu.

Suzanne und Ludwig junior finden ihn hoffnungslos altmodisch, und nicht nur in diesen Dingen, aber trotzdem haben beide schnell geheiratet, als die jeweiligen Beziehungen ernster wurden. Man kann es altmodisch nennen, aber anscheinend ist etwas dran. Sonst hätten sie es nicht selbst so gemacht. Wie panisch er eine Zeitlang fürchtete, dass ihr fescher Ludwig junior ein Warmer sein könnte, hat er erfolgreich verborgen, sogar, hofft er, vor Hannelore.

Ein andermal kam Frau Molin zu ihm in den Garten. Sie sah nicht gut aus, aber er hütete sich, das zu sagen. Stattdessen machte er ihr ein Kompliment, und sie verzog den Mund, nicht abwehrend, wie sonst, sondern nur ein bisschen skeptisch. Als er sie fragte, ob er ihr irgendwie helfen könne, bat sie darum, ihm zuschauen zu dürfen.

Ich jäte nur Unkraut, sagte er, peinlich berührt, und sie antwortete, das sei ihr genauso recht wie alles andere. Er holte ihr einen Plastiksessel aus der Garage, obwohl sie protestierte. Sie könne sich ins Gras setzen, sagte sie, und nach einer kurzen Pause sagten sie gleichzeitig etwas, und beide ein bisschen bestürzt.

Er, Ludwig, sagte, natürlich, wenn Sie lieber im Gras sitzen …, sie dagegen sagte: Aber wahrscheinlich mache ich Ihren Rasen hin, und danach beteuerte sie, dass der Sessel sehr angenehm sei, und er, dass jeder Rasen eine so zarte Dame aushalten müsse, sonst sei er nichts wert.

Dann riss er weiter sein Unkraut aus, schnippte mit der Gartenschere hierhin und dorthin und gestand ihr schließlich, dass das etwas anderes sei, bei einer so gewöhnlichen Tätigkeit beobachtet zu werden.

Ja, gab sie zurück, das fasziniere sie seit jeher: wie sich jede Situation völlig verändere, wenn man nur ein bisschen an den üblichen Umständen drehe. Damit arbeite sie, oft. Ludwig versuchte, das, was er von seinen Kindern über ihre Spots erfahren hatte, mit dem Bild eines alten Mannes beim Unkrautjäten zusammenzudenken, aber er spürte, dass es keine Rolle spielte, wenn er nicht verstand, was sie meinte.

Geht es Ihnen gut, wagte er zu fragen, und sie antwortete viel zu schnell und beteuerte, jaja, sehr gut, und wie wohl sie sich hier im Grünen fühle. Wien sei ein steinernes Meer, in den Innenbezirken; im Vergleich zu Berlin.

Berlin, sagte Ludwig zweifelnd, ist es in Deutschland grüner?

Ja, antwortete sie lebhaft, in Berlin jedenfalls, aber das glaubt mir hier keiner, die Wiener glauben, ihr Prater und ihr Schönbrunn sind einzigartig, na ja, so wie alles andere auch.

Das war eine Anklage, eine Kritik, wohl auch an ihm. Er verzichtete erst einmal auf Entgegnung.

Später, als er sich langsam entspannte und ihr zeigen wollte, wie man fachgerecht Rosen schneidet, rückte sie mit einer Frage heraus. Ob ihre Vormieterin, die alte Soyka, Verwandte habe. Zwei Söhne, sagte Ludwig, die müssen weit über fünfzig sein. Warum fragen Sie?

Sie habe einen Brief bekommen, plauderte sie weiter, besser gesagt, an die Soyka sei ein Brief gekommen. Aus Australien. Sie habe ihn nicht geöffnet, aber den Absender angerufen. Der habe ihr eine wilde Geschichte erzählt, über seinen Onkel, aus dem Krieg …

Die Kinder sind erst nach dem Krieg geboren, unterbrach er, die werden dazu nichts wissen.

Das Fräulein schwieg. Ludwig zupfte noch ein bisschen und brachte das Körbchen mit dem Unkraut nach hinten, zum Kompost. Er spürte sein Herz schlagen und dachte an die verengte Stelle, die man, wie der Professor gesagt hat, regelmäßig überprüfen lassen muss.

Hat der Kerl also überlebt, das war kaum zu glauben. Er erinnert sich höchst ungern an die Blutspur und die animalischen Schreie, als der abgeholt wurde, und an die Blicke der Soyka, als sie nach ein paar Monaten wiederkam.

Wie sie es damals wohl geschafft hat, dass ihr Gatte, der Hofrat, nicht ebenfalls belangt wurde? Ludwigs Mutter hat einmal bemerkt, der junge Mann und die Soyka hätten bestimmt irgendwie miteinander, warum sonst sei sie so ein Risiko, und deshalb habe der Hofrat wahrscheinlich wirklich keine Ahnung …, aber da schlug Ludwigs Vater auf den Tisch, dass die Tassen in die Höhe sprangen, und danach wurde nie wieder darüber gesprochen.

Als er zurückging, nahm er seine große Schaufel mit, wie zur Verteidigung. Wenn sie jetzt nicht von selbst ginge, dann würde er den Flieder direkt neben ihr ausstechen und umsetzen, egal, was Hannelore dazu sagte.

Darf ich fragen, was Sie für ein Jahrgang sind, Herr Doktor, fragte das Fräulein und strahlte ihm allerliebst entgegen. Er seufzte und verriet es ihr.

Sie waren also dreizehn, zu Kriegsende, überlegte sie und kaute am Stängel eines Gänseblümchens.

Nicht ganz, sagte er, ich habe gerade noch Glück gehabt, zum Schluss hat man ja sogar Vierzehnjährige …

Aber dann müssten Sie sich eigentlich daran erinnern an …, mit der Frau Soyka und einem jungen Mann, den sie in ihrer Wohnung – gehabt hat? Nach dem, was der Australier erzählt, muss es damals einen ziemlichen Auflauf …

Oh Hannelore! Sie hat einen sechsten Sinn oder ein gesegnetes Naturell. Er ist ein Glückspilz. Das weiß er seit Langem, auch wenn sie nie zu den hübschen, aufregenden Mädchen gehört hat, sondern zu den gutherzigen, verlässlichen. Die Verlässlichen bleiben jedoch verlässlich oder werden sogar immer verlässlicher, die aufregend Hübschen dagegen, siehe die Soyka … Hannelore jedenfalls trat genau in diesem Moment auf die Dachgaubenterrasse und rief: Ludwig! Telefon!

Er stellte die Schaufel an die Hauswand und sagte langsam: Die Hofrätin Soyka war als junge Frau eine beeindruckende Schönheit, das ist unvergesslich. Er nickte dem Mädel zu und ging hinauf. Du sollst nicht lügen, nicht wahr, und seine Hannelore war einfach wunderbar.

Sehr viel mehr weiß er beim besten Willen nicht. Eine Zeitlang schlich Frau Molin gedrückt herum, so sehr, dass sich Ludwig einmal erkundigte, ob ihr etwas fehle. Sie sind in letzter Zeit so still, junge Dame, sagte er, und sie lächelte ihn tapfer an und murmelte etwas von viel Arbeit. Das mit Ihrer Arbeit müssen Sie mir bei Gelegenheit noch einmal erklären, sagte er aufmunternd, ich bin wahrscheinlich nicht mehr auf der Höhe der Zeit, aber es hat damals recht interessant geklungen …

Da fällt mir ein, ich hätte eine Bitte, antwortete sie, und es hätte Ludwig stutzig machen können, dass sie Farbe annahm, die hochnäsige Intellektuelle, für die er sie manchmal hielt.

Er dachte nur gerührt, sie habe Scheu, um etwas zu bitten.

Wollen Sie mir wieder beim Jäten zuschauen, fragte er waghalsig. Doch sie wollte Fotos von seinem Jesulein machen! Fotos, hauchte er und suchte verzweifelt nach einer angemessenen Haltung. Sie übergoss ihn mit einem Wortschwall, besänftigend, wie ihm schien. Niemand würde erfahren, dass es seine Figur sei, falls er das befürchte, das sei selbstverständlich. Aber sie habe selten so einen expressiven Gesichtsausdruck bei einer Christusfigur gesehen, so himmlisch leidend, und wenn er ihr helfen würde, würde das Ganze höchstens eine halbe Stunde dauern, ein heller Raum und eine weiße Wand vorausgesetzt.

Er schlug den Tag vor, an dem Hannelore mit dem Kirchenchor nach Greifenstein fuhr. Die Bitte des Fräuleins war zu merkwürdig, als dass er sie mit ihr hätte erörtern wollen. Er wusste nicht, was das sollte, aber er sah keinen Grund, abzulehnen. Die Sache war völlig uneinordenbar. Er würde sich auf das Abenteuer einlassen, punktum; Bilanz und etwaige Selbstvorwürfe anschließend.

So stand er vor ihrer Tür, das Jesulein, das er mit dem Federwisch abgestaubt hatte, lag, in ein Tuch gehüllt, in seinen Armen wie sein jüngstes Kind. Frau Molin öffnete, eine professionell aussehende Kamera um den schlanken Hals, und wirkte bedrückt. Sie habe alle in Frage kommenden Wände in ihrer Wohnung getestet; das Ergebnis sei nicht zufriedenstellend.

Der vereinbarte Tag war wahrlich grau, mitten im Sommer. Ludwig hatte sogar befürchtet, dass Hannelores Ausflug wegen hoher Niederschlagswahrscheinlichkeit verschoben werden müsste. Scheinwerfer, schlug er vor, oder Blitzlicht, und fühlte sich dumm.

Nein, entgegnete sie sanft, das wirkt zu hart, bei Menschen sowieso, aber bei diesem kleinen Holzgesicht … Mir geht es gerade um dieses Lebendige, dass man ihn beinahe für echt halten könnte!

So standen sie und schauten einander an. Sie fragte nach den Wänden von Ludwigs Dachgaube. Nein, leider, verzinktes Blech, vom Dach bis zum Boden heruntergezogen, eine Auflage, um das Mauerwerk zu schützen. In der Wohnung hatten sie Tapeten, überall, moosgrün-weiß gestreift im Vorzimmer, creme und braun im Wohnzimmer, im Schlafzimmer altrosa, nicht, dass man eine junge Mieterin ins eigene Schlafzimmer hätte führen können, zu welchem professionellen Zweck auch immer. Es gab nur einen einzigen Ort, der in Frage kam, seine Zuflucht, sein Himmelreich, diesen Dom aus gedämpftem Sonnenlicht, der wahrscheinlich selbst an einem Tag wie heute …

Sind Sie geruchsempfindlich, fragte Ludwig.

Wie meinen Sie das, fragte sie zurück.

Graust Ihnen leicht, wird Ihnen schlecht bei starken Gerüchen? – Er wurde ungeduldig, das Jesulein war ganz schön schwer und auf die Dauer sperrig.

Nein, eigentlich nicht, sagte sie, und also packte sie die Tasche mit den Objektiven und dem Stativ und stieg ihm nach, hinauf auf den Dachboden.

Als sie eintraten, atmete sie heftig aus, mit geblähten Backen. Er ging ungerührt voran, öffnete die Luken ringsum, an der gewissen Stelle blinkte ihm die Spiegelscherbe höhnisch entgegen, er ignorierte sie. Wie ist das Licht, fragte er, und sie, die in der Tür stehengeblieben war und auf die Tiere starrte, die in ihren Käfigen umhersprangen und fauchten, antwortete: Das Licht ist perfekt.

Danach schritt sie den Raum ab, reihum, in sicherem Abstand zu den Käfigen, in denen die Bewohner tobten. Ludwig entschuldigte sich, dass sie nicht gefüttert seien und außerdem nur selten jemand anderen als ihn zu sehen bekämen, weshalb sie wahrscheinlich besonders unruhig seien, *meine Frau, müssen Sie wissen, graust sich*. Das ist Hochverrat, schalt er sich, dass er seine Hannelore hier so preisgab wie sie ihn jederzeit vor den Kindern, aber Frau Molin schien andererseits nicht in Gefahr, sich stürmisch mit ihm und seinem Hobby zu solidarisieren. Er bot an, die Tiere gleich zu füttern, damit etwas mehr Ruhe herrsche, *Sie müssen sich bestimmt konzentrieren*. Und Frau Molin nickte und wickelte das Jesulein aus.

Als er zurückkam, mit dem Fleisch auf einem Schneidbrett, lag sie auf den Knien vor dem Jesulein, das sie an eine Wand gelehnt hatte. Er hatte den Boden sauber gehalten, all die Jahre, vielleicht nur für diesen Moment, wo eine junge Dame auf den Knien lag und fotografierte. Von oben, durch die Luke, traf ein Lichtstrahl genau des Jesulein Gesicht, Ludwig war stolz, dass er es sah und verstand.

Ob er sie um einen Abzug bitten könnte?

Er machte sich an die Fütterung, langsam, Käfig für Käfig, und das Scharren und Fauchen nahm ab. Auf einmal stand sie dicht neben ihm, gerade, als er dem potentesten Rüden den letzten Brocken geben wollte, darf ich, fragte sie und gluckste, und bevor er Antwort geben konnte, hörte er das Klicken des Auslösers, und beinahe wäre Adolf ihm an den Finger gekommen, in seiner wütenden Gier, so etwas war Ludwig noch nie passiert.

Und dann war da noch diese Verlobungsfeier, oder vielmehr gescheiterte Hochzeit, wie seine Kinder behaupteten. Es ging ihn nichts an. Er selbst hält sich heraus; er findet es unmöglich, über fremde Leute zu tratschen. Seine Gedanken kann man sich machen, jeder für sich, aber die Gedanken, die er sich macht, die bleiben, bitte schön, mit einem Bonmot seines Vaters, *ganz unter mir*. Dass es eine Feierlichkeit geben würde, erfuhr Hannelore beim Fleischhauer; die Molins, also wahrscheinlich die Eltern, hatten ein kleines Buffet bestellt. Selbst das ist wahrscheinlich zu viel gesagt, es waren drei Platten Hors d'œuvres und ein paar Flaschen Sekt, er hat später ja selbst gesehen, was an Geschirr wieder abgeholt wurde. Es waren höchstens ein Dutzend Gäste, soweit man das abschätzen konnte, und das alles mittags um zwei. Diesmal trug Bonami keine Lederjacke, sondern etwas Sakkoartiges, und die Mieterin trug ein einfaches helles Sommerkleid. Das alles nur vom Garten aus beobachtet, also ihn bitte nicht darauf festzunageln.

Sie sah verweint aus, später, gegen sechs Uhr nachmittags, als sie mit einer Dame, die vermutlich ihre Mutter war, die Steigen mit den Leih-Gläsern und Tellern und Platten vor die Tür brachte, wo der Laufbursche des Fleischhauers sie bald abholte. Ludwig ging grüßend vorbei; die Mutter, wenn es denn die Mutter war, schien sich unbehaglich zu fühlen.

Ja, er gibt zu, dass er an diesem Abend die Spiegelscherbe noch einmal herausgeholt hat, aus schierer Sorge. Seit sie ihn dabei fotografiert hatte, wie er sein stärkstes Frettchen fütterte, fühlte er sich ihr warm verbunden. Das Foto hatte sie ihm geschenkt, ein paar Tage später. Sie hatte es so eingerichtet, dass sie ihn allein antraf; sie schien davon auszugehen, dass Hannelore von ihrem Fototermin nichts wusste.

Das Bild gefiel ihm; es war sehr hell und ein bisschen unscharf, sein Profil war bis zum Ohr zu sehen, seine Finger in Nasenhöhe, und rechts das graugescheckte Tier mit gebleckten Zähnen. Die Farben waren irgendwie unnatürlich, sein eigenes Auge so fischig blau, das Fleischstück dagegen rot, als würde es noch bluten. Er legte es zu seinen privaten Papieren, zwischen die Sparbücher, die Lebensversicherungen und das Testament. Hannelores Gesicht würde er ja zu gerne sehen, wenn sie es dort fände, aber da wird er vermutlich tot sein.

Und nun stand er wieder hier oben und zog mit schlechtem Gewissen die Spiegelscherbe heraus. Er entdeckte sein Molinchen gleich, allein auf dem Nordbalkon, zurückgelehnt, die bloßen Füße auf dem Tisch. Das Kleid war über die Knie hochgerutscht, neben ihr eine Weinflasche, aber kein Glas, und außerdem rauchte sie; sie besaß plötzlich auch so einen roten Aschenbecher von der Bank, genau wie die Ordinationshilfen des Zahnarztes.

Er hatte sie noch nie rauchen sehen.

Aus der Balkontür drang Musik.

Bonami war nirgends zu sehen.

Am nächsten Tag fuhren die Tschochs ins Salzkammergut, auf Sommerfrische. Suzanne würde unwillig, aber verlässlich die Tiere füttern, dreimal täglich, und er würde das Drama versäumen, wenn es denn überhaupt ein Drama gab.

Im Herbst, nach ihrer Rückkehr, war sie kaum zu sehen. Sie hatte poste restante eingerichtet – das hatte er vom Briefträger erfahren – , und bis auf ein kleines Licht oder ein geöffnetes Fenster hie und da gab es selten Anzeichen, dass sie noch hier lebte.

Er hatte bei Gott anderes zu tun. Bei Hannelore wurde ein Knoten unter der Achsel entdeckt und entfernt, und Suzanne erlitt eine Fehlgeburt. Hannelore nahm alles, auch die paar Monate Perücke, stoisch, Suzanne dagegen brach zusammen, und er fragte sich, ob es denkbar war, dass Hannelores Knoten Suzanne zusätzlich belastete, während Suzannes Unglück Hannelores mütterliche Überlebenskräfte erst recht stimulierte. Aber was verstand er davon.

Der Garten wurde vernachlässigt, den Rest gaben ihm die Enkeltöchter, die nun häufiger bei ihnen abgegeben wurden, weil Suzanne so viel Ruhe brauchte. Das Planschbecken schlug eine Narbe in den Rasen wie ein keltischer Kultkreis, etliche Blumen wurden beim Krocket geköpft, und schließlich wanderte ein Maulwurf ein, was Ludwig unter diesen Umständen für undenkbar gehalten hatte. Denn an sich scheuen Maulwürfe den Lärm.

Beim letzten Mal, als er Frau Molin allein begegnete, war sie vermutlich betrunken. Es war zwei Uhr nachts, die Herbststürme heulten, und irgendetwas klapperte schrecklich im oder vor dem Haus. Hannelore hatte ihn geweckt, er selbst hätte gar nichts bemerkt, sein Schlaf war gut und tief. Als er die Wohnungstür öffnete, brannte im Stiegenhaus Licht. Er band den Schlafrock fester zu und stieg langsam hinunter, da hockte sie vor ihrer Tür, in froschgrünen Stöckelschuhen. Sie hatte die Unterlippe in den Mund gezogen und summte vor sich hin, um sie herum lagen Papierschnipsel auf dem Boden, in Weiß und Gold. Er fürchtete, sie zu erschrecken, und blieb auf der Treppe stehen. Da drehte sie den Kopf und grüßte, unbefangen, als wäre ihr die Uhrzeit gar nicht bewusst.

Sie war dabei, den Imre Bonami auf ihrem Namensschild zu überkleben, von rechts nach links, mit goldfarbener Folie. Als Ludwig begriffen hatte, stand nur noch ›Im‹ da. Frau Molin summte wieder, er meinte, einen Song von Frank Sinatra zu erkennen, einen der beschwingteren. Ein letztes Stück Folie, vorsichtig und konzentriert angebracht, und sie schwang, auf ihren Fersen sitzend, herum, kippte vornüber auf die Knie, sodass er beinahe zu ihr gestürzt wäre, weil er dachte, sie fiele aus Erschöpfung aufs Gesicht. Doch raffte sie nur den Verschnitt zusammen, zerknüllte ihn in der Hand, nahm eine Schere, die auf dem Fußabstreifer gelegen war, und stand vorsichtig auf.

Was machen Sie denn mit dem armen Herrn Bonami, fragte er, weil ihm nichts Besseres einfiel. Für einen Moment ging das Licht aus.

Sieht man das nicht? Ich entferne ihn, antwortete sie, bevor sie den leuchtenden Knopf drückte. Sie roch nach Rauch, außerdem süßlich, nach zu viel Parfum, sie sah ein wenig zerrupft aus, Reste von Schminke, aber bitte, es war sehr spät.

Niemals war Hannelore so gewesen, so … entzückend beschädigt.

Für dergleichen hätte er niemals die Kraft gehabt, für solch fordernde Ungereimtheiten. Ein Wunder nur, dass es Männer gab, die diese Kraft hatten. Draußen schlug wieder ein Fenster oder was auch immer es war. Er fuhr zusammen, hob entschuldigend die Schultern und eilte hinaus. Als er nach wenigen Minuten zurückkam, stand sie noch in der Tür und wartete.

Gefunden, fragte sie, und er nickte. Dann ist ja endlich alles gut, nuschelte sie wohlwollend, gute Nacht, Herr Doktor, und während sich die eine Tür schloss, öffnete sich weiter oben die andere, und Hannelores Stimme rief verhalten: Ludwig?

Ein halbes Jahr später trug sie die Haare plötzlich jungenhaft kurz. Sie kündigte schriftlich und fristgerecht und übergab die Wohnung in tadellosem Zustand; sogar die Dübellöcher waren verputzt. Die Verabschiedung fiel von beiden Seiten so herzlich aus, als hätte man einander jahrelang gekannt und geschätzt. Alles, alles Gute, rief Hannelore, viel Erfolg, und dass sie ihren beruflichen Weg interessiert weiterverfolgen würden.

Wir haben ihn bis jetzt nicht verfolgt, sagte Ludwig zu Hannelore, als sie vom ehemals Molin'schen Nordbalkon zuschauten, wie sie unten in ihr Auto stieg und dem Umzugswagen hinterherfuhr. Wie immer verstand Hannelore genau, worauf er sich bezog. Im Großen und Ganzen, widersprach sie, Detailkenntnis erwartet ja keiner.

Zum letzten Mal sah er sie im Fernsehen, und er kann nur hoffen, dass es bei diesem Mal bleibt. Obwohl er ihr wünscht, dass es ihr gut geht, besser als damals in Wien.

Trotzdem. Wiedersehen möchte man sie eigentlich nicht mehr.

Es war der pure Zufall, denn wie die Kinder richtig vermuteten, benutzten Hannelore und er den Fernseher kaum noch. Die Kinder waren alle da, es war recht spät, Suzanne hatte den Abend lang ihren mächtigen Bauch gestreichelt und ihre großen Mädchen darüber beinahe vergessen. Der Schwiegersohn mahnte zum Aufbruch, doch Ludwig junior erinnerte an irgendwelche Fußballergebnisse, und so zerrten die, die Ludwig früher die jungen Männer genannt hat, gemeinsam den Fernseher auf seinem Wagen aus der kleinen Nische, in der er sonst unbeachtet stand.

Als sie einschalteten, füllte das gottverlassene, todtraurige, wunderschöne Gesicht von Ludwigs Jesulein den Bildschirm aus. Dazu ertönte eine aggressiv hämmernde Musik, die er spontan mit jungen Jugoslawen und heruntergekurbelten Sportwagenfenstern auf dem Gürtel in Verbindung brachte. Die Musik verstummte, das Jesulein verschwand, als löste es sich im Licht auf, der Bildschirm wurde weiß und eine Schrift erschien: Gott schütze Österreich.

Das war der ›Film ohne Worte‹, das neue Werk von Xane Molin, sagte die sonore Stimme eines bekannten Moderators, sie nennt es ›österreichische Impressionen‹, aber man wird sagen dürfen, dass diese Impressionen in eine bestimmte, kritische Richtung zielen.

Man sah das hübsche, nun etwas maskulin wirkende Fräulein Molin mit einem sehr verspannten Mund in der Ledergarnitur der nächtlichen Diskussionssendung sitzen.

Mama, rief Suzanne, euer Christus war gerade im Fernsehen, und sie lachte und hielt sich wieder mit beiden Händen den hochschwangeren Bauch. Hannelore kam aus der Küche, ein Geschirrtuch in der Hand, und begriff gar nichts, weil die Kamera nun auf einen Mann hielt, einen dieser Emporkömmlinge von der ganz Rechten, der verkündete, dass die Österreicher wahrlich stolz sein dürften auf das, was sie in den letzten Jahrzehnten geleistet hätten. Der Schwiegersohn schaltete auf Teletext um und suchte nach den Fußballergebnissen, aber Ludwig junior rief, zurück, das wollen wir sehen!

Und dann sah seine Familie der früheren Mieterin zu, wie sie sich gestikulierend und schrill, im Grunde wie sein hungrig-zorniger Adolf, gegen den Vorwurf der Nestbeschmutzung verteidigte und dabei verrückte, übertriebene Dinge sagte, diesen üblichen linken Schmafu, dass sie diese Mozartkugel-Seligkeit satthabe, dieses Selbstgefällige und Geschichtslose, weil sich die meisten Österreicher immer noch weigerten, sich an die Verbrechen zu erinnern, die direkt vor ihrer Haustür, ja vor ihren Augen stattgefunden hätten, stattdessen bekreuzigten sie sich und fütterten fröhlich ihre Frettchen.

Ludwig saß ruhig da und spürte ihren Worten nach. Woher sie aber jetzt wusste …? War vor seinen Augen wirklich ein Verbrechen …? Wenn dieser, dieser angebliche Neffe der Soyka es bis nach Australien …, dann war es doch nicht so … schlimm wie …?

Hannelore schaltete den Apparat aus. Papilein, schnurrte Suzanne zärtlich und beugte sich zu ihm herüber, du hast ihr deine Tierchen gezeigt? Das finde ich so süß von dir!

… vergessen, dass Österreich eine der weltweit erfolgreichsten Volkswirtschaften …, hörte man den Schwiegersohn, der prompt von Ludwig junior, seinem ewigen Sparringpartner, geneckt wurde: Mein Gott, Walter, das ist nur ein Verkaufsschmäh, alle haben ihre Posen, die Politiker genau wie die Künstler, du glaubst nicht im Ernst, dass die das selber glauben, während sie ein Stipendium nach dem anderen kassieren…

Die Schwiegertochter, die, je länger sie kinderlos blieb, umso aufmüpfiger wurde, biss sich auf die Lippen, bevor sie leise sagte, dass sie davon ausgehe, dass manche Menschen noch Überzeugungen hätten, sogar solche, die anderen nicht gefielen.

Na sicher, Schatzi, beeilte sich Ludwig junior zu begütigen, beugte sich hinunter und küsste sie auf die Wange, ich will nur sagen, dass zwischen der inneren Überzeugung und dem, was einer im Fernsehen sagt…

Mir scheint, du nimmst diese Extremisten nicht ernst, schnarrte, ungewohnt aggressiv, der Schwiegersohn, auch ganz links gibt es Menschen, die …

Aber da stand Ludwig auf, drängte sich an Hannelore vorbei, die ihm fragend nachschaute, ging aufs Klo und ist dort sitzen geblieben, die Hände auf den Oberschenkeln und den Blick auf seine gut beschuhten Füße. Er ist lange so gesessen, so lange, bis sich das Stimmengewirr vom Wohnzimmer ins Vorzimmer verschob und er zur Verabschiedung herauskommen musste. Er hat sich sehr gut die Hände gewaschen, das weiß er noch, mit der Lavendelseife aus der Provence, und wie gesagt, das wäre eigentlich schon alles, es ist ja nicht viel, nur ein paar unzusammenhängende Eindrücke, das war mit Abstand unsere kürzeste Mieterin, und kennen ist wirklich zu viel gesagt, bei Weitem zu viel.

Jede Tätigkeit ist elend, solange man nicht weiß,
wie man sie gut macht. Das gilt für das Wegwischen
klebriger Flüssigkeiten ebenso wie
für das Trösten verzweifelter Freunde.

– Robert Pfaller –

4

Erfüllt von gackernder Erheiterung über sich selbst, stand Sally in einer fensterlosen Partyküche und schnitzte Rosen aus Karottenstücken. Der Gastgeber war prototypisch: flatternde Hose, ein Understatement-Hemd und das, was man seit einiger Zeit Österreicher-Brille nannte, ein schwarzklobiges Gestell in einem jungenhaften Gesicht. Er hatte sie freundlich gemustert und zu den anderen gebracht, gewiss hatte er ein schlechtes Gewissen, weil er nicht selbst da stand und Schmuckpetersilie an Eischeiben und Cocktailtomatenhälften heftete. Wahrscheinlich war er kaum älter als sie. Sally erinnerte sich an den Keniaurlaub vor ein paar Jahren, als morgens, im Bungalow, ein Butler in der Küche auf Aufwachgeräusche gewartet hatte, um flugs mit dem Frühstückmachen zu beginnen. So scheiße und gleichzeitig großartig, so falsch im richtigen Leben, wie sie sich damals gefühlt hatte, fühlte sich wahrscheinlich jetzt der Österreicher-Brillen-Träger, Galerist, Architekt, Kurator oder was er war, und sie gönnte es ihm.

Die schneeweiße, fast bodenlange Schürze hatte sie von einem Stapel genommen und vor ihre vorgeschriebene schwarze Bluse gebunden; das gehörte zum Arrangement wie die Tischwäsche, das Besteck, die Gläser und sie. Nachdem sie einen Haufen Karottenrosen produziert hatte, schichtete sie Weißbrotdreiecke im Wechsel mit Parmesanstücken, Parmaschinkenröllchen und Oliven übereinander und durchbohrte das Ganze anschließend schwungvoll mit einem Partyspieß. Die Spieße gab es in allen Bonbonfarben, sie musste daran denken, ein paar für Baby mitzunehmen.

Sie legte gar keinen Wert darauf, die Küche zu verlassen, sie war neu und wollte nicht vor Zeugen stolpern. Außerdem war es hier am lustigsten, obwohl diesmal wenig gelästert wurde. Die da draußen waren dem Personal unangenehm ähnlich, jung und aufgeweckt; man hätte die Plätze tauschen können.

Eine gute Stunde, nachdem es losgegangen war, zweigte einer der Kollegen die obligate Flasche Prosecco ab, und ein, zwei Gläser kreisten, die hektisch wieder gefüllt wurden.

Und dann strömten die Karottenröschen langsam zu ihr zurück wie verlorene Söhne, angebissen oder unberührt, unachtsam zur Seite geworfen, zusammen mit den abgenagten Partyspießen und dickwandigen Gläschen voller Schokomousse-Schlieren. Sally räumte die Spülmaschine ein und aus. Ab und zu schwindelte ihr, und sie glaubte, sie trete den Tritt des Abfalleimers im Takt, man hätte dazu synkopiert pfeifen können. Gelegentlich schnippte sie sich ein Stückchen Käse in den Mund, bevor sie den Rest wegwarf; die Gäste draußen hatten außer Schnupfen bestimmt keine ansteckenden Krankheiten.

Ungünstig war, dass das einzige Klo am anderen Ende der Galerie lag. Sie brauchte zwei Anläufe. Beim ersten Mal wurde sie um Weißwein gebeten und kehrte um, weil sie das Paar sonst nicht wiedergefunden hätte. Beim zweiten Mal ging sie einfach durch, trotz einiger Rufe.

Gerade als sie sich die Hände wusch und feststellte, dass ihr die Füße wehtaten, rief es in ihrem Rücken *Salome?*, freudig, ungläubig. Sally hob den Kopf und schaute in den Spiegel. Weil ihre Finger nass waren, breitete sie um Verzeihung bittend die Arme aus und drehte sich um, und da hatte sie sie schon am Hals, die duftende, völlig unerwartete Xane Molin, die hier natürlich Gast war und keine Tellerwäscherin.

Just call me Sally, murmelte Sally und musterte Xane, die, wie sie zugeben musste, phantastisch aussah.

Was machst duuu..., fragte Xane, deren Wiedersehensfreude bereits von der situativen Peinlichkeit verdunkelt wurde, da lüpfte Sally ein wenig ihre lange Schürze, als wollte sie knicksen, und sagte, ich schnitz dir eine Karottenrose, wenn du hungrig bist.

Xane kicherte schrill, boxte ihr gegen den Oberarm und wühlte in ihrer Handtasche. Bist du länger in Berlin, fragte sie, ja, pass auf, ruf mich an, versprich's mir, gleich morgen, nur, ich muss jetzt wieder ... und sie stürmte in eine Kabine. Sally machte, dass sie wieder in die Küche kam.

Spätnachts, als sie die schlafende Baby von Frau Hilpert holte und über den Hof nach Hause trug, hatte sie die Visitenkarte schon verloren. Als sie sich auszog, waren da nur ein paar Partyspieße in ihren Hosentaschen, dann fiel sie neben Baby auf die Matratze und schlief sofort ein.

Aber Xane wartete erst gar nicht auf ihren Anruf. Offenbar war es gleich nach dem Aufstehen ihr erstes Bedürfnis gewesen, Sallys Nummer aufzutreiben. Wir müssen uns sehen, jubelte sie ins Telefon, der schlaftumben Sally ans Ohr, du musst mir alles erzählen, was du machst und wie es allen geht, Judith und deinen Eltern, und obwohl Sally darauf wenig Lust verspürte – warum wäre sie sonst so weit weg geflohen? –, war sie nach diesen ersten Monaten in Berlin, in denen ihr kaum etwas gelungen war, froh über ein vertrautes Gesicht und die heimatliche Redeweise.

Sie zog ihr rotes Flamencokleid an, fünf Euro, vom Flohmarkt, dazu Plastikschlapfen. Das wirkte. Wie sehr Xane staunte, merkte man an ihrem abgewandten Blick. Sie war in der Urban-Intellectual-Uniform gekommen, Blue Jeans und oben etwas Schlichtes, Teures, Schwarzes. Sally bestellte daraufhin einen weißen Spritzer, denn nie ist man so unaufmerksam wie im Triumph. Der schwule Kellner fragte pikiert: Einen was?

Xane verlangte schnell zwei Weißweinschorlen und versuchte sogar, das ›r‹ zu rollen. Sally sah, dass sie stellvertretend ein bisschen rot wurde.

Ist mir am Anfang dauernd passiert, sagte Xane und hielt sich die Handflächen an die Wangen, da hab ich auch noch ›Bankomat‹ gesagt.

Ich sag immer noch Bankomat, erwiderte Sally trotzig, wie heißt das denn bitte?

Geldautomat, sagte Xane, aber ich glaub, sie verstehen Bankomat eh.

Geld-au-to-mat, sagte Sally und klappte vier Finger auf, Ban-ko-mat hat nur drei Silben. Genau wie ›ich kucke Fernsehen‹ statt ›ich seh fern‹. Die sind so umständlich!

Ich bin mit einem verheiratet.

Mit einem was?

Mit einem Piefke.

Verheiratet? Du? Das hätt ich dir nicht zugetraut.

Warum nicht?

Weil … weiß nicht. Egal.

Zur ersten Einladung kleidete sie sich unauffälliger. Nur die Schachtel mit den silbernen Pumps, die holte sie vom Kasten herunter und wickelte die Schuhe aus dem Seidenpapier, bestaunt von Baby, die darin lupenreine Prinzessinnenschuhe sah. Sally hatte sie unter irgendeinem aufgeregt vorgebrachten Vorwand zurückbringen wollen, so schnell wie möglich, weil sie sich nicht mehr erklären konnte, in welchem Geisteszustand sie bedeutende Teile der Miete aus der Kaffeedose nehmen und gegen ein Paar Schuhe hatte eintauschen können; sie schuldete Frau Hilpert noch zwanzig Euro, und das Doppelte, sobald Xanes Fest vorbei sein würde. Dabei war Frau Hilpert spottbillig. Aber wenn sie die Schuhe trug, konnte sie sie nicht mehr zurückgeben.

Baby, mein Schatz, sagte sie plötzlich und drückte das Kind an sich, Sally geht doch nicht weg, wir bleiben beide hier und schlafen zusammen ein. Zum Beweis zog sie die Schuhe aus und stellte sie neben das Bett. Sie rief Frau Hilpert an und sagte ab. Sie las Baby eine Geschichte von Bobo Siebenschläfer vor, bei der sie Bobo durch Baby ersetzte, deckte sie zu und legte sich zu ihr. Während das Mädchen sie unverwandt anschaute – Kinder zwinkern so selten –, steckte sich Sally ein Stück Würfelzucker in den Mund. Natürlich wollte Baby auch eins, darauf hatte sie gewettet. Erst erinnerte Sally sie mit ernster Stimme daran, dass sie schon Zähne geputzt habe, dann lachte sie ausgelassen und rief: Aber man kann ja Ausnahmen machen, gell?

Baby nickte glücklich. Sally dachte an ihre eigene Mutter, die, jedenfalls solange sie irgendwie funktionierte, niemals Ausnahmen gemacht hatte, als hätten diese beschissenen Regeln nur dazu gedient, ihr, der Mutter, den dringend nötigen, aber niemals ausreichenden Halt zu geben. Sie holte aus der Küche den Würfelzucker für Baby, der von den drei Tröpfchen Diazepam erstaunlich schnell aufweichte. Ein paar Minuten später hob sie sich ein heißes Ärmchen vom Gesicht, spürte ihr Herz wieder knistern, als ob es brechen wollte, nahm die Schuhe und schlich hinaus.

Xanes Wohnung war untadelig, sosehr sich Sally nach Spießerbeweisen umsah. Unrenovierter Parkettboden, viele Bücher, kaum Bilder, die Leute standen überall, teils mit Gläsern, teils mit Bierflaschen. Von irgendwoher dröhnte Edith Piaf, das hätte als Überführung dienen können, wenn Sally nicht ausgerechnet damit gerade ein paar zusätzliche Hunderter verdient hätte, in einer schmierigen Bar in Kreuzberg. Danke, Edith, danke Jacques, dass sie Baby und sie wieder ein paar Wochen durchbrachten. Zu einer Band, wie Juliette Lewis sie hatte, würde sie es wohl nicht mehr bringen.

Xane schien sich zu freuen, sie zu sehen. Nach der Begrüßung rieb sie mit den Fingerknöcheln noch eine Weile an Sallys Oberarm, das machten sie hier so. Dann schleppte sie sie herum und stellte sie allen möglichen Leuten vor: Sally aus Wien, eine Kindheitsfreundin, Schauspielerin, Sängerin, und Sally übernahm die Rolle wie jede andere, sie lächelte eingeweiht, geheimnisvoll und schüttelte gelegentlich ihre Haare. Der Einzige, der nachfragte, war Mor Braun, Xanes Mann. Rollen, Stücke, Bühnen, Regisseure?

Sie übertreibt maßlos, das müsstest du wissen, sagte Sally brüsk und nahm den Mut dazu nur aus Mors amüsiertem Blick, ich jobbe und will an die Volksbühne.

Er war nicht böse, er grinste, als ob seine Frau ständig im Namen anderer Menschen hochstapelte. Statt einer Antwort öffnete er eine Flasche Rotwein. Sally verspürte anfallartig Verständnis dafür, dass man einen solchen Mann heiratete. Er war wie ein sonnenwarmer Fels, auch wenn er neben der überbordenden Xane wahrscheinlich älter und väterlicher wirkte, als er war. Sally selbst neigte dazu, sich mit neurotischen Jungspunden zu verzetteln, die sich für Künstler hielten. Wenn man bei ihren Liebschaften überhaupt von einem Muster sprechen konnte.

Xane kam und hängte sich an Sallys Arm: Was sagst du jetzt, Mor, fragte sie, ein bisschen zu laut, meine Wiener Kindheit, wiedergefunden am Klo beim faden Ragow.

Du warst bei Ragow, staunte eine Frau, die Handschuhe bis zum Ellenbogen trug, dafür aber nichts an den Füßen, am Donnerstag, bei der Vernissage?

Nichts versäumt, Schätzchen, spottete Xane, immer der gleiche politisch korrekte Retromix! Die Barfüßige protestierte. Xane, die weitergehen wollte, blieb abrupt stehen und füllte sich mit einer federnden Energie, die Sally vollkommen neu war.

Hör mal, Ulla, ich weiß, dass dir Ragows winzige blaue Augen gefallen, aber geh ihm bitte nicht so auf den Leim: Wenn wir beide uns morgen Perücken und Hütchen aufsetzen und singen wie die Andrew-Sisters, ist das mehr Verfremdung und kritisch-politisches Zitat als dem seine gehypten Collagen! Sie ließ ihre Hände, die Finger gespreizt, in Schulterhöhe affektiert flattern. Ein paar Umstehende lachten, Ulla äffte, derart sozial übertölpelt, zumindest Xanes ›dem seine‹ nach, und Sally intonierte zur Ablenkung: Bei mir bist du scheen, please let me explain, wofür sie einen überraschten Blick von Mor erntete.

Sally nahm einen Mundvoll Rotwein und ließ ihn von einer aufgeblähten Backe in die andere schwappen. Judith hatte das einmal gemacht, zu Hause am Tisch, die Augen flatternd geschlossen, sich zurücksinken und den Wein langsam aus einem Mundwinkel rinnen lassen, wie Blut. Mama hatte aufgeschrien, und Papa hatte ihr nach minimalem Zögern eine umso Festere gewischt, dass sie vom Sessel geflogen war. Aber Sally hatte es nachher geübt, heimlich. Das mit dem einen Mundwinkel war nämlich gar nicht so leicht.

Die Party war weit angenehmer als erwartet. Xane war stark und selbstsicher, sie hatte sich hier und im Leben vorangekämpft, und nun packte sie, wahrscheinlich aus reiner Sentimentalität, Sally am Genick und riss sie mit. Zumindest heute Abend konnte nicht mehr viel schiefgehen. Sally streckte Mor ihr Glas entgegen und neigte bittend den Kopf, und sie stießen an, als würden sie sich lange kennen. Was sie wohl über ihn gedacht hätte, wenn sie ihn allein kennengelernt hätte, ohne zu ahnen, dass er mit Xane Molin verheiratet war?

Plötzlich flossen die Menschen aus Küche und Flur ab, in Richtung Wohnzimmer. Mor bedeutete ihr, mitzugehen. Dort drängten sich alle an der Tür, Sally nahm mit ein paar anderen den zweiten Eingang und kam neben dem Klavier zu stehen. Die Lichter gingen aus, es wurde kindisch gehuht und gebuht, eine Torte, auf der Wunderkerzen sprühten, wurde durch die Menge getragen, vermutlich von Mor, ein anderer Mann kämpfte sich durch die Menge zu ihr, nahm Platz, Sally erkannte überrascht ihren Begleiter aus jener Bar in Kreuzberg, er schmalzte Happy Birthday in die Tasten, alle sangen, auch sie … aber währenddessen schämte sie sich, sie wusste nicht, für wen von ihnen beiden mehr. Sie hatte sich nicht erinnert und kein Geschenk, falls sie überhaupt je gewusst hatte, wann Xane Geburtstag hatte. Sie war ungefähr zehn gewesen, als Judith die Schule wechselte und Xane verschwand, nachdem das blonde Mädchen gestorben war. Aber Xane hatte sie neutral zu einer Party eingeladen, nicht zu ihrem Geburtstag. Na gut, sie hatte sie jobben sehen, in der weißgestärkten Langschürze zeitgenössischer Bediensteter. Machte es das besser oder eher schlimmer?

Sally sah diesen Bernd an, Wochenendpianist und Betriebswirtschaftsstudent, dem sie gefiel und den sie bisher so stur ignoriert hatte wie einen Fettfleck an fremdem Hemdkragen. Unhörbar formulierte er eine Frage, und sie nickte ihm zu. Während die anderen klatschten und lachten, begann er mit dem Intro, sie stampfte einmal mit dem Stöckel auf und ging dann hüftschwingend durch den Raum, auf die verblüffte Xane zu, zog einen Stuhl unter einem Partygast hervor, trug ihn zurück und sang mit gut gezügeltem Pathos *Rien de rien*, das sie, wie in Kreuzberg, so enden ließ, dass sie einen Fuß auf die Sitzfläche stellte und mit Lehne, Arm, zurückgelegtem Oberkörper und ihren langen Haaren einen Bogen bildete, während der hoffnungslose Bernd alle Akkorde im Pedal ertränkte.

Der Jubel der Gäste, die sie nicht kannte, war ihr egal. Aber Xane war so stolz auf sie, dass es Sally fast peinlich war. Einen Moment lang stellte sie sich vor, Judith könnte sie jetzt sehen. Wahrscheinlich würde die Schwester sie beide verachten; Sally dafür, dass sie sich, wie zurückhaltend auch immer, überhaupt vor Publikum produzierte, und Xane, dass sie sich von einem hingehauchten Chanson schmeicheln ließ. Aber Sally hatte sich vorgenommen, Judith, überhaupt ganz Wien, aus ihrem Kopf zu streichen. Denn es machte Spaß, Xane zu gefallen. Es machte warm und wichtig.

Das Fest endete im Morgengrauen, mit einer Handvoll Leuten in der Küche. Der Trunkenheitsgrad war nicht unbeträchtlich. Xane erzählte gerade zum dritten Mal, dass

Sally manchmal bei ihr im Bett geschlafen habe, obwohl sie von ihrer Schwester hartnäckig des Bettnässens bezichtigt worden sei – eine typische Gemeinheit von Judith, denn bei mir hat sie das nie gemacht –, und Sally konnte nur grinsend den Kopf schütteln.

Das Singen hat sie von ihrer Mutter, sagte Xane plötzlich und schaute bedeutungsschwer. Da stand Sally auf.

Und diese Schuhe, seufzte eine Frau, die mit einer Zigarette zwischen den Lippen am Herd stand und Spiegeleier briet.

Die Schuhe sind absolut unglaublich, stimmte Xane verträumt zu, und Mor legte ihr den Arm um die Schultern. Ich schmeiß euch jetzt alle raus, sagte er freundlich.

Sally stand mitten im Raum und wusste endlich ohne Anweisung, was zu tun war. Sie stieg aus den silbernen Schuhen, hob sie mit Daumen und Zeigefinger auf und stellte sie vor Xane hin, zwischen all die Gläser und Aschenbecher. Mazeltov, Xane Molin, sagte sie, das war definitiv die beste Party seit Langem.

Schon ein paar Tage später wollte ihr scheinen, sie habe noch nie eine Freundin gehabt wie Xane. Mor war weggefahren, eine Vortragsreise in Süddeutschland, und ihretwegen hätte er niemals zurückkommen brauchen. Obwohl sie ihn wirklich mochte. Xane und sie schütteten sich darüber aus, dass er ihr nachgerannt war, bis unten ans Haustor, einen Schuh in jeder Hand. Wie kommst du nach Hause, hatte er gerufen, ohne Schuhe? Und Sally hatte ihn an den Schultern gepackt und geküsst, herzhaft auf beide Wangen, und lachend gesagt: Bestimmt nicht zu Fuß.

Wie süß er ist, kicherte Xane, dazu hätte ich keine Kraft mehr gehabt, ich war viel zu besoffen. Sie fragte nie, wie

Sally nach Hause gekommen war, sie ging wahrscheinlich von einem Fahrrad oder einem Taxi aus. Sallys kesse Antwort verbot die Entzauberung durch die Wahrheit. Eine Sally, die am nächsten Tag todmüde und verkatert auf einer Matratze am Fußboden lag und sich die kohlschwarzen Füße von einer hochkonzentrierten Vierjährigen mit Bürste und Waschlappen bearbeiten ließ, während sie dem Kind weismachte, sie habe die Prinzessinnenschuhe beim Rauchen in den Hof gestellt, damit ein Prinz sie finde – das überstieg gewiss Xanes Vorstellungsvermögen. Sie wollte die Schuhe nicht annehmen, sie wollte sie Sally zurückgeben, unbedingt. Sie fürchte sich vor Spontangeschenken, sagte sie, sie fände sie unheimlich.

Das war kein Spontangeschenk, sondern eine Eingebung. Und ich hab kein Einwickelpapier gehabt, außerdem wollte ich wissen, ob sie dir überhaupt gefallen. Ich hab die Schuhe, sozusagen, an mir selbst in die Auslage gelegt.

Sie lagen am Landwehrkanal in der Sonne und redeten in alle Richtungen, über Männer, Bücher, Träume. Zum ersten Mal gestand Sally jemandem die Affäre mit ihrem Pariser Gesangslehrer, den sie wie wahnsinnig geliebt hatte, so lange, bis dessen Frau dahinterkam. Was es ausmachen konnte, eine Geschichte zu erzählen, anstatt sie ohnmächtig in sich selbst kreisen zu lassen! Und mit welchem Nachdruck Xane Partei ergriff, für sie, die ein blutjunges, naives Mädchen gewesen sei, während der tragisch-schöne Guillaume sie in den Mist erst hineingezogen und dann fallengelassen habe.

Über Judith sprachen sie kaum, hier schien Xane Abstand zu wahren. Das war Sally durchaus recht. Vorläufig log sie nur, wenn die Rede auf ihre Mutter kam, sie hätte gar nicht sagen können, warum. Weil sie Xane nicht enttäuschen wollte, die Eindrücke und Szenen hervorzog wie ein fliegender Händler, der Postkarten mit Kindheitsidyllen im Angebot hat? Weil sie voller Zuneigung, aber auch schlecht verhohlener Neugier von der skandalumwitterten Zsuzsa sprach? Über Xanes Formulierung vom ›bohemehaften Leben da draußen in eurer Pippi-Langstrumpf-Villa‹ musste Sally lachen. Wo hat man je Bohemiens gesehen, die um vier Uhr früh aufstehen, um die Backstube zu heizen? Aber sie ließ Xane ihre Version. Es hatte seinen Reiz, die eigene Kindheit in rosafarbenem Tüll vorgesetzt zu bekommen.

Vielleicht schwindelte sie deshalb, wenn es um ihre Mutter ging. Vielleicht war das, was sie sagte, bei wohlwollender Betrachtung ja nicht vollkommen falsch. Auf eine Weise, die weitere Nachfragen vorläufig verbot, murmelte sie nur: Nein, es geht ihr nicht gut, leider überhaupt nicht gut. Denn es konnte ja niemand wissen, ob es nicht doch ein Jenseits gab, in dem sich die Toten grämten.

Xane hingegen erzählte, selbstironisch und begeistert, von Mor und ihrer großen Liebe, eine romantische Geschichte ohne jeden Makel, die nur dunkel abgetönt wurde von Andeutungen über das Drama mit Mors erster Frau, der Mutter seiner beiden Kinder. Sally hätte darüber gern mehr erfahren. Wenn sie in Fahrt war, sprach Xane schnell, viel und originell; unter ihren Wortkaskaden konnte man sich beruhigt zusammenrollen wie ein Kätzchen im Korb. Vor allem stellte Xane niemals, anders als Judith, inquisitorische Fragen, die möglichst von ihr selbst ablenken sollten. Ihre rituellen Entschuldigungen, ach, es tut mir so leid, ich kübel dich ja total zu, ließen sich mit den Händen wegwedeln.

So trieben sie, sich ihren Launen überlassend, durch die sommerliche Stadt. Xane nannte es hingerissen Urlaub vom echten Leben, Sally stichelte, ich glaube, du musst öfter raus. Sie gingen Cocktails trinken, Sally kannte alle *Happy Hours* in der Umgebung, und die Kneipen, die sich als Mexikaner ausgaben, waren besonders billig. Xane wiederum hatte die Handtasche voller Einladungen; zweimal zog sie, wie zufällig, eine heraus, die sie für interessant befand, und also wohnten sie einer Filmpremiere und einem Galerie-Rundgang bei. Beide Male distanzierten sie sich boshaft flüsternd vom Gebotenen, und von den Gästen in ihrer prallen Hauptstadtwichtigkeit sowieso, sie kreischten auf, wenn man sie für Münchnerinnen hielt und wilderten anschließend am Buffet. Sally ließ Kuchen und Obst für Baby in die Tasche gleiten.

Bei der gutmütigen Frau Hilpert bekam sie inzwischen Mengenrabatt für Babys Betreuung. Xane wusste noch gar nichts von dem Kind, irgendwie war der passende Zeitpunkt bisher nicht gekommen. Im schlimmsten Fall war er auch schon vorbei; so etwas war zwar paradox, aber möglich. Sally amüsierte sich insgeheim darüber, dass sie bald putzen gehen müsste, um diesen alle Sinne belebenden Schlendrian mit Xane finanzieren zu können; putzen gehen oder etwas Schlimmeres. Erst vor Kurzem hatte der Barpianist Bernd eine klamme Hand auf ihren Schenkel gelegt; in dem winzigen Raum voller Bierfässer, wo sie sich schminkte, bevor ihr Auftritt begann. Mitten hinein in seinen erbärmlich flehenden Blick hatte Sally *das kostet aber* gegurrt, als Witz, um ihn zu vertreiben, was sofort gelungen war. Doch seither drehte und wendete sie diesen Satz probeweise in Kopf und Bauch und überlegte, mit wem und für wieviel sie das wirklich tun würde.

Vorerst verschob sie alles Rechnen und Nachdenken auf später. Darin war sie gut. Viele Dinge lösten sich von selbst, ohne dass man sich mit einer Entscheidung quälen musste. Solange sich in der Blechdose noch der eine oder andere Schein fand, solange Frau Hilpert guter Dinge war und Baby, *den armen kleen' Krümel*, jederzeit übernahm, genoss sie es, mit Xane um die Häuser zu ziehen.

Sie sagte zwei Jobs beim Cateringservice ab und entschuldigte sich mit einer langwierigen Erkrankung ihrer kleinen Tochter, wofür sie von der Frau, die die Dienste einteilte, bemitleidet wurde. Zum Glück war Baby seit jeher ein robustes Kind, so konnte sie hoffen, dass nicht kurz darauf echte Krankheiten ihren Lügen aufgedoppelt wurden. Vor sich selbst verteidigte sie die gestohlene, kostspielige Zeit als Investition, beinahe als Wette auf die Zukunft. Xane hatte Pläne mit ihr, sie kannte überall Leute. Xane malte ihr Wienerlied-Abende aus, von Bronner, Kreisler, Hirsch, in einer besseren, größeren Bar als jener Kaschemme in Kreuzberg, nicht zu groß, aber cool. Sie wollte das irgendwie organisieren, produzieren, und Sally sollte singen. Und für ihre eigenen Projekte brauchte Xane Stimmen und Sprecher, manchmal auch Schauspieler.

Du solltest allerdings ein paar Stunden nehmen, um den Akzent wegzukriegen. Sonst wirst du nur als Österreicherin oder Bayerin besetzt, ein wahrlich überschaubares Feld.

Jaja, dachte Sally, *Weinschorrrle*. Sie konnte sich keinerlei Stunden leisten, war aber zu bequem, das zuzugeben. Vielleicht war sie zu feig. Denn Xane hätte ihr wahrscheinlich Geld angeboten. Und was hätte sie dann gemacht?

Es war faszinierend und einschüchternd zugleich. Xane war nur ein paar Jahre älter als sie und hatte schon so ein Auftreten; und eine eigene Firma. Sally hörte ihr beim Telefonieren zu, welch freundlichen, bestimmten Ton sie anschlagen konnte, einen echten Chefton. Selbst Sally hätte da nicht widersprechen mögen, obwohl Xanes Überzeugungen sie oft zum Widerspruch reizten. Beruhigend war, dass das nur eine Rolle war, dass man offenbar keinen angeborenen, faschistoiden Chefcharakter haben musste, wie Sally naiverweise angenommen hatte. Mit einem fischmaulbreiten Lächeln konnte Xane *Wie auch immer, Herr Kügler-Ott, ich freue mich sehr auf unseren Termin nächste Woche, da werden wir bestimmt für alle Details eine Lösung finden* säuseln, dann auflegen, sich zu ihr umdrehen, mit zwei Fingern im Mund Würgegeräusche machen und stöhnen: Ich sag's dir, den solltest du sehen, ich wette, der geht am Abend zu einer Domina und lässt sich die Eier piercen. Es war ein Spiel, wie Xane ihre winzige Firma betrieb, es schien ein vergnügliches Spiel zu sein, das sie voller Hingabe und Konzentration spielte.

Aber wenn sie in dem Secondhandladen im Hinterhof der Adalbertstraße standen, war sie völlig hilflos. Sally musste sie fast mit Gewalt dazu bringen, etwas anzuprobieren, das nicht so aussah wie all das Langweilig-Edle, das sie schon mehrfach besaß. Einmal zog sie ihr einen bestickten, fast bodenlangen Seidenmantel an und hängte ihr, angefeuert von der Inhaberin, noch ihre eigenen Kreolen an die Ohren.

Das bin nicht ich, jammerte Xane, drehte sich wie eine Schülerin im ersten Ballkleid vor dem Spiegel, und Sally, die im Türrahmen lehnte und rauchte, sagte abschätzig: Sei froh, verdammt, wer will denn schon immer er selbst sein.

In diesen ekstatischen zehn Tagen von Mors Abwesenheit sahen sie einander fast täglich. Xane zahlte oft beiläufig die Rechnung, und zum Dank verschleppte Sally sie ins Unterholz der Stadt, in seltsame Hinterhofkneipen und dunkle Läden, in die sich Xane, wie sie voller Angstlust verkündete, allein niemals getraut hätte. Sallys spontane Liebe zu Berlin bestand genau darin, dass man untertauchen, in Parallelwelten leben konnte, von deren Existenz jemand wie Xane nichts ahnte. Die Stadt kam Sally vor wie eine fernsehturmhohe Schichttorte; jeder grub sich in seiner sozialen Lage horizontal voran. Die hauchfeinen, transparenten Trennscheiben dazwischen waren schwer überwindbar. Man konnte, wie sie, zwar so tun, als ob, indem man in Drinks und Zigaretten investierte, um dazuzugehören und zu Partys oder Events eingeladen zu werden, wo man sich verpflegen konnte. Bei weniger Glück griff man – danke, ich habe schon gegessen – verstohlen in den Brotkorb der anderen. Und ging nachts kilometerweit zu Fuß nach Hause.

Es war kinderleicht, das vor Xane zu verbergen. Die Stadt war ihr kaum mehr als ein zufälliger Ort, den sie ihren Zwecken untertan machen wollte. Wenn überhaupt, dann suchte sie nach bürgerlichen Gewissheiten wie in Wien und stand befremdet vor allen Manifestationen von Unterschichten-Anarchie und Orient. Sie war von Firma und Karriere völlig in Anspruch genommen und hatte darüber hinaus eine aufreizende Art, alles, was Sally ihr sagte, für bare Münze zu nehmen. Sally persönlich war ja der Meinung, dass es verschiedene Konzepte von Wahrhaftigkeit gab. Man konnte sich vornehmen – und wer täte das nicht? –, so oft wie möglich die Wahrheit zu sagen. Aber deshalb jedem anderen alles zu glauben, das betrachtete Sally als naiv, wenn sie es nicht gleich blöd nennen wollte.

Auf der anderen Seite nahm Xane ganz banale Dinge schwer und hinterfragte sie und sich hundertmal, so lange, bis sie gar nicht mehr wusste, wie sie sich richtig dazu verhalten sollte. Sie schien sich gern und leicht zu schämen.

Einmal ließ Sally auf dem Türken-Markt am Landwehrkanal einen Seidenschal mitgehen, den Xane sich vorher unentschlossen angeschaut hatte. Als sie ihn ihr, Stunden später, lächelnd um den Hals legte, hätte sie über die abrupt abgebremste Freude, über den niedergekämpften Verdacht in Xanes gesenktem Blick, beinahe in Zorn geraten können. Wie spießig konnte man sein? Der Schal war schön, er stand ihr gut, und die grinsenden Türken oder Tunesier hatten noch hundert andere, sie würden ihn weder vermissen noch deshalb verhungern. Aber Xane hatte bestimmt noch nie etwas mitgehen lassen; was jemand wie Xane wollte, das kaufte sie sich, oder sie kaufte es eben nicht, obwohl sie es sich fünfmal leisten konnte. Und wenn sie sich etwas nicht leisten konnte, fand sie wahrscheinlich vermessen, es überhaupt zu wollen.

Wäre Xane in solcher Hinsicht nicht durchschaubar gewesen, so kränkbar und unsicher an luxuriös gewebten Seelenrändern, die Sally gar nicht besaß, hätte sie sie wohl als Gegnerin empfunden. Aber so war die Bilanz ausgeglichen. Sie glaubte, sie werde als schräge Stilberaterin, als Paradiesvogel-Maskottchen, dringend gebraucht und könne dafür ein Plätzchen im Warmen beanspruchen.

Dann kam Mor zurück und brachte seine Töchter mit, auf unbestimmte Zeit. Oma Anke, bei der die beiden hauptsächlich lebten, seit ihre Mutter irgendwo in Indien verschwunden war, musste sich die Gebärmutter entfernen lassen und überließ die Kinder deshalb widerstrebend Mor, mit dem sie sonst in einem zähen Stellungskrieg um das sogenannte Umgangsrecht lag. Am Tag, bevor die Kinder kamen, wirkte Xane angespannt, wie eine Musterschülerin, die sich für eine besonders schwere Aufgabe wappnet. Sie bat Sally, sie ins KaDeWe zu begleiten; sie war überzeugt, mehr Spielsachen zu brauchen.

Ich geh mit, aber nicht ins KaDeWe, sagte Sally.

Wohin denn, fragte Xane und ähnelte mit einem Mal den vergrämt-patenten Müttern, die sich am Zaun vor Babys Kita über auslaufsichere Trinkflaschen und konsequente Schlaferziehung austauschten.

Sally streckte beide Arme nach ihr aus und legte ihr die Fingerspitzen an die Schultern. Das hatte sie noch nie getan, und Xane begriff die Dringlichkeit.

Vertrau mir, Xane, sagte sie und lächelte, glaub mir, mit Kindern kenn ich mich aus.

Und dann zogen sie los und kauften Perücken, Prinzessinnenkostüme, Schminke, Plastikperlen zum Auffädeln, Fingerfarben, eine Staffelei, einen orientalischen Kreisel, der bei hoher Geschwindigkeit zu pfeifen begann, und eine mit Glitter überzogene Murmelbahn.

Gib zu, du hättest ergonomisches Holzspielzeug gekauft, hänselte Sally auf dem Höhepunkt ihrer plappernden, wirbelwindartigen Vorstellung, oder Barbiepuppen? Und Xane nickte und bewunderte sie.

Doch als sie das Zeug nach Hause geschleppt hatten, und Sally zu den Mexikanern und ihren göttlichen Erdbeer-Mojitos aufbrechen wollte, widersetzte sich Xane. Sie wollte die Kinderbetten frisch überziehen!

Dafür ist morgen genug Zeit, sagte Sally und dachte an Baby, die in Frau Hilperts düsterer Küche wahrscheinlich gerade aus Töpfen Türme baute: Außerdem sind es gar nicht deine Kinder!

Xane sah sie waidwund an. Wenn du sie einmal gesehen hättest, die zwei, seufzte sie und drückte sich eine Plüschgiraffe, die sie irgendwo herausgezogen hatte, gegen den

Bauch. Da machte Sally, dass sie fortkam, mit dem lodernden Vorsatz, sich eine Weile zurückzuziehen, unterzutauchen, sich nicht mehr zu melden. Sollte Xane sich kopfüber in ihr Stiefmutter-Glück stürzen! Nur wer selbst keine Kinder hatte, konnte dermaßen übertreiben.

Ein paar Nachmittage zog sie mit Baby durch die Kneipen und trank Erdbeer-Mojitos, die alle nicht schmeckten. Baby war glücklich und stolz, sie saß still, wo man sie hinsetzte, sie lächelte die Kellner an und aß manierlich, ohne zu patzen. Aber wenn Sally sie abends bei Frau Hilpert abgab, brach sie in Tränen aus und klammerte sich an ihre Beine. Ich muss arbeiten, du Dummkopf, was ist denn mit dir los, schimpfte Sally und bog die kleinen Finger auf. Jedes Mal, wenn sie nach so einer Szene die Stiegen hinunter zur Arbeit floh, nahm sie sich vor, gleich am nächsten Tag ihrem Vater zu schreiben und um Geld zu betteln. Er würde es Judith nicht verraten, wenn sie ihn nur demütig genug um alles bat. Wenn sie ihm zum Beispiel schriebe, sie denke ständig an die Mama und vermisse sie so. All das wollte sie tun für eine kleine Verschnaufpause ohne Catering, damit das Kind nicht durchdrehte. Nur bis sie etwas anderes hatte. Aber wenn sie in der Früh aufwachte, mit dumpfem Kopf von den Absackern nach der Arbeit und zu vielen Zigaretten, und Baby mit einer Thermoskanne voller Kaffee zur Tür hereingeschoben wurde, und wenn sie weiterdöste, während Baby zu ihren Füßen malte und danach alle Bücher und Zeitungen durchblätterte, bis Sally sie in den Kindergarten brachte, dann dachte sie wieder, ach was, das schaffen wir schon.

Xane versuchte redlich, sie zu erreichen. Sally erkannte das an. Das Telefon läutete wieder und wieder, und da außer Frau Hilpert kaum jemand diese Nummer hatte, Frau Hilpert aber ohnehin herüberkam, wenn es etwas gab, hob sie einfach nicht ab. Einmal sah Sally, wie sich Baby dem Telefon näherte und die Hand vorsichtig nach dem Hörer ausstreckte, da sprang sie mit einem Satz dazwischen und brüllte sie, Nase an Nase, an: Nein! Baby kräuselte sofort den Mund, Sally drehte sich weg, um das Geheule nicht zu sehen. Gott, konnten sich diese Kinder leidtun! Aber wem tat eigentlich sie leid? Erst abends, beim Einschlafen, kam heraus, dass Baby dachte, es sei der Prinz, der versuche, sie zu erreichen. Aber Prinzen telefonieren nicht, beteuerte Sally, schob Baby das Nachthemd hoch, setzte die Lippen fest um ihren Nabel und blies, bis es knatterte und Baby kreischte. Als Baby schlief, die Faust an Sallys Ausschnitt gekrallt, dachte sie darüber nach, ob Baby ihr nicht den Weg zurück gewiesen hatte. Was würde Xane denken, wenn ein Kind abhob? Angriff ist die beste Verteidigung.

Einmal gedacht, konnte sie es kaum erwarten. Zwei Tage blieb das Telefon still, und Sally wurde beinahe ungeduldig. Sie konnte Baby dort nicht einfach anrufen lassen, denn dass Vierjährige noch nicht selbst wählten, wusste Xane bestimmt.

Als es das nächste Mal läutete, zu einer Zeit, die typisch war für Xane, nahm Baby ab. Sie sagte wie vereinbart *Sally schläft*, und Sally kniete daneben und applaudierte pantomimisch. Baby fühlte sich wichtig und strahlte sie an. Doch dann lauschte sie und fixierte einen Punkt im Raum.

Baby, sagte sie nach einer Weile leise, räusperte sich und wiederholte: Baby, nur Baby, aber Frau Hilpert sagt Krümel.

Sally riss ihr den Hörer aus der Hand.

Hallo, rief sie, hallo, wer ist da?

Dann legte sie auf und zog den Stecker aus der Dose.

Das war eine nette Frau, sagte Baby vorwurfsvoll.

Ich hab gar nichts gehört, erwiderte Sally, weißt du, manchmal geht plötzlich die Leitung kaputt, und sie griff nach der Handtasche, zog Baby die Schuhe an und teilte mit ihr beim Mexikaner einen Churrasco mit Pommes.

Sally wartete nicht auf Xane, beileibe nicht; sie bewies sich vielmehr, dass sie auch ohne sie genug zu tun hatte. Sie wusste, sie trank zu viel, aber solche Phasen gab es, man durfte nicht immer so streng mit sich sein. Zumindest liefen die Geschäfte halbwegs; Frau Hilpert bekam einen Teil ihres Geldes, und um sich selbst zu überlisten, zahlte Sally die Miete vorzeitig ein. Sie caterten bei großen Veranstaltungen und kleineren privaten Partys. In einer Villa im Grunewald schien es mehr berühmte Leute zu geben als unberühmte. Sally kannte keine Namen, aber ein Großteil sah aus, als würde der Talkshow-Auftritt unmittelbar bevorstehen, so unecht gepudert und gebräunt wirkten ihre Gesichter. Sie ging mit Gläschen voller Krabbensalat herum und beobachtete die Leute unter den Wimpern hervor. Sobald man oben schwarz und unten weiß war und eine Platte oder Flasche trug, war man für die aufgekratzten Genießer quasi enthauptet. Selbst wenn sie sie ansprachen, hoben sie den Blick nicht höher als bis zum Schürzenbund. Sie stellte sich vor, in die Knie zu gehen und ihnen den Daumen ins Essen zu bohren, um für einen Moment aus der Unsichtbarkeit zu treten.

In der Bar war es umgekehrt, da fühlte sie sich von glotzenden Männern wie aufgespießt. Sie konnte schon beim Singen sagen, welcher ihr nachher ein Getränk spendieren wollte. Aber die mittlere Intensität, anschauen, wegschauen, lächeln, hinschauen, in dem uralten, verlässlichen Spiel, das schien es für sie nicht mehr zu geben.

Vielleicht nahm sie deshalb, gegen ihre Gewohnheit, diesen jungen Mann mit, nach der Bar. Geld war von dem nicht zu erwarten, nicht einmal ein Flirtsurrogat, aber manchmal verlangte der Körper sein Recht. Er sah gut aus, zerzaust und etwas verwegen, und weil er so jung wirkte, jünger als sie, unterschätzte sie ihn. Erst später fiel ihr ein, dass sie sich im Hauseingang geküsst hatten, dass sie ihm zwischen die Beine gegriffen und einiges Erfreuliches vorgefunden hatte, bis dahin war also alles normal gewesen. Sie hatten einen Joint geraucht, auf dem Weg oder in der Wohnung, das wusste sie nicht mehr genau. Kurz danach rauschte ein pechschwarzer Vorhang herunter, so tief und undurchdringlich, wie sie es noch nie erlebt hatte.

Sie erwachte stockend vom Licht und einem Stimmengewirr, das sie lange nicht zuordnen konnte. Es war, als müsste sie durch trübe, zähe Schichten von tief unten nach oben ins Helle schwimmen. Sätze drangen mit Verzögerung zu ihr durch, ihr Ohr nahm unverzagt alles auf, doch das Gehirn entschlüsselte es viel langsamer.

Was zum Teufel ist Ihrer Meinung nach der Unterschied zwischen Schlafen und Bewusstlosigkeit?

Bevor sie verstand, was das bedeutete, erkannte sie die Stimme von Mor Braun. Und dann wunderte sie sich über den Satz zunächst mehr als über seine Anwesenheit.

Da kommtse ja wieda, ließ sich Frau Hilpert vernehmen, ick sachs ja, nüscht Schlümmet.

Sally holte Luft und versuchte, sich aufzusetzen. Überraschend schossen Schmerzen ein, an mehreren Stellen, außerdem bekam sie nur ein Auge auf, das zweite steckte irgendwie fest. Sie griff hin und hatte an der Stelle neues, unbekanntes Fleisch im Gesicht. Sie drehte den Kopf und sah verschwommen, dass Baby am anderen Ende des Zimmers saß, auf dem Fußboden neben der Wand, maximal weit weg von ihr. Sie legte ein Puzzle und schien in keiner Weise beunruhigt. Vielleicht genierte sie sich, weil die Mama wieder so lange schlief. Das meiste hier war also wie immer.

Wenn nur Mor nicht so ein Theater machen würde. Wo kam er überhaupt her? Er kniete neben ihr und fragte sie tatsächlich, ob sie wisse, wer er sei!

Herr Professor Moritz Braun, sind Sie betrunken oder ich, fragte sie zurück und versuchte zu grinsen. Er schüttelte den Kopf und sah ihr ins Gesicht, aber nicht in die Augen, sondern irgendwohin knapp daneben. Sally beobachtete ihn mit ihrem Zyklopenauge, einen besorgten Vater, dem die schiere Erleichterung jegliches Schimpfen austrieb. Solch zivilisierte Hemmungen hatte ihr eigener Vater nie gekannt. Mor war ihr bisher steinalt vorgekommen, jemand weit jenseits der Nackt-Vorstellungsgrenze: ein Mann mit Ex-Frau, Lehrstuhl und wohlerworbenem Bauchansatz. Aber von ihm so angeschaut zu werden, das konnte einen im schlimmsten Fall zum Heulen bringen. Im letzten Moment wandte er sich ab und sagte zu Frau Hilpert: Gute Frau, ob Sie mir die Herrschaften reisefertig machen könnten? Ich warte draußen und rufe ein Taxi.

Sally und Baby wurden bei Braun/Molin einquartiert, als wären sie ausgesetzte Welpen. Baby bewohnte das Kinderzimmer, das kaum kleiner war als Sallys ganze Wohnung, und war von einem rosa Plastikpferd mit kämmbarer Lockenmähne auf der Stelle korrumpiert; Sally lag im Gästezimmer auf dem Rücken, kühlte ihr Auge mit einem blitzblauen Coolpack, rauchte und gab sich so ungenießbar, wie sie nur konnte. Abfällig tat sie alle Mutmaßungen Xanes als Fernsehkrimi-Phantasien ab; dass sie unbedingt umziehen musste, weil der Kerl wiederkommen könnte, war darunter tatsächlich die lachhafteste. Wahrscheinlich war der Typ ein Junkie, und als er kein Geld fand, hatte er ihr eine gesemmelt, ein bisschen zu kräftig, das gab Sally ja zu. Aber wenn das stimmte, würde er sich wahrscheinlich nicht einmal mehr erinnern, in welchem Haus er gewesen war.

Xane hatte dennoch veranlasst, dass Sallys Schlösser ausgetauscht wurden.

Darum hab ich dich nicht gebeten, sagte Sally mit geschlossenen Augen.

Ich habe gedacht, dass nichts dagegenspricht, verteidigte sich Xane.

Das hat bestimmt gekostet!

Ist schon okay.

Finde ich aber nicht.

Sie blieb zwei Tage lang fast durchgehend im Bett. Xane schlich auf Zehenspitzen herum, brachte Baby in die Kita und holte sie wieder ab; was sie am Nachmittag mit ihr machten, wusste Sally nicht. Einmal kam Xane zu ihr herein. Sally stellte sich schlafend, Xane setzte sich trotzdem ans Bett. Entweder nahm sie ihr den Schlaf nicht ab, oder sie nahm sich das Recht, einer Schlafenden ins Gesicht zu schauen. Beides ging in Sallys Augen ein bisschen weit.

Dass sie sich eingestehen müsse, einen Schock zu haben, murmelte Xane mit sahniger Stimme. Dass das jedem schwerfalle, aber einer coolen Kämpferin wie ihr besonders. Nur ein Wort von ihr und sie würde den Kündigungsbrief an ihren Vermieter aufsetzen. In drei Tagen sei Monatsende, das sei dann schon mal erledigt. Aber lass dir Zeit, natürlich, auf einen Monat mehr kommt es wahrscheinlich nicht an.

Als Sally später aus dem Bad zurückkam, lagen auf ihrem Kopfkissen Ausdrucke von Immobilienangeboten; Preis und Lage waren mit Leuchtstift markiert.

Am dritten Tag wartete sie mit dem Aufstehen so lange, bis garantiert niemand mehr in der Wohnung war. Sie huschte zur Eingangstür, legte den Riegel vor und begann mit der Untersuchung. Neben Fischölkapseln, Preiselbeerpastillen, Augentropfen, Aspirin, homöopathischen Globuli und einem Eisenpräparat hatte Xane Gleitcreme in ihrer Nachttischlade, erstaunlich, in dem Alter. Auf Mors Seite nur Bücher und Baldriantropfen. Mor besaß eine wohlgeordnete CD-Sammlung, Schwerpunkt Jazz; sein Schreibtisch dagegen war chaotisch. Auf dem einzigen Stapel, der von seiner Umgebung halbwegs deutlich abzugrenzen war, lagen Rechtsanwaltsbriefe zum Thema Kinder: Unbestreitbar hat Ihr Mandant seine Wohnung erst kürzlich mit erheblichem finanziellen Aufwand renovieren lassen, daher fordert meine Mandantin …

Beide benutzten Schuppenshampoo, oder einer von ihnen fühlte sich von seinen Schuppen so geplagt, dass er mehrere Sorten verwendete, von verschiedenen Herstellern. Xane trug nur schwarze und hautfarbene Unterwäsche, die paar ehemals weißen BHs waren graustichig und sahen kleiner aus. Sie schien nicht zu wissen, dass Männer hautfarbene Unterwäsche verabscheuen wie wenig sonst.

Bettwäsche und alte Handtücher wegzuwerfen fiel ihnen schwer.

Die Kontoauszüge und Steuersachen standen pedantisch in Ordnern. Die Wohnung war billiger, als man meinen sollte. Und Mor verdiente weniger. Bei Xane ging es auf und ab, Tendenz steigend.

Pornos gab es nirgendwo, nur einen winzigen Billigvibrator, der in einem Paar gestreifter Damensocken steckte.

In einer Schublade voller Fotos fiel Sally eines auf, das Judith, Xane und die dritte Freundin zeigte, die blonde; ihren Namen hatte Sally vergessen. Sie stand in der Mitte und strahlte; Xane sah irgendwie gepresst aus, obwohl sie lächelte, Judith hatte eine Hüfte vorgeschoben und machte ihr hochmütiges Nicht-Gesicht. Der rote Sweater, den sie trug, hatte später Sally gehört.

In der verborgenen Innentasche eines leeren Aktenkoffers steckten zwei Kondome, allerdings konnte der Koffer seit Jahren unbenutzt sein; und es hatte Zeiten gegeben, in denen auch Frauen solche Aktenkoffer verwendeten.

Hinter der Schlafzimmertür war ein kleiner Wandsafe, der offen stand, der Schlüssel ließ sich nicht abziehen. Wahrscheinlich brauchte es nur ein bisschen Öl.

In einer von Xanes Handtaschen fand sie einen zusammengefalteten Brief. Unter einem eindrucksvollen Briefkopf willigte ein gewisser Johannes Dammaschke, Musikagent, ein, für die erwähnte Sängerin ein weiteres Vorsingen einzurichten, bat Xane aber, keine allzu großen Hoffnungen zu wecken – er habe bereits zwei sehr geeignete Kandidatinnen für den Part. Vereinbarte Xane schon Termine für sie? Dieser hier war nächste Woche.

Sally begann zu putzen. Sie nahm die Vorhänge ab und steckte sie in die Waschmaschine, sie staubte die Bücher ab, sie verteilte großzügig Parkett-Polish in den Zimmern, bis sie glänzten wie kleine Tanzsäle.

Sie fand ein Fläschchen Nähmaschinenöl und behandelte den Wandsafe. Nach wenigen Minuten funktionierte das Schloss wieder. Sie sperrte zu, zog den Schlüssel ab und legte ihn auf Xanes Nachttisch.

Als sie mit dem Bad fertig war und in der Klomuschel zwei Reinigungstabs schäumten, schminkte sie sich; Xane hatte hier interessante Sachen, die sie anscheinend kaum verwendete. Sally hatte das Schminken, wie so vieles andere, einmal ein bisschen gelernt. Die Schwellung hatte sich zurückgebildet, mit Xanes teuren Produkten zauberte sie die lilagrünen Stellen weg. Sie sah beinahe wieder aus wie zuvor; nur der Hintergrund, das Setting um sie herum, war leider nicht ihres, obwohl es gut zu ihr passte.

In der Küche sortierte sie alles aus, was abgelaufen war: von Puddingpulver über eine Packung Fertigmischung für Dinkelfrikadellen bis zu eingelegten Heringen aus Norwegen. Im Tiefkühler: Speiseeis mit Gefrierbrand. Unbeschriftetes und unkenntliches Essen in Tupperwarebehältern. Sie warf alles weg und wischte die Schubladen mit einem heißen Lappen aus. So schön und ordentlich hätte sie es bei sich selbst gern gehabt. Aber das schafft man nicht, ist ja klar. Man sollte mit seinen Freunden zum Putzen die Wohnungen tauschen. Sie füllte einen Müllsack, band ihn zu und wollte ihn hinuntertragen.

Da fiel ihr Blick auf eine edle Grappaflasche. Sie öffnete sie, nahm einen Schluck und setzte sich an den Tisch. Ein Windstoß brachte die Buche vor dem Fenster zum Rauschen. Unten im Hof arbeitete jemand auf Knien im Blumenbeet, wahrscheinlich die Hausmeisterin. Zwei Kinder waren dabei, eines fuhr Roller, das andere rannte fuchtelnd hinterher und schrie etwas. Sally legte den Kopf auf die Arme und weinte.

Am Abend, als Baby eingeschlafen war, kam sie heraus und setzte sich zu Mor; Xane war noch nicht zu Hause. Es blieb lange hell, und als es dämmerte, stand keiner von ihnen auf, um das Licht einzuschalten. Dieses vertrauliche Sitzen im Halbdunkel, dazu Mors weißes Hemd, das einen Knopf tiefer offen war als sonst. Na ja, er war hier zu Hause, er machte es sich jetzt leger. Seine Brust wirkte im Kontrast braun, es waren ein paar gekräuselte Haare zu sehen. Gekräuselte Haare, und nicht zu viele davon, waren okay.

Sally zog die nackten Füße aufs Sofa und rutschte mit dem Rücken die Lehne hinunter, bis sie halb lag und mit dem Hintern fast ihre Fersen berührte. Sie umfasste die Knöchel und ließ ihre hoch aufgestellten Knie auseinanderwippen, nur ein bisschen, eine Handbreit, aber es war klar, es ginge noch mehr. Als Kind war sie eine Weile im Ballett gewesen. Sie sagte diesen Satz, träge, grundlos, aber Mor antwortete: Das sieht man.

Was sieht man, fragte Sally.

Dass du gelenkig bist, sagte Mor, an Xanes Geburtstag, die Einlage mit dem Stuhl am Schluss. Hat dir Ballett Spaß gemacht?

Ich weiß nicht, sagte Sally, ich weiß eigentlich nie, ob mir etwas Spaß macht. Ich weiß nur das Gegenteil.

Mor schien zu lächeln. Das glaube ich gar nicht, sagte er.

Du hältst mich für eine Hochstaplerin, oder?

Nein, warum sollte ich? Du hast nie etwas über dich behauptet, was nicht stimmt.

Das macht dafür Xane, sagte Sally und drehte sich eine Locke um den Zeigefinger, als sähe sie sie zum ersten Mal, sie behauptet erst etwas über mich und ist dann sauer, wenn ich es nicht erfülle.

Sie ist manchmal zu stürmisch, gab Mor zu, aber das ist insgesamt eine gute Eigenschaft. Und sie hat dich sehr gern.

Mich oder Judiths Schwester, fragte Sally und tat sich mit einem Mal furchtbar leid.

Ich hol noch was zu trinken, sagte Mor und stand auf. Während er weg war, setzte sich Sally auf, trank ihr Glas aus, rutschte hinüber auf seinen Platz und legte sich genauso hin wie vorher, wie ein lümmelndes Kind, das sich zu Hause fühlt. Oder wie ein Hürchen.

Mor sagte nichts, als er zurückkam, natürlich nicht. Er schenkte ihnen beiden nach und setzte sich dahin, wo frei war.

Aber im Ernst, Mor, fing Sally wieder an und ließ die Knie auseinanderwippen, wir haben uns als Kinder kaum gekannt, und trotzdem tut sie jetzt so ... Judith und sie waren total eng, aber darüber redet sie nie. Ich weiß manchmal nicht, ob sie mich überhaupt meint!

Diese Formulierung hatte sie vor einiger Zeit bei einem Job aufgeschnappt. Sie hatte abserviert, an einem Tisch, an dem sich zwei Frauen nicht stören ließen bei ihren intimen Gesprächen. Die eine klagte: Er sagt dauernd, er liebt mich, aber ich bin gar nicht sicher, ob er mich wirklich meint! Und die andere hatte mitfühlend gelächelt und gesagt: Ja, nich wahr, man steckt eben nich drinne! Dafür konnte man sie schon lieben, die Deutschen, für ihre komischen, ernst gemeinten Floskeln.

Ich glaube, sie hat manchmal Heimweh, sagte Mor, und hat sich deshalb besonders gefreut, dich wiederzutreffen. Sei nicht zu kritisch mit ihr.

Sally streckte ein Bein aus und tippte Mor mit der großen Zehe an den Oberschenkel. Ihr seid euch immer in allem einig, oder, stellte sie mehr fest, als dass sie fragte.

Man kann mit Xane herrlich streiten, antwortete er freundlich, Fetzen fliegen, Türen knallen. Das gehört auch dazu.

Und deine erste Frau, fragte Sally, ließ das Bein ausgestreckt liegen und bewegte heftig die Zehen, als müsste sie sie lockern.

Mor seufzte. Er erzählte in ein paar Sätzen von sich als jungem Mann und einem seltsamen knabenhaften Mädchen, das ihm auf der Uni nachzustellen begann, auf eine etwas wahnhafte Weise. Das sich winters auf eine Bank in der Nähe seiner Wohnung gelegt hatte, wo er es halberfroren fand. Das sich einmal, nach einem Streit, in der Toilette eingesperrt und sich dort Stecknadeln unter die Fingernägel getrieben hatte, Finger für Finger, und dann triumphal herauskam und seine Hände zeigte, ein blutender Struwwelpeter.

Du meinst, sie war total gestört, und du hast es nicht gemerkt, fragte Sally.

Sie hat mir das Gefühl gegeben, dass sie dringend Hilfe braucht und dass ich dafür genau der Richtige bin, antwortete er und lachte. Sally fand ihn uneitel und geradeheraus. Die erste Frau war also kein in die Breite gegangener Trampel in Badeschlapfen und mit aggressiver Kinnpartie, sondern etwas viel Interessanteres. Eine neurotische Elfe, wie Sallys Mutter, unglücklich und bemitleidenswert. Und Xane war demnach nicht einfach das jüngere Fleisch, sondern die Rettung in die Vernunft. Aber wollte man das sein?

Sally setzte sich auf. Das tut mir alles sehr leid, sagte sie und strich mit zwei Fingern langsam über Mors Oberarm.

Mir überhaupt nicht, sagte er fröhlich und drehte den Kopf zu ihr. Sie sahen sich an, nicht weit voneinander entfernt, Sally entspannte ihre Lippen, und sie öffneten sich leicht. Es blitzte in seinen Augen, irgendein Begreifen und eine sofort folgende Verschattung. Na endlich, dachte Sally, du brauchst aber lang. Er stand abrupt auf. Ich hol dir eine Decke, sagte er, schaltete die Stehlampe ein und ging hinaus. Sally legte sich wieder zurück und steckte einen Daumen in den Mund, lächelnd, summend.

Eine halbe Stunde später kam Xane nach Hause. Sie freute sich, Sally zu sehen, sie boxte sie wieder mit den Fingerknöcheln spielerisch gegen den Oberarm, diese seltsame deutsche Geste, die die Distanz, die sie überwinden wollte, gerade betonte. Sie lobte Sallys Gesicht, das wieder genau so schön sei wie vorher, hab ich gleich gesagt, bis zur Hochzeit ist alles wieder gut. Sie sprudelte weiter, über die Firma und einen neuen Auftrag, und welche Ideen sie dazu hatte. Es ging um Energiepolitik, Auftraggeber war eine Umweltorganisation, auf so eine Chance habe sie seit Jahren gewartet. Im Wedding gäbe es einen Bastler, der ihr ein Fahrrad mit einem Generator so zusammenbaue, dass es aussehen werde wie eine Do-it-yourself-Strommaschine. Da könne man eine Lampe anschließen, den Computer oder eine Küchenmaschine, oder gleich den Herd. Gott, was für eine Recherche, diesen Typen erst einmal zu finden! Aber das müsse sein, das wolle sie zeigen, wenn die Leute nun auch gegen Windräder demonstrierten. Der Mann strampelt, schweißüberströmt, und die Frau kocht, so schnell sie kann. Danach treten sie Arm in Arm ans Fenster und freuen sich über den windräderfreien Horizont. Sie klatschte in die Hände. Das werde wieder herrlich Ärger geben, wunderbar.

Sie hatte Mor flüchtig auf die Wange geküsst und sich, weiterredend, ein Glas aus der Küche geholt. Die Schuhe streifte sie auf dem Weg ab und ließ sie liegen. Ihr fiel etwas ein, das Beste habe sie beinahe vergessen, ein bekannter Musikagent wolle Sally hören – unbedingt, hörst du, er besteht darauf –, es gehe um ein paar Songs in einem Kabarettprogramm, nicht gerade die Hauptrolle, aber für den Anfang? Nächsten Mittwoch um sechzehn Uhr, das sei eine große Chance, sie würde Baby abholen und betreuen, bis Sally fertig war, warte, sie wühlte in ihrer großen Tasche, sie hatte schon die Noten besorgt.

Sally und Mor schwiegen. Sally sah Xane an, sie versuchte Judiths Nicht-Gesicht. Mor betrachtete seine Füße. Xane zog eine Klarsichtfolie mit Kopien hervor und wedelte damit vor Sally auf und ab. Sally rührte weder sich noch ihre Hände. Na komm schon, sagte Xane und warf ihr die Zettel in den Schoß, das schaffst du mit links! Sally tat nichts. Mor beugte sich über sie, nahm die Papiere und legte sie auf den Tisch. Dann streichelte er Sallys Schulter, linkisch und zart.

Was ist los, fragte Xane und saß endlich still.

Sally hat ein bisschen erzählt, von ihren Eltern, sagte Mor.

Geht's deiner Mutter schlechter? Xane sah erschrocken aus.

Ihre Mutter ist tot, sagte Mor.

Xane schlug sich die Hand vor den Mund. Sally beobachtete das zufrieden. Es war nicht gespielt.

Wann – heute, fragte Xane flüsternd.

Vor zwei Jahren, sagte Sally mit fester Stimme.

Xane riss die Augen auf.

Sie hat vor zwei Jahren Selbstmord begangen, erklärte Mor, Sally wollte es dir erst nicht sagen, sie weiß nicht, warum.

An seinem Hemdkragen war ein schwarzer Fleck von Sallys Wimperntusche.

Das tut mir so leid, stammelte Xane, wie schrecklich, das tut mir so wahnsinnig leid.

Sie blieben schweigend sitzen. Wahrscheinlich wäre Mor gern ins Bett gegangen, aber nun richtete sich alles nach Sally. Sie nickte majestätisch, als er fragte, ob er noch eine Flasche öffnen solle. Nach einer Weile begann Xane leise, Erinnerungen auszupacken, sie konnte eben nichts so gut wie reden.

Wie sie alle zusammen das neue Himmelbett gestrichen hatten, im gelben Salon. Dass Sallys Mutter die Farbkleckse rund um das Bett, die die Kinder verursachten, gar nichts ausgemacht hatten. Das passt zu mir, hatte sie gesagt, ich bin nicht so perfekt wie der Papa. Sie beschrieb Mor das besondere Lächeln Zsuzsas, kindlich, herzlich, anrührend verletzlich. Und ihre verblüffend hohe Sprechstimme, die zu dem dunkel timbrierten Mezzosopran gar nicht recht passte.

Selbst du, Sally, hast irgendwie älter gewirkt als sie.

Das Lächeln hatte Sally zwar nicht vergessen, aber wenn sie an ihre Mutter dachte, kamen andere Bilder. Jeder bewahrt etwas anderes auf. Es hatte sich doch gelohnt, es zu erzählen. Xane hatte ihr eine Erinnerung zurückgegeben. Für einen Moment machte es sie milder.

Sally trank ihr Glas aus und stand auf. Jedenfalls vielen Dank euch beiden, für alles, sagte sie auf die schattigen Köpfe hinunter, morgen früh packen wir uns zusammen und gehen gesund und munter nach Hause. Auf dem Weg durch das Zimmer merkte sie, dass der Gleichgewichtssinn ein wenig in Mitleidenschaft gezogen war. Sie stellte sich auf die Zehenspitzen, das half manchmal. Hocherhobenen Hauptes, um Haltung bemüht, hätte sie davontrippeln wollen, aber Xane hatte ja noch immer nicht genug.

Als sie an der Tür war, rief sie: Sally, Sally, wie … sag mir bitte, wie hat sie es gemacht?

Sally drehte sich um, suchte zur Sicherheit mit dem Po am Türrahmen Halt, legte sich blitzschnell beide Hände um den Hals, Daumen vorne über den Kehlkopf, Ellenbogen auf Ohrenhöhe, streckte die Zunge heraus, rollte medusisch mit den Augen und gurgelte dazu wie nicht gescheit. So, sagte sie und lachte laut über die Gesichter, die die beiden machten, mit einem Strick, Xane, wie ein Mann!

Am nächsten Morgen bestand Mor darauf, sie mit dem Auto nach Hause zu bringen. Xane schenkte Baby zum Abschied das kämmbare Pferd und machte sich damit bei ihr vermutlich unsterblich. Im letzten Moment entschloss sich Sally, die Noten für das Vorsingen doch mitzunehmen. Sie holte die Wohnungsangebote aus dem Papierkorb, strich sie glatt und legte sie auf das abgezogene Bett. Heb bitte das Telefon ab, oder wir müssen wieder vorbeikommen, sagte Mor und legte für einen Moment die Wange an ihre.

In den folgenden Wochen riss der Kontakt keineswegs ab. Xane meldete sich, aber in viel größeren Abständen als früher. Sie drängte niemals auf ein Treffen. Das Vorsingen bei Dammaschke verlief passabel; den Job bekam Sally nicht, aber er nahm sie immerhin in seine Kartei auf, Kategorie Schlager und Chansons, Xane nannte das einen Riesenschritt.

Den lange geplanten Ausflug mit großer Kinderzusammenführung, also mit Mors Töchtern und Baby, verschob Sally mittels verschiedener Ausreden immer wieder. Sie stellte sich vor, wie Xane einen Picknickkorb trug und Mor eine Kühltasche, und dass die Kinder sauberer waren als Baby und dauernd Bitte und Danke sagten. Dass man einander Blicke zuwarf wie auf dem Spielplatz, wenn sie Baby Schlumpfeis kaufte und ihr nicht nach jedem zweiten Schlecken mit einem Feuchttuch im Gesicht herumwischte. Vielleicht wäre es gar nicht so. Trotzdem hatte sie keine Lust. Als Xane erneut auf dieses Thema kam, sagte sie geradeheraus: Du, Xane, ich möchte das lieber nicht.

Es gab eine Pause, Sally hörte sie atmen, dann erwiderte Xane: Das hättest du auch früher sagen können. Jetzt komme ich mir vor wie ein Idiot.

Du bist manchmal ein Idiot, sagte Sally und lachte. Da legte Xane auf.

Kurz darauf lernte Sally Jörg kennen, der auf einem Straßenfest Saxofon spielte. Er kaufte Baby einen Hello-Kitty-Luftballon. Er war lustig und ironisch, er studierte Philosophie, sein Akzent war klar und westdeutsch und nicht irgendwie komisch oder berlinerisch, und über ihren verlor er anfangs kein Wort, schon gar nicht in Richtung niedlich. Er trug eine Österreicher-Brille. Er hatte gerade so viel mehr Geld als sie, dass es nicht störte, ein bisschen bekam er von zu Hause, dazu jobbte er in einem großen Hotel an der Rezeption. Bald schlief er mehr bei ihr als in seiner WG. Das hatte es nie zuvor gegeben. Wenn Milch da war, machte er Baby morgens Kakao. Wenn er in die Bar kam und ihr zuhörte, fühlte sie sich nicht bewacht, sondern stärker. Einmal stellte er sich bei einer Nummer dazu und spielte ein kleines Solo; die Leute mochten das, und Bernd, der Klammeraffe von Pianist, erhielt den finalen Schlag in die Magengrube. Alles fühlte sich mit einem Mal sehr leicht an, und es war immer noch sommerlich warm.

An einem Sonntagmorgen, sie lagen noch im Bett, läutete das Telefon. Es läutete und läutete, Sally stöhnte, verdammt, Xane, hör auf, und zog sich die Decke über den Kopf. Später, als sie mit einem Becher Kaffee an die Wand gelehnt saß und es zum dritten Mal läutete, hob sie ab. Xane, ich schlafe noch, rief sie in den Hörer, aber dann war es Mor und ein Notfall.

Sally wollte nicht ins Spital fahren, sie wollte es einfach nicht, sie konnte es nicht erklären. Sie wusste, sie eignete sich nicht als moralische Stütze, sie als Allerletzte. Auf diesem Gebiet hatte sie schon früher versagt. Sie wühlte unentschieden in ihren T-Shirts und schnitt Grimassen. Sie trat die Schranktür zu. Was ist eigentlich los, fragte Jörg, und sie schrie: Ich weiß nicht, ich weiß nicht, ich will nicht. Baby tippte sich mit verschwörerischem Blick an die Stirn, solche Sachen machte sie neuerdings, das kam davon, wenn man die klassische Mutterrolle ablehnte.

Wir fahren alle zusammen, entschied Jörg, und zum ersten Mal hasste sie, dass er so perfekt verständnisvoll war. Im nächsten Moment hing sie an seinem Hals und quietschte und zappelte, bis er sie, damit sie wieder runterkam, in die Schulter biss.

Es dauerte, bis sie alle fertig waren. Baby wollte plötzlich frühstücken und sich das Brot allein schmieren. Sally zog eine Weste an und wieder aus. Den Wollmantel, der war zu heiß. Die Jeansjacke, die war zu schmutzig. Als käme es darauf an.

Auf dem Krankenhausgelände gab es eine Cafeteria, so trist wie überall. Dort parkte sie Jörg und Baby, obwohl Baby unbedingt mitwollte. Beim Hinausrennen hörte sie, dass Baby *wenigstens ein Milky Way* einforderte.

Vor der Tür von Haus 22 stand Mor und rauchte. Seit wann rauchst du, fragte Sally und hielt ihm die Wange hin. Er machte eine unbestimmte Bewegung mit der Hand, die die Zigarette hielt.

Geht's ihr so schlecht, fragte Sally.

Nein – ja – psychisch halt, sagte Mor und sah grau aus.

Im Eingangsbereich standen Blumen in Wasserkübeln, die wohl für die Entbindungsstation im selben Haus gedacht waren. Sie kaufte, indem sie darauf zeigte, etwas, was zu Hause Bonbonniere hieß. Ach ja, Pralinen, eine Schachtel Pralinen. Als sie das richtige Zimmer gefunden hatte und die Tür aufstieß, richtete sich eine ältere Frau erwartungsvoll auf. Dahinter ein Wandschirm. Sally lächelte unbestimmt, trat an den Wandschirm heran, steckte den Kopf dahinter und rief: Kuckuck!

Da war Xane, ja, aber sie war nicht richtig zu erkennen, sie war irgendwie nicht sie selbst. Ihre Haare klebten am Kopf und wirkten fettig, sie war ungeschminkt und bleich, eines ihrer Augen war stark gerötet, aber auch das andere weinte, ohne viel Grimasse, einfach vor sich hin. Man braucht nicht alt zu sein, im Krankenhaus wird sofort klar, dass wir unseren Körper nur geliehen haben, dass er meistens mehr scheint, als er ist. Xane drehte das Gesicht halb in das Kopfpolster, als sie Sally sah. Sallys Körper wollte rückwärts aus dem Zimmer, sie kämpfte wie ein Flugzeug gegen die Erdanziehung, noch drei Schritte, brumm, und sie saß neben dem Bett. Sie legte Xane die Bonbonniere auf die Bettdecke und bemerkte zu spät den Drainageschlauch, der darunter hervorhing. Sie riss die Schachtel in die Höhe. Entschuldige, tut das weh, fragte sie.

Nein, sagte Xane heiser, man kommt inzwischen ohne Bauchschnitt aus, und wieder zerfiel ihr das Gesicht und wurde rot und flüssig.

Xane, begann Sally, das ist keine Tragödie, du bist jung und …

Sag du mir nicht, was eine Tragödie ist, fauchte Xane unter Tränen, du hast ein Kind, das du gar nicht wolltest, warum bist du gekommen, ich wollte niemanden sehen.

Sally schwieg und sah auf die Bonbonniere.

Magst du eine, flüsterte Xane, und sie nickte.

Sally öffnete die Schachtel, und so aßen sie die Pralinen, eine nach der anderen.

Ich hab gar nicht gedacht, dass du eigene Kinder willst, sagte Sally.

Xanes Augen liefen wieder über, und sie rieb sich die Fäuste hinein. Sie wollte nicht weinen und weinte umso mehr, je wütender sie es zu bekämpfen suchte.

Ich hab den Mädchen Schuhe gekauft, stammelte sie, von ›Elefanten‹, wunderschöne Schuhe, ein Paar grün, eines altrosa, weil die Kleine so oft in Hundescheiße steigt, und deshalb wollte ich ein zweites Paar zum Wechseln, und natürlich hab ich ihnen, wenn sie bei uns waren, diese Schuhe hingestellt, damit sie sie tragen, meinetwegen abwechselnd, aber stell dir vor, jetzt schreibt uns ihr Rechtsanwalt, wir würden die Kinder zwingen, nur von uns gekaufte Sachen zu tragen, und sozusagen selbst auf der Schuhebene gegen Oma Anke arbeiten, was einer gewaltsamen seelischen Beeinflussung der Kinder gegen ihre engste Bezugsperson gleichkommt!

Die ist doch komplett gestört, sagte Sally. Wenn du willst, stech ich ihr die Reifen auf.

Ich will nicht nur halbe Kinder, denen ich nicht einmal Schuhe kaufen darf, wimmerte Xane.

Rotz lief ihr aus der Nase, während sie nach einem Taschentuch suchte.

Wie lang musst du hierbleiben, fragte Sally.

Noch mindestens drei Tage, sagte Xane, bis sie die Schläuche ziehen und die Nähte.

Sie schwiegen wieder. Sally schaute auf die Bettdecke, drehte eine Praline in den Fingern, bis sie weich wurde und abfärbte, und kämpfte weiter gegen ihre Beine, die wippen wollten, wippen und wegrennen. Die Bettwäsche war weiß, dort war sie hellgelb gewesen. Auf der glatten weißen, nicht hellgelben Fläche über Xanes malträtiertem Bauch tauchte er schließlich auf, der befreiende Satz, den sie trotzdem nur mühsam herausbekam: Das letzte Mal war ich im Spital, um meine Mutter zu sehen.

Na toll, sagte Xane, dann ist es ja diesmal leichter für dich.

Ja, murmelte Sally, schon.

Lass Baby schön grüßen, sagte Xane, und nimm ihr den Rest von dem picksüßen Zeug mit.

Danke, sagte Sally, und alles, alles Gute.

Wenn ich bekleidete Menschen male, denke ich immer an nackte Menschen oder an bekleidete Tiere.

– Lucian Freud –

5 Herr Özkan verweigert also die Samenspende, soso. Der frühe Montagmorgen beginnt mit einem Problem, das nur ein Witzbold handfest nennen würde. Montagmorgen, das ist ungewöhnlich, aber zweifellos besser als am Nachmittag. Erstens sind alle Mitarbeiter frisch vom Wochenende, und wenn nicht frisch, dann zumindest aufmerksam, weil sie gerade erst umgeschaltet haben, von Frei- auf Arbeitszeit. Veränderungen fördern die Konzentration, der Trott lässt sie ersterben. Deshalb steht Frau Doktor Guttmann manchmal mitten im Tippen auf und stellt sich ein paar Minuten ans Fenster. Das gönnt sie sich, voller Selbstbewusstsein, denn davon profitiert selbst ihre ohnehin erstklassige Arbeit.

Zweitens ist am Tagesanfang noch Luft nach hintenraus, nicht wahr? An den meisten Nachmittagen, und gerade am Wochenbeginn, sind die Zeitpläne ins Uneinholbare verrutscht, und wenn sich die ersten Patientinnen beschweren, reagieren einzelne Mitarbeiter nicht mehr so elastisch, wie sie es dank all der kostspieligen Schulungen eigentlich sollten. Sie sind bestrebt, weitere Verzögerungen möglichst schnell aufzulösen, die verkniffenen Gesichter im Warteraum vor Augen und den eigenen Blick flehend auf die Feierabend-Ziellinie gerichtet.

Möglichst schnell ist hier jedoch keine Option. Denn dieser Özkan würde womöglich abhauen, er scheint ja bereits kurz davor zu sein. Wir brauchen ihn aber, buchstäblich einen Teil von ihm. Und seine Frau liegt noch im Aufwachraum.

Das wäre schade, denkt Heike Guttmann und nippt an ihrem Tee. Wo sie bei Özkans Ehefrau gerade zehn prachtvolle Eizellen erwischt hat! Eine Ausbeute, für die andere viel Geld zahlen würden, wenn man auch das mit Geld beeinflussen könnte. Was man leider nicht kann. Özkans Frau heißt übrigens Klopfer und ist so deutsch wie Heike selbst. Özkan ist Aktienanalyst oder Finanzberater oder etwas in der Art, er hat nicht die Spur eines Akzents und ist um Klassen integrierter als sein Name. Dass die Frau ihren Nachnamen behalten hat, darf als Beweis gelten. Das ist immer noch eher selten in deutsch-türkischen Verbindungen, die aber, auch das muss man sagen, mehrheitlich in den unteren Schichten zu finden sind.

Wozu Klopfer/Özkan definitiv nicht gehören. Heike glaubt sich zu erinnern, dass die Klopfer Juristin ist, keine Anwältin, das nicht, aber Juristin in irgendeinem Betrieb. Im ersten Gespräch vor einigen Wochen ist Heike nichts Besonderes aufgefallen, sie schienen vernünftig und harmonisch, aber bitte, die Männer bekommt man danach kaum mehr zu Gesicht.

Sie sieht die Hiobsbotin an, eine Neue aus Niedersachsen, bleich wie Kalbfleisch, die in der Tür steht und nervös die Hände knetet. Frau Baukes, verwenden Sie ruhig mal ein bisschen Make-up, sagt sie freundlich, oder bloß Rouge, für die frische Gesichtsfarbe. Heike ist dafür bekannt, dass sie ein Auge auf das Aussehen der medizinischen Assistentinnen hat. Sie selbst ist mit Abstand das Mondänste, was diese Klinik zu bieten hat, obwohl das nicht allen gefällt. Sie fragt sich ja öfter, wieso Gynäkologinnen im Durchschnitt aussehen wollen wie Biobäuerinnen oder wie diese Dörrpflaumen von Pastorinnen. Ob es nicht genügt, dass die meisten Hebammen so aussehen. Und in welchem Beruf man als Frau eigentlich modisch sein darf. Ob das nicht ein durch und durch deutsches Phänomen ist. Denn die französischen Ärztinnen und Richterinnen sind oft sexy bis dahinaus …

Zurück zu Herrn Özkan. Er weigert sich, seinen Becher vollzumachen. Er hat es sich anders überlegt. Aber seine Frau hat er, vollgepumpt mit Hormonen, vorher ungerührt dem Anästhesisten übergeben. Und das alles gleich am Montagmorgen. Heike zwinkert der blassen Baukes zu, bei der man in Zukunft noch überprüfen muss, ob sie überdurchschnittlich schwitzt, und trällert: Ich kümmere mich!

Sie schwebt durch den Flur und die Milchglastür, auf der ›Eingriffe, Labor, Zutritt nur für Mitarbeiter‹ steht. Auf dem Rückweg, mit Herrn Özkan im Schlepptau, der eventuell einen Blick für ihre schlanke Gestalt oder ihre hohen Hacken hat, was ihn beruhigen und auf andere Gedanken bringen könnte, denkt sie daran, wie schwer manchen Kollegen diese Gespräche fallen. Immer wieder ist davon die Rede, Rufe nach Supervision und Erfahrungsaustausch, *mich belastet das*.

Heike muss beinahe verbergen, wie wenig sie das belastet. Ursprünglich wollte sie Biologin werden, nicht unbedingt Ärztin. Deshalb fehlt ihr wohl der Hang zum Missionarischen, der wegen der Dickköpfigkeit der Schäfchen so oft an schmerzhafte Grenzen stößt. Sie will niemanden zu etwas überreden oder von etwas abhalten. Die Folgen seiner Entscheidungen muss jeder selbst tragen. Sie macht einfach ihre Arbeit: Diagnose, Therapie und

Schluss. Sie hat keine Angst vor Menschen, und es ist wohl die empathische Angst oder die ängstliche Empathie der Ärzte, aus der manche Patienten den Freibrief zum Ausflippen ableiten. Bei ihr flippen fast nie welche aus. Sie weinen, gut, aber das tun viele hier. Die anderen strahlen, nach jahrelangem Kampf, und schreiben später rührende Dankesbriefe, beklebt mit Störchen, Schnullern und Herzchen, aus denen die Babyfotos nur so purzeln. Die Freudentränen überwiegen, insgesamt. Ein schöner Beruf. Wie so oft im Leben überwiegt das Positive. Die, bei denen gar nichts klappt, werden im Lauf der Jahre stiller, als würden sie innerlich verglühen. Man gewöhnt sich wirklich an alles, hat ihr eine dieser Aschefrauen einmal tonlos anvertraut, man gewöhnt sich sogar an die Fehlgeburten.

Zurück in ihrem Zimmer, bietet sie Herrn Özkan Tee an. Ein gusseisernes Kännchen steht auf dem Stövchen. Er könnte auch Kaffee bekommen, den müsste sie allerdings bringen lassen. Wie Sie möchten, schmeichelt sie, wir haben Zeit, wir nehmen uns gerne Zeit für Sie, denn das ist ja keine Nebensächlichkeit, über die wir hier reden müssen. Özkan nickt mit zusammengepressten Lippen, und Heike spürt, dass ihm sein Verhalten plötzlich peinlich ist. Das ist gut, ein Mann will sich nicht als Pferd sehen, das vor dem Hindernis laut wiehernd scheut, womöglich mit Schaum vor dem Mund und quellendem Augenweiß. Das ist eher weiblich, vom Bild her. Männer dagegen sind Durchbeißer, Soldaten, eisern und schweigsam bis in den Tod. Aber Männer sind nicht Heikes Spezialgebiet, sondern Follikeldurchmesser, Endometriumstärken, Gerinnungsparameter, Vorkernstadien. Schwangerschaften nur in den allerersten Wochen, Fruchthöhle, Dottersack, Herzfrequenz. Wenn da alles in Ordnung ist, wünscht sie den werdenden Müttern eine schöne Schwangerschaft und schickt sie zurück zu ihren niedergelassenen Ärzten.

Sie stützt die Ellenbogen auf ihren beinahe leeren Schreibtisch, legt die Fingerspitzen vor dem Gesicht zusammen und beginnt mit dem Satz: Eine Kinderwunschbehandlung ist für alle Paare eine vielfach belastende Situation, Betonung auf ›alle‹. Özkan starrt auf den Boden, sein Mund zuckt, und Heike braucht keine zwanzig Minuten, um ihn zurückzuführen auf den rechten Pfad, über die cremefarbenen Spannteppiche vor den Männer-Raum, wo Frau Baukes schon mit dem Becherlein wartet, voller Bewunderung für sie, die gutgelaunte Dompteuse Heike Guttmann.

Es war nur ein medizinisches Missverständnis, relativ leicht aufzuklären, obwohl die Lage des Paares erst mal prekär bleibt. Er habe mit seiner Frau gestritten, hat er hervorgepresst, er müsse sich das Ganze noch einmal überlegen. In der Zwischenzeit könnten Frau Klopfers Eizellen doch eingefroren werden. Heike hat ihm geduldig erklärt, dass man unbefruchtete Eizellen nicht einfrieren kann, auch wenn das für ihn vielleicht nicht logisch klinge. Aber sie seien eben sehr viel weniger robust als befruchtete. Alle unsere Techniken sind auf befruchtete Eizellen ausgelegt, hat Heike gesagt und nicht gesagt, dass es sich schließlich nicht um Äpfel und Birnen handelt. Stellen Sie sich diese befruchtete Eizelle wie ein kleines Kraftwerk vor, sie will sich teilen und wachsen, beide Teile sind zusammengetroffen, Vater und Mutter, das ist wie ein Stromkreis, Plus-Minus, und da friert man sie ein. Sie überwindet den Schock des Einfrierens und Auftauens mit dem Wunsch, weiterzuwachsen, sie ist in ihrer vitalen Bewegung nur vorübergehend aufgehalten. Sozusagen. Diese Energie hat die bloße Eizelle nicht. Bildlich gesprochen. Obwohl wir durch das Auftauen auch Embryonen verlieren. Am aussichtsreichsten ist immer der frische Zyklus. Sagen alle Statistiken.

Als diese Dinge geklärt waren, redete sie ihm doch noch ins Gewissen. Das war sie sich als Frau schuldig. Frau Klopfer und er hätten die Entscheidung zu dieser Behandlung gewiss nicht leichtfertig getroffen? Also sollte eine vorübergehende Meinungsverschiedenheit am Wochenende … Und so weiter. Er hat nicht mehr viel gesagt. Ihrem Gefühl nach hat den Ausschlag gegeben, dass vor jedem Embryotransfer ohnehin noch einmal beide Unterschriften eingeholt werden müssen. Dass sich Frau Klopfer also nicht hinter Herrn Özkans Rücken einen Embryo abholen kann, für den er später Unterhalt zahlen muss. Vorausgesetzt, dass es schiefläuft mit der Beziehung und gleichzeitig gut für die Statistik von Heike Guttmann. Alles schon einmal dagewesen, deshalb alles gesetzlich geregelt, bis in die unwahrscheinlichste Verästelung. Zu der der Fall Özkan nun gehört. Die arme Frau Klopfer. Und das war also Heikes Wochenbeginn.

Es folgen drei Ultraschalle, da lässt sich Zeit gutmachen. Heike entschuldigt sich bei jeder Patientin damit, dass ein Paar eine längere Beratung gebraucht habe, denn mit einem medizinischem Notfall wie in anderen Arztpraxen darf man hier keinesfalls argumentieren. Hier gibt es keine Notfälle. Menschen, die sich den Zeugungsakt von Biologen entziehen lassen müssen, die des ganzen Mythos' von erfüllendem Sex und daraus folgender Frucht der Liebe bereits verlustig gegangen sind, wollen sich noch weniger krank fühlen als die meisten anderen. Jeder ärztliche Anschein muss so weit wie möglich vermieden werden. Heike und viele Kollegen geben sich deshalb lieber als Ingenieure der Medizin, als Brückenbauer, Landgewinner. Sie trägt nur selten einen weißen Mantel. Im OP, bei der Punktion, trägt sie vorschriftsmäßig grün. Aber anders als ein gewisser Kollege, der den Mundschutz um den Hals baumeln lässt, als wäre das ein Ausweis von Professionalität, läuft sie damit nicht den ganzen Vormittag herum. Sie zieht sich sofort um. Und selbst wenn eine Patientin nach der Vollnarkose kollabiert, was zum Glück so gut wie nie vorkommt, entschuldigt sie sich anschließend mit einer längeren Beratung bei allen, die warten mussten. Was nicht nur diskret ist, sondern impliziert, dass hier jede ein längeres Gespräch bekommt, falls sie es einmal brauchen sollte.

Nach den ersten beiden Ultraschallen hat sie die Wartezeit auf fünfzehn Minuten heruntergedrückt, das ist wiederum fast zu kurz, um ernst genommen zu werden. Sie steht auf und tritt ans Fenster. Lennart hält heute sein Deutschreferat, man darf ja gespannt sein, was da herauskommt. Er ist ein schlauer Junge, aber für Sprachen hat er kein Faible. Warum die Zehntklässler im einundzwanzigsten Jahrhundert mit Maria Stuart traktiert werden, bleibt ihr ohnehin ein Rätsel. Besonders die fünf Aufstiegstürken in seiner Klasse, was die wohl später mit Schiller anfangen sollen?

Sie ruft zu Hause an und erinnert Frau Jänicke an die Fußballtrikots. Frau Jänicke beruhigt sie, sie hat bereits daran gedacht, sie zu waschen und zu bügeln, das geht in Lauras Team reihum. Die anderen Mütter stöhnen, aber Heike hat auch dafür Frau Jänicke, denn dafür, unter anderem, arbeitet sie sich ja in der Klinik den schmalen Arsch ab.

Die Mädels haben morgen Nachmittag ein Freundschaftsspiel in Spandau.

Haben Sie die Trikots nachgezählt, fällt Heike ein. Frau Jänicke gibt zu, dass sie daran nicht gedacht hat. Wie viele es sein müssen, weiß Heike nicht genau. Elf Spielerinnen, ein paar Ersatzleute, sagen wir, sechzehn? Zählen Sie nach und melden Sie sich, wenn es entscheidend weniger sind, bittet Heike und legt auf.

Sie geht zurück an den Computer und ruft die Akte der nächsten Patientin auf. Frau Molin, die sich endlich zur IVF entschlossen hat. Heike kennt sie seit fast zwei Jahren. So lange trödelt sie herum, um mit ihrem verbliebenen Eileiter auf natürlichem Weg schwanger zu werden. Heikes Erfahrung ist, dass Patientinnen mit derart kritischen Eileiterschwangerschaften, wie Frau Molin sie laut OP-Bericht gehabt hat, oft auch einen zweiten unbrauchbaren Eileiter haben. Man kann leider nicht reinschauen, in die Eileiter. Es gibt selbstverständlich Gegenbeispiele, Frauen, die erst an einer EU halb verblutet sind und später mit der anderen Seite noch eine Handvoll gesunder Kinderchen bekommen haben. Man weiß es eben nicht. Die Molin klammerte sich lange an die Bemerkung ihres Operateurs von damals, dass ihr linker Eileiter völlig normal ausgesehen habe, während der rechte, wo das Malheur passiert war, an mehreren Stellen mit dem Dünndarm verwachsen gewesen sei, vermutlich Narbengewebe nach einer Blinddarmoperation im Kindesalter. Aber ein Eileiter muss frei schwingen können, sonst kommt die Eizelle nicht hindurch, die nur von Härchen weitergetragen wird, winzigen Härchen, die wogen wie ein Weizenfeld im Wind.

Wenn man bedenkt, dass der Mensch zum Mond fliegt, sind seine Eileiter erstaunlich fehleranfällig konstruiert.

Das lässt sich wahrscheinlich nur evolutionär erklären, mit der steinzeitlichen Horde, wo die absurd arbeitsintensive Brut von den Kinderlosen mitbetreut wurde, weshalb nicht jedes weibliche Wesen unbedingt selbst Nachwuchs haben muss. Erst letztens hat ein Forscher in einem Aufsatz die provokante Frage aufgeworfen, wofür Frauen eigentlich so alt werden, wo sie doch mehr als die Hälfte ihres Lebens reproduktiv nutzlos sind. Die Antwort: Großmütter! Unentbehrlich bei der Aufzucht der Enkel, und vermutlich als sozialer Kitt für alle anderen.

Heike hat die Zyklen dieser Molin ein paar Monate lang gutmütig gescreent, denn hier, in dieser Klinik, gibt es keinen Druck auf die Patientinnen. Niemand wird, anders als in mancher kleineren Praxis, alternativlos in Richtung IVF gedrängt, sie haben reichlich Kundschaft, auch aus dem Ausland, Frauen von Scheichs, reiche Russinnen, Chinesinnen und so weiter. Deshalb sind sie Marktführer in der Hauptstadt, wegen des internationalen Rufs ihres Klinikleiters, und weil sie groß genug sind, um gelassen zu sein.

Wie sich gezeigt hat, hat die Molin noch ein paar andere Probleme als den gesprengten Eileiter. Der Schleimhautaufbau ist nicht grandios, da rutscht ein befruchtetes Ei vielleicht glücklich durch, findet aber nicht ausreichend Nest in der Gebärmutter vor. Eine Zeitlang musste sie sich mit Östrogenpflastern bekleben. Und dann reifen die Eizellen meistens auf der falschen Seite, da, wo die Molin keinen Eileiter mehr hat. Ich hab geglaubt, das geht abwechselnd, hat sie nach mehreren Versuchen verzweifelt ausgerufen, im einen Monat rechts, im anderen links, und Heike hat geantwortet: Ja, davon wird ausgegangen, aber man hat, außer in Fällen wie Ihrem, ja selten Anlass, das zu überprüfen.

Die Wahrheit ist: Wir haben von manchem zwei, weil wir Ersatz brauchen, Nieren, Lungenflügel, Arme, Beine, Augen. Wenn eins ausfällt, ist noch das andere da. Aber wenn der linke Eierstock nicht richtig funktioniert, ist es natürlich ungünstig, rechts keinen Eileiter mehr zu haben.

Als ausnahmsweise ein Follikel auf der linken Seite zu sehen war, trat keine Schwangerschaft ein. Im Molin'schen Alter, Mitte dreißig, passiert das statistisch gesehen sowieso nur drei Mal im Jahr. Mit nur einem Eileiter halb so oft. Mit einem zeitweise inaktiven Eierstock geht es praktisch gegen null. Das hat Heike ihr so nicht gesagt. Gesagt hat sie: Frau Molin, Sie verlieren Zeit. Nach all den Erkenntnissen, die wir in den letzten sechs Monaten gewonnen haben, muss ich Ihnen zur IVF raten. Da hatte sie Tränen in den Augen. Es fällt manchen so schwer, vom natürlichen Weg abzuweichen. Während es inzwischen vereinzelt andere, oft ziemlich Junge, gibt, die ohne wahrnehmbaren Grund kommen, drei Monate lang nicht schwanger geworden, und schon sitzen sie erwartungsfroh da. Als ob die Generation Wunschkaiserschnitt bei Kinderwunsch automatisch die gleichnamige Klinik aufsucht, so, wie sie das Smartphone-Navi befragt, wenn sie keinen Supermarkt findet.

Heike lächelt, sie mag Frau Molin. Frau Molin interessiert sich für die Zusammenhänge, die medizinischen und die gesellschaftlichen. Sie plaudern manchmal ein bisschen. Frau Molin ist Fernsehjournalistin oder etwas Ähnliches, jedenfalls intelligent und reflektiert. Wenngleich sie ihren eigenen Fall sehr schwer zu nehmen scheint, noch schwerer als andere. Ein Zeichen für Ehrgeiz. Es sind die Ehrgeizigen, die sich besonders gedemütigt fühlen, wenn es mit dem Kinderkriegen nicht klappt. Weil sie meinen, alles können zu müssen, vor allem etwas so kreatürlich Banales wie schwanger zu werden. Aber Mitte dreißig, meine Güte. Das wird bestimmt etwas, selbst wenn es noch ein bisschen Zeit, Geld und Nerven kosten mag.

Wie geht es Ihnen, fragt Heike, die Down-Spritze gut vertragen? Sie schiebt ein paar Papiere hin und her. Frau Molin kämpft in der Ecke mit einem Schuh, sie ist oft ein wenig hektisch, will sich schnell aus- und anziehen. Sie erzählt, dass die Blutung nicht eingetreten ist. Heike horcht auf. Frau Molin plaudert weiter, in dem Beipacktext, den sie natürlich genau gelesen hat, stehe, dass nach dieser Spritze die Blutungen schwächer würden und schließlich aufhörten. Heike lacht: Nach Langzeitgabe, meine Liebe, aber nicht nach einem Mal! Frau Molin legt die Stirn in Falten, der nächste Stein auf ihrem Weg zum Kind, ohne Blutung kein Behandlungsbeginn, das hat sie wohl schon befürchtet.

Heike findet die Schwangerschaft auf Anhieb. Schauen Sie, sagt sie sanft und dreht den Monitor in Richtung Liege, eine schöne Fruchthöhle, hier der Dottersack. In einer Woche werden wir den Herzschlag sehen können. Frau Molin ist sprachlos, bleich, verwirrt. Als sie wieder angezogen ist, sitzt sie auf dem Stuhl vor Heikes Schreibtisch und nickt wie betäubt zu Heikes Terminvorschlag. Heike schreibt Uhrzeit und Datum auf ein gelbes Post-it und klebt es auf den Patientenausweis. Sonst wird das wohl nichts. Jetzt freuen Sie sich doch ein bisschen, sagt sie aufmunternd.

Da bricht das Drama aus der Molin heraus. Sie scheint den Beipacktext des Medikaments geradezu auswendig gelernt zu haben, oder sie hat, was wahrscheinlicher ist, die Möglichkeit einer spontanen Schwangerschaft zumindest in Betracht gezogen und nachgelesen, was dieses Papier dazu zu sagen hat. Eine Schwangerschaft muss vor Anwendung des Präparats unbedingt ausgeschlossen werden ... Verdachtsfälle von Epilepsie im Kleinkindalter ... Heike beruhigt: Aber nicht doch, Frau Molin! Solche

Schwangerschaften kommen öfter vor, als Sie denken. Der letzte Fall hier bei uns ist inzwischen vier Jahre alt, kerngesund und heißt, wenn ich mich recht erinnere, Lea-Sophie!

Frau Molin braucht heute also ebenfalls längere Beratung. Sie will jetzt genau wissen, wie es überhaupt möglich ist, dass ihre Hirnanhangdrüse blockiert und sie dann dennoch schwanger wurde. Es war andersherum, wirft Heike ein, aber die Molin redet in ihrer Aufregung einfach weiter. Wo in der Schwangerschaft diese Hormone, die dort produziert werden, doch noch mehr gebraucht werden als sonst, oder hat sie da etwas falsch verstanden? Ich vernichte den gesamten Dünger, und gerade dann wächst der Baum? Was für ein Baum kann das noch werden?

Heikes Handy vibriert, sie zieht es heraus und drückt den Anruf weg. Frau Jänicke. Zu wenige Fußballtrikots für die Mädchen? Oder etwas anderes? Vor zwei Jahren ist Lennart auf dem Schulweg von einem arabischen Jugendlichen angegriffen und ausgeraubt worden, er musste, unverletzt, aber furchtbar erschrocken, von der Polizeidienststelle abgeholt werden. Sie betrat gerade den OP zur Punktion, die Patientin war bereits narkotisiert, was nicht hätte passieren dürfen, ein übereifriger Anästhesist, sie drückte den Anruf weg. Manfred war in der Vorstandssitzung, der Junge hat eine halbe Stunde lang niemanden erreichen können. War das schlimm? Es war das Schlimmste, was bisher passiert ist, und Lennart selbst hat es bestimmt längst vergessen. Nicht den Überfall, aber die Unerreichbarkeit seiner Eltern.

Als Frau Molin, versorgt mit einem Rezept für reichlich Gelbkörperhormone und Begriffen wie Flare-up-Effekt, die sie zu Hause im Internet noch genauer studieren kann, geht, tritt Heike wieder ans Fenster. Sie hat einen schönen Blick, im Vordergrund ein Stück Parkplatz, dahinter die Bäume, die alte Parkanlage. Grün beruhigt, und flimmernde Blätter haben etwas angenehm Hypnotisches. Frau Jänicke hat fünfzehn T-Shirts, aber nur vierzehn Hosen zu vermelden. Heike sagt ihr, dass sie es gut sein lassen soll, und erinnert an den Fisch in der Tiefkühltruhe, der jetzt dringend herausgenommen werden muss.

Als Nächstes kommt ein weiterer Ultraschall, danach ein Erstgespräch. Bisschen viele Gespräche heute, noch vor der Mittagspause. Heike ist nicht mehr allzu neugierig auf die Menschen, auf die Komposition der Paare. Peinlich berührte Männer und schuldbewusste Frauen sind in der Mehrheit, knapp dahinter kommen die gebildeten Männer, die, im Bestreben, den Besuch beim Babydoktor als das Normalste der Welt erscheinen zu lassen, ihre Jovialität versprühen wie Raumspray. Die Frauen dazu sind gänzlich stumm oder bemühen sich um Sachlichkeit, um ihre Scham zu verbergen.

Hin und wieder gibt es Abweichungen, Männer, die sich übergroße Sorgen machen, und Frauen, die nur aus irgendeiner Art von Pflichtgefühl gekommen sind. Die das Logo der Klinik, ein mit Pinselstrichen angedeutetes, in einen Arm geschmiegtes Baby, mit ironischem Lächeln betrachten. Es gab welche, von denen Heike annahm, sie würden eine Empfängnis halb unwillkürlich verhindern. Dazu sind Frauen in der Lage. Sie lassen sich von den misstrauischen Männern folgsam zum Arzt führen, um sich ihre Funktionsfähigkeit bestätigen zu lassen, und seufzen später wahrscheinlich: Wir wollten ja, aber es hat einfach nicht geklappt. Das ist eher selten, zugegeben. Wahrscheinlich trennen sich diese Paare bald und bekommen mit dem nächsten Partner problemlos Kinder.

Es gibt Männer, die nur die Bestätigung wollen, dass es an der Frau liegt, und empört sind, wenn ihnen das obligatorische Spermiogramm abverlangt wird. Und es gibt Paare, die nicht genau zu wissen scheinen, wie Kinder normalerweise entstehen.

Wie oft haben Sie durchschnittlich Geschlechtsverkehr?

Äh … nicht so oft.

Alles schon einmal dagewesen.

Draußen auf dem Parkplatz wirft eine Frau plötzlich etwas hoch in die Luft, vermutlich ein Handy. Es kreiselt schwarz und blinkend und kommt zurück, die Frau fängt es auf und springt selbst in die Höhe, den rechten Arm mit dem Telefon im Triumph nach oben gereckt. Im Sprung klatscht sie sekundenkurz die Fußsohlen zusammen, wie ein Akrobat oder Zirkusclown. Es sieht märchenhaft aus, ein Hauch Mary Poppins, dabei geht es blitzschnell, man könnte es sich eingebildet haben, denn nun schlendert sie weiter, als ob nichts gewesen wäre. Da erkennt Heike Frau Molin, wahrscheinlich an ihrem Gang. Solchen Überschwang hätte sie ihr gar nicht zugetraut! Na ist doch schön, auch wenn die Klinik an dieser Schwangerschaft nun nichts Nennenswertes verdient hat.

Der nächste Ultraschall verspricht ebenfalls gehobene Stimmung. Frau Cornelius ist eins von diesen Glückskindern, die unerlässlich sind für so überzeugende Schwangerschaftsraten, wie Heikes Klinik sie vorweisen kann. Beim ersten Versuch auf Anhieb schwanger, die Tochter ist inzwischen drei, und die fast vier Jahre alten Kryos, die damals übriggeblieben sind, scheinen wieder angeschlagen zu haben. Erster regulärer Ultraschall nach positivem Test vor zwei Wochen. Da die Werte hervorragend waren, sind keine bösen Überraschungen zu erwarten. Beinahe waren die Werte zu gut, da könnten sich Zwillinge ankündigen. Aber auch das würde die Cornelius mit links schaffen, sie ist der Typus schwäbisches Muttertier, der sich in Berlin beständig vermehrt, hat rote Wangen, runde Hüften und wahrscheinlich einen kunterbunten Garten, in dem sie Gemüse zieht. Ursprünglich lag es am Ehemann, der hatte wohl als Jugendlicher Mumps, da hätten die beiden noch vor ein paar Jahren schlicht und einfach Pech gehabt. Zumindest bis zum ersten verzweifelten Seitensprung der Frau.

Doch als sie hereinkommt, hat sie gerötete Augen. Eine Schmierblutung, Frau Doktor, murmelt sie, seit heute Morgen. An ihrer Hand geht das Mädchen, scheu, wie eine pummelige Käthe-Kruse-Puppe.

Auf der Liege hält die Patientin die Augen geschlossen. Sie weiß, was man sehen muss und was man nicht sehen will, jede, die einmal schwanger war, weiß das. Von einer Blutung ist an den entscheidenden Stellen nichts zu finden, das muss andere Ursachen haben, zum Beispiel ein geplatztes Äderchen am Muttermund. Die Cornelius öffnet die Augen und versucht ein Lächeln. Hier haben Sie einen kräftigen Herzschlag, sagt Heike, sehen Sie, wie schön.

Doris, schau, das wird dein Geschwisterchen, ruft die Cornelius, das kleine Mädchen tritt näher; Heike rutscht mit dem Stab ein Stückchen weiter und sagt nach einer Kunstpause: Und hier haben wir noch ein Geschwisterchen. Frau Cornelius schlägt sich die Hand vor den Mund. Hat Heike es sich doch gedacht. Schwäbische Fruchtbarkeit. Sie dreht den Stab ein wenig, die zweite Fruchthöhle ist nicht gut darzustellen, aber es sieht beinahe so aus, als ob … Wie viele Kryos hat sie transferiert? Wie immer drei? Drillinge wären keine so gute Nachricht, da geht erstens gern etwas schief, und wenn nicht, kommt nachher RTL. Die deutschen Gesetze! Rigide bis dort hinaus, das Embryonenschutzgesetz, man darf fast gar nichts, im internationalen Vergleich, sogar die Österreicher sind liberaler. Von Tschechen und Niederländern nicht zu reden. In Deutschland aber wirkt der Holocaust fort und fort, ethisch jedenfalls, jede Entscheidung wird darauf bezogen, alles Tun muss sich vom Tun der Nazis maximal unterscheiden. Deshalb dürfen die Gynäkologen zwar künstlich befruchten, aber gewissermaßen blindlings, mit einer Augenbinde, damit auf keinen Fall ein Eindruck von Selektion entsteht. Weshalb sie, um halbwegs vergleichbare Erfolgsquoten zu haben, mehr befruchtete Eizellen zurücksetzen als in anderen Ländern.

So zwingt man die Frauen zu unnötig vielen Mehrlingsschwangerschaften. Wofür die deutsche Regierung folgerichtig wieder Mutterkreuze einführen sollte. Man hätte damals Aktien kaufen sollen von diesem Kinderwagenhersteller, Heike hat den Namen vergessen, ein Label aus Karlsruhe, das Doppelwagen, Dreifachwagen, sogar zusammenhängbare Doppelbabyschalen für das Auto herstellt, in Retro-Mustern, Blumen, Karos, Streifen, man sieht sie überall.

Aber um das Politische kümmern sich die Männer, zum Beispiel der Chef. Lässt kaum eine Fernsehdiskussion zum Thema aus und ist ein gefragter Gastkommentator. Was tolle Werbung für die Klinik ist.

Heike zieht den Stab zurück und beschließt, vorläufig zu schweigen. Hier ist eine zweite Fruchthöhle, das sieht die Patientin selbst. Aber die Möglichkeit, dass diese sich noch einmal geteilt hat, verschweigt sie. In einer Woche wird man mehr sehen. Frau Cornelius wird immer noch viele Monate Zeit haben, den Schock zu verarbeiten. Sie steht schwerfällig von der Liege auf, als lastete das Gewicht von Zwillingen bereits physisch auf ihr. Das kleine Mädchen hat nicht ganz verstanden, worum es geht, aber es begreift, dass Mama ein bisschen glücklicher ist als vorhin, vom perfekten, kitzelnden, einen in die Luft werfenden Glück allerdings noch ein Stück weit entfernt. Zum Abschied winkt es, das Käthchen von Heilbronn, mit ernstem Gesicht.

Das nachfolgende Erstgespräch verläuft angenehm kurz und sachlich. Eine Bankberaterin und ein technischer Angestellter. Seit die Patienten die Hälfte der Behandlungskosten übernehmen müssen, erleichtert die soziale Auslese Heike durchaus die Arbeit. Darf man ja nicht laut sagen, und natürlich ist es schreiend ungerecht. Dieses Paar jedenfalls wurde von Heikes Freundin Isabell überwiesen und ist entsprechend gut vorbereitet. Auf Isabell ist Verlass. Denn wenn sie unangenehme Patienten hat, empfiehlt sie ihnen Heikes dicken Kollegen, jenen, der so gern den grünen Mundschutz als Halskette trägt. Hat sie Heike einmal kichernd gestanden. Das habe sie mindestens zweimal getan: einmal bei einem arabischen Paar, wo der Mann sein Spermiogramm ohnehin nicht mit einer Frau diskutieren wollte, ein andermal bei einer Deutschen, die gefragt habe, ob sich so eine Hormonbehandlung günstigen astrologischen Konstellationen anpassen lasse.

Man hätte Isabell längst einmal anrufen müssen; dass sie zu zweit auf einen Schoppen oder im Kino waren, ist gefühlte Jahrzehnte her. Letztes Mal am Telefon glaubte Heike, sie weinen zu hören, Isabell vermutet nämlich, dass Jochen sie betrügt oder betrogen hat. Heike hat nie viel von Jochen gehalten, Isabell jedoch liebt ihn mit beängstigender Wucht. Deshalb hat Heike sich inkompetent gefühlt, ein Zustand, dem sie gemeinhin aus dem Weg zu gehen versucht. Sie würde Isabell ja gerne raten, sich zu wappnen, für alle möglichen Zumutungen, deren Heike Jochen für fähig hält, aber Isabell will das Gegenteil hören. Sie will hören, dass alles wieder gut wird, selbst wenn er das Undenkbare getan haben sollte, was sie, Isabell, ja noch immer gar nicht glauben kann. Im Gegensatz zu Heike, die das Nötige über Jochen weiß, seit er ihr bei einem Grillfest vor Jahren recht routiniert unter den Rock gefasst hat.

Heike denkt nicht darüber nach, was sie tun würde, wenn Manfred sich verdächtig benähme. So funktioniert sie nicht, so könnte sie nicht arbeiten. Denn erstens hält sie das für ausgeschlossen, und zweitens investiert man sinnvollerweise seine Energie nur in Dinge, die der Fall sind.

Hier liegen die Dinge wie folgt: beidseitige tubare Infertilität der Bankberaterin, von Isabell bei einer ambulanten Durchlässigkeitsprüfung festgestellt. Das ist ein glasklarer Befund, der nur eine Schlussfolgerung zulässt: in vitro. Heike erklärt ihnen den Ablauf der Behandlung, die Darstellung der weiblichen Fortpflanzungsorgane liegt bunt und lustig auf dem Tisch. Heike tippt mit der Spitze ihres Stifts hierhin und dorthin, das Schaubild ist laminiert. Der Scheideneingang ist trotzdem etwas verfärbt, weil sie da immer zeigt, wie sie die Punktionsnadel einführt. Die beiden sind aufmerksam und nicken, sie stellen nicht, wie so manche andere, irrationale Fragen, ob es nicht doch irgendeine andere Möglichkeit gibt.

Beten, hat einmal eine Kollegin bei einem internen Erfahrungsaustausch als Antwort vorgeschlagen, da haben alle sehr gelacht. Nur der Chef hat schmunzelnd den Kopf geschüttelt, er ist so ein himmlisch korrekter Mensch.

Nach der Mittagspause liegen die Laborwerte auf Heikes Tisch. Jeden Tag muss sie Patientinnen anrufen und ihnen sagen, dass der Test leider negativ ist. Die anderen, die mit dem positiven Test, werden von den Assistentinnen angerufen; das spart nicht nur Heikes Zeit, sondern hat auch den Vorteil, dass die glücklichen Gewinnerinnen gleich ihre Termine für den ersten Ultraschall zugeteilt bekommen, wo sie hoffentlich einen Herzschlag bestaunen dürfen. So gesehen ist die Molin tatsächlich ein seltener Fall. Hier bekommt nur selten jemand den Eintritt einer Schwangerschaft direkt, persönlich und mit ausgedrucktem Ultraschallfoto bestätigt. Das läuft sonst alles telefonisch. Frühestens zwölf Tage nach dem Embryotransfer können die Frauen vormittags ohne Termin zur Blutabnahme kommen. Ab vierzehn Uhr dürfen sie mit dem Anruf rechnen, und sie warten, mein Gott, wie sie warten. Einmal, es war fast halb vier, hat eine Frau Heike angeschrien: Und warum sagen Sie mir das erst jetzt? Natürlich war sie nicht die Einzige, Heike hatte davor mehrere Telefonate geführt, aber so ein Gedanke kommt ihnen ja gar nicht, dass sie nicht die Einzigen sind. Wie man sich vorstellen kann, dauern auch diese Gespräche manchmal länger. Nein? Wirklich nicht? Sind Sie da absolut sicher? Gibt es keinen Zweifel? Das gibt's doch nicht! Soll ich nicht lieber noch einmal testen, sagen wir, in zwei Tagen? Ich habe aber gelesen, dass diese frühen Tests … Meine Brust spannt dauernd, ich war mir absolut sicher, dass … Aber ich habe gar keine Blutung! Hören Sie, ich habe einen Frühtest in der Apotheke gekauft, und mein Mann meint auch, dass man ganz, ganz schwach einen zweiten Strich sehen kann …

Damals hat Heike ihre Vorgangsweise geändert. Sie ruft nicht mehr alphabetisch an, sondern nach einem von ihr entwickelten System von Labilitätspunkten. Vom Erstgespräch an markiert sie die Karteikarten, niemand weiß davon, es ist kaum zu sehen. Ein Punkt: robust und hoffnungsvoll. Zwei Punkte: Durchschnitt. Die mit drei Punkten ruft sie als Erstes an, dann hat sie es hinter sich. Als sie mit Lennart in den Wehen lag beziehungsweise kniete, sagte ihre Hebamme aufmunternd zu ihr: Denken Sie dran, jede Wehe, die Sie schön weggeatmet haben, ist insgesamt eine weniger. Ja, bei den Wehen ist es eine endliche Zahl, die man nur leider vorher nicht kennt, bei den labilen Nicht-Schwangeren ist man da im Vorteil, denn man kennt sie, die Zahl und die Frauen. Ist alles kein Problem.

Es klopft, und zum zweiten Mal erscheint die junge Baukes. Sieh da, sie hat sich von Kolleginnen Schminke ausgeborgt, das nennt man schnelle Umsetzung. Heike spitzt anerkennend die Lippen und nickt. Nonverbale Zustimmung, die einzig angemessene nach der Kritik von heute Morgen. Das Mädchen sieht viel frischer aus. Aber nicht wieder Herr Özkan, neckt Heike, und die Baukes grinst. Jetzt hat sie sie, eine neue Bewunderin, in Zukunft könnte sie ihr schadenfrei die Lippenstiftfarbe empfehlen.

Nein, der Özkan ist es nicht, sondern Frau Harnik-Schwartz, die zwar für Freitag einen Termin hat, aber unangemeldet gekommen ist, weil sie schon wieder eine leichte Blutung hat. Ob Frau Doktor noch da sei, die junge Baukes lächelt verschwörerisch, oder ob Herr Doktor Steinwendner übernehmen solle? Ich bin noch da, versichert Heike, bin ich ja wirklich, und handelt sich damit gewiss weiteren Respekt ein. Frau Harnik-Schwartz wäre für den Steinwendner eine echte Strafe. Er ist einer von denen, die sich von den Gefühlen der Patientinnen so schnell belastet fühlen, er ist noch nicht lange dabei, und

Heike könnte wetten, dass er bereits den Absprung sucht. Fragt sich nur, wohin, denn es ist eine Sache, einer Frau zu sagen, dass sie leider wieder nicht schwanger geworden ist, aber eine andere, dass sie Krebs hat. Wer den Kontakt mit Patienten scheut, muss Pathologe werden. Oder Pharmavertreter.

Frau Harnik-Schwartz ist allerdings ein armes Schwein. Eine der Ungeklärten, von denen kein Mensch sagen kann, warum es auf normalem Weg nicht klappt. Eileiter durchlässig, Ovulationen so regelmäßig wie eine Sanduhr, Endometrium baut gut auf, Blutwerte unauffällig, ebenso das Spermiogramm des Partners. Zwei Fehlgeburten vor einigen Jahren, natürlich nicht genetisch untersucht, denn zwei Fehlgeburten sind das, was noch als normal gilt. Vor allem, wenn ein größerer Abstand dazwischenliegt. Danach hat sie sich Zeit gelassen, wollte die Ereignisse verarbeiten, hat den Gedanken an Kinder in den Hintergrund geschoben. Aber als sie so weit war, hat überhaupt nichts mehr geklappt. Jahrelang vögeln nach dem Eisprungkalender, und kein Ergebnis, nicht das mindeste.

Sie macht gerade ihren zweiten frischen Versuch, der erste ist fehlgeschlagen, ebenso ein Kryotransfer mit überzähligen Eizellen. Jetzt ist sie zwar schwanger, aber es ist seit etlichen Wochen eine Zitterpartie. Erst hat sie geblutet, und der Wert des Schwangerschaftshormons war auch nicht berauschend. Heike empfahl, mindestens eine Woche zu liegen, an den beiden Folgeterminen war immerhin Herzaktion sichtbar. Da Frau Harnik-Schwartz zu den verzweifelten Zweckpessimisten gehört, hat sie selbst erkannt, dass diese Herzaktion eine Spur langsam war, offenbar war sie einmal mit ihrer jüngeren Schwester bei deren Schwangerschafts-Vorsorgeuntersuchung. Und daher weiß sie leider, wie das aussehen muss. Leider oder zum Glück, das wäre hier so eine Frage. Hilft es der Frau, wenn sie sich wappnen kann, oder ist es seelenhygienischer, aus allen Wolken zu fallen? Kommt auf den Typ an, wahrscheinlich.

Klein ist er außerdem, der Harnik-Schwartz'sche Embryo, eine Woche bis zehn Tage zu klein. Aber all das hat nichts zu sagen, Heike könnte es beweisen, wenn sie sich durch die Patientenakten graben würde. Zu kleine Embryonen hat sie öfters, das ist ein Fluch der Statistik, die bis Woche zwölf millimetergenaue Durchschnittsgrößen formuliert hat. Ab wann ist klein zu klein? Manchmal gehen sie ab, dann sagt man, sie waren eben zu klein. Manchmal sind sie klein und reifen stur weiter bis zur Geburt und sind dann normalgroße oder etwas kleinere Babys, aber wen interessiert das später noch.

In der Abiturklasse, im Leistungskurs Geschichte, erfuhr Heike, dass man nicht einmal weiß, wie Cäsars Ermordung im Detail ablief. Ob Brutus tatsächlich als Erster zugestochen hat? Ob er überhaupt dabei war? Das hat sie damals sehr überrascht. Das war, im Rückblick, der Anfang ihres bewussten Studiums des menschlichen Nichtwissens. Seither ergänzt sie es kontinuierlich.

Das ist wahrscheinlich das Anstrengendste an den Gesprächen mit den Patienten: dass sie glauben, es gäbe für alles eine Erklärung. Die gibt es nicht. Jeder Hunde- oder Blumenzüchter rechnet mit Erfolg und Misserfolg, das liegt im Wesen der Zucht. Es gibt bessere und schlechtere Jahrgänge, und es gibt Ausschuss. Die Natur produziert Unmengen an Ausschuss. Frauen werden mit vierhunderttausend Eizellen geboren, davon werden im Laufe ihres Lebens vierhundert reif. Das ist ein Promille. Die deutsche Geburtenrate liegt inzwischen nur noch bei eins

Komma drei Kindern pro Frau. Aber selbst früher, als die Frauen acht oder zehn Kinder bekamen, war das erstaunlich wenig im Vergleich zu vierhundert oder vierhunderttausend Möglichkeiten. Weil es so kompliziert ist. Weil so viel schiefgehen kann, siehe Eileiter, siehe Mumps, siehe Infektionen, Gerinnungsstörungen, Krampfadern im Hoden, Abstoßungsreaktionen, genetische Defekte und so weiter.

Vor Kurzem hatte Heike eine Schwangere zum zweiten Ultraschall da, doch die Herzaktion war weg, einfach nicht mehr auffindbar. Kein Bildschirmblinken, nichts. Die Frau war in Tränen, wollte aber erst einmal nachdenken. Auch da gibt es ja solche und solche. Die einen wollen einen toten Embryo unbedingt innerhalb von Stunden abgesaugt haben, raus aus ihrem Bauch, weg damit; die anderen gehen nach Hause und warten, bis ihr Körper das von selbst erledigt. Und wenn es Wochen dauert. Sie nennen das Abschied. Die Betreffende jedenfalls, die alles der Natur überlassen wollte, bekam Tage später Bauchschmerzen und änderte ihre Meinung. Sie begab sich ins Krankenhaus, ohne Frühstück, sie rechnete mit der Curettage. Aber der Herzschlag war wieder da, alles prima, Patientin wieder nach Hause, inzwischen wahrscheinlich rund wie eine Regentonne. Natürlich fragt sich auch Heike, wie so etwas möglich ist. Ihr Gerät ist nicht kaputt, und sie ist eine äußerst erfahrene Sonografin. Sie ist aber weit davon entfernt, sich schuldig zu fühlen, denn auf diesem Gebiet gibt es die erstaunlichsten Sachen. Diese Geschichte hat Heike letztes Mal Frau Harnik-Schwartz erzählt, als jene mit Grabesstimme über den mangelhaften Herzschlag des millimetergroßen Wesens auf dem schwarz-weißen Monitor klagte. Frau Harnik-Schwartz hat sie ungläubig angesehen. Man kann in dieser Phase nur abwarten, hat Heike hinzugefügt, neugierig, ob das wirke, und Frau Harnik-Schwartz hat geantwortet: Das ist wie Folter für mich.

Heike hat ihr nicht gesagt, dass sie die Form der Fruchthöhle beunruhigender fand als den Herzschlag, der vielleicht langsamer war als normal, aber nur einen Tick. Die Fruchthöhle jedoch war plattgedrückt wie der Querschnitt einer Scholle – hat sie Frau Jänicke gesagt, dass sie den Fisch herausnehmen muss? Ja, sie hat, sie hat, meine Güte – plattgedrückt, nicht rund und prall wie ein Luftballon. Und jetzt sitzt Frau Harnik-Schwartz schon wieder da draußen und weint, und sie, Heike, hat eigentlich ins Fitness-Center gewollt. Sie hat leichte Schmerzen in Nacken und Knie. Sie ist keine zwanzig mehr. Sie ist seit sieben in der Klinik, Laura und Lennart schlafen noch, wenn sie das Haus verlässt. Um sieben Uhr dreißig hat sie der Klopfer zehn Eizellen abgesaugt, alle reif und brauchbar, auch das vermerkt in dem nachmittäglichen Laborbericht, nebst Schwangerschaften und Fehlversuchen. Frau Klopfers Punktion ist bald neun Stunden her, selbst die bleiche Baukes hat mittlerweile Feierabend und verbringt ihn bei Douglas. Frau Cornelius sitzt am Rande eines Spielplatzes, wo Käthchen im Sand gräbt, und überlegt, wie sie ihrem Mann die Zwillinge beibringt. Die Bankberaterin bedankt sich mit einem Glas Prosecco bei ihrem Mann, dem Schwachstromingenieur, für seine fabelhafte Solidarität zu Beginn eines schwierigen Weges. Frau Molin liegt auf dem Sofa, den Laptop aufgeklappt, und könnte inzwischen ein Referat über die Funktionen der Hypophyse und den Flare-up-Effekt halten. Vielleicht tut sie das auch, ihrem Mann gegenüber, an den sich Heike schlecht erinnern kann. Oder sie sucht schon nach Hebammen und schicker Umstandsmode. Am wenigsten Zeit hat Frau Klopfer. Bis morgen früh muss sie die Zustimmung ihres Mannes zum Embryotransfer faxen, sonst werden alle zehn Vorkernstadien eingefroren. Wie schade das wäre! Die Schwangerschaftsrate nach Kryo-Transfer ist leider nur halb so hoch wie nach frischem.

Heike stellt sich vor, wie Frau Klopfer, die Juristin, die Unterschrift ihres Mannes fälscht, ein anderer Kugelschreiber, und schwungvoll: Abdul Özkan. Ein Präzedenzfall: Ist Frau Klopfer schuld, die Urkundenfälschung begangen hat, oder ebenso ihr Mann, der eine weitreichende eheliche Vereinbarung zu einem unzumutbaren Zeitpunkt aufgekündigt hat? Wahrscheinlich könnte Frau Klopfer sich auf die psychische Ausnahmesituation berufen, all die Wochen mit den Untersuchungen und den Hormonspritzen, und dann: erpresst er sie mit seinem Samen.

Heike schließt das Fenster und zieht die Gardine zu. Der Parkplatz ist inzwischen zu zwei Dritteln leer. Sie holt die Harnik-Schwartz herein, die sich nur mühsam beherrscht. Während sie sich auszieht, jammert sie leise vor sich hin: Meine Schwester erwartet ihr drittes Kind. Hat sie mir gestern gesagt und noch gemeint, sie würde es mir am liebsten verschweigen. Hat sie dann aber doch nicht. Ich weiß, das ist kein Thema für Wettbewerbe. Aber alle meine Freundinnen mit Kindern … ich beginne sie zu meiden. Ich gehe lieber mit Schwulen aus! Hab ich Ihnen schon einmal von der Ärztin erzählt, die mich vor Jahren, bei der letzten Fehlgeburt, im Krankenhaus aufgenommen hat? Eine unglaubliche Geschichte … Ich weiß einfach, dass es vorbei ist, ich spüre das. Ich werde in ein paar Wochen vierzig. Ich hätte nicht so lange warten sollen. Man glaubt, man hat ewig Zeit. Aber plötzlich ist es vorbei.

Bevor sich Heike an das Ultraschallgerät setzt, schaut sie in der Akte nach, wie groß der Embryo beim letzten Mal war: vierzehn Millimeter. Sie quetscht Gel auf die Vaginalsonde und streift die Latexhülle über. Mehr als einmal hat sie bemerkt, dass Patientinnen dabei ein wenig das Gesicht verziehen, weil diese Hüllen wie Kondome aussehen. Frauen, die auf Heikes Liege liegen, verhüten seit Jahren nicht. Die haben für Kondome nichts übrig.

Auch Heike hat für Kondome nichts übrig. Sie hat einmal schlechte Erfahrungen gemacht, wie man so sagt, da war sie erst sechzehn. Der Klassiker, ein geplatztes Kondom, bei einem der ersten Male überhaupt. Danach die Abtreibung, an die sie sich nur dunkel erinnert. In den Niederlanden, mit ihrer Mutter im Zug. Auf dem Rückweg bekam sie Schokolade, die Mutter zog mit steinernem Gesicht eine Tafel nach der anderen aus der waldgrünen Kunstledertasche, sie muss befürchtet haben, dass ihr der Kreislauf wegsackt. Dabei hat sie immer einen stabilen Kreislauf gehabt. Manfred weiß nichts davon, auch sonst niemand mehr. Ihre Mutter versinkt in der Demenz. Gelegentlich rechnet Heike nach, wie alt dieses Kind heute wäre: nämlich längst erwachsen. Sie könnte Großmutter sein. Biologisch gesehen sind Frauen um die zwanzig am empfängnisfreudigsten, ein paar Jahre plus und minus. Aber heute nehmen sie jahrzehntelang die Pille und überlegen mit siebenunddreißig, ob sie sie langsam absetzen sollen oder doch lieber erst im nächsten Jahr, wenn die wichtige Projektarbeit vorbei ist oder die lang geplante Weltreise. Und dann sitzen oder liegen sie vor ihr, wie die Harnik-Schwartz, und brauchen eigentlich keine Hormonspritzen mehr, sondern einen klugen Therapeuten. Selbstverständlich hat die Klinik eine Psychologin unter Vertrag, aber die Ärzte weisen nicht aktiv darauf hin. Wer einen Therapeuten will, wird einen finden. Alles andere wäre übergriffig.

Frau Harnik-Schwartz ist sehr blass und still und schaut sie aus großen Augen an. Heike führt die Sonde ein. Ein bisschen Geflimmer, der Embryo erscheint in seiner Höhle. Die ist wieder rund, nicht abgeflacht wie beim letzten Mal. Man weiß einfach nicht, was in den ersten Wochen da drin geschieht, warum es so oft fehlgeht. Vermutlich wird man es nie wissen. Es ist eben etwas gottverdammt anderes, als ein krankes Kind zu behandeln. Ein Kind ist ein fertiger Mensch, eine gewaltige Summe ungeheuer komplizierter und ausdifferenzierter Zellen, und schon aufgrund seiner Komplexität nicht so leicht umzubringen. Ein Embryo von ein paar Wochen ist das nicht. Wenn da irgendetwas nicht richtig läuft, sondert die Natur ihn aus. Das Schicksal. Gott. Wer auch immer. Warum auch immer. Das Aussondern muss als Begründung genügen. Und das muss auch, einmal mehr, Frau Harnik-Schwartz genügen, so sehr sie wieder von Kinderaugen geträumt haben mag, die sie eines Tages anschauen.

Dabei ist er sogar noch ein wenig gewachsen seit dem letzten Mal, Heike misst achtzehn Millimeter Scheitel-Steiß-Länge. Aber die Herzaktion ist ohne Zweifel weg. Es ist still, im Raum und auf dem Bildschirm. Heike dreht die Sonde hierhin und dorthin. Sie geht mit dem Gesicht näher an den Bildschirm und rüttelt leicht an der Sonde zwischen den Beinen der Frau.

Was ist, fragt die Harnik-Schwartz heiser, ach, murmelt Heike, ich dachte erst … aber er floatet nur.

Er tut was, fragt die Frau. Das ›a‹ von ›was‹ kippt stimmlich in die Höhe wie Vogelgezirp.

Ich wollte überprüfen, ob er sich nicht doch bewegt, sagt Heike, aber er bewegt sich nur mit der Flüssigkeit, in der er schwimmt. Man nennt das floaten. Es tut mir sehr leid.

Als sie sich anzieht, schreibt Heike die Überweisung. Sie erinnert die Patientin daran, dass solche kleinen Eingriffe auch direkt in der gynäkologischen Praxis vorgenommen werden, von der sie überwiesen wurde. Aber nur freitags, sagt die Harnik-Schwartz, das ist mir zu lange. Heike empfiehlt die Uni-Klinik oder die Ursulinen. Da beginnt Frau Harnik-Schwartz zu lachen. Sie steht neben dem Stuhl, auf dem sie ihre Kleider abgelegt hat, hält in der einen Hand einen schwarzen Kniestrumpf und lacht. Die Ursulinen, ruft sie und schwenkt den Strumpf, dort war ich letztes Mal, das wollte ich Ihnen gerade erzählen.

Frau Harnik-Schwartz kann griffig erzählen, man sieht die Szenen direkt vor sich. Wie sie, verzweifelt und in Begleitung ihres Mannes, der hilflos-tröstend an ihrem Arm herumdrückte, vor der griechischen oder spanischen, jedenfalls undeutsch temperamentvollen Ambulanzärztin saß, die gleich engagiert im OP anrief.

Die Patientin sitzt tränenüberströmt vor mir, sagte sie vor der tränenüberströmten Patientin, doch der Oberarzt schien schlecht zu hören, denn die Gynäkologin wiederholte, und diesmal lauter: *Tränenüberströmt*, sagte ich, ist sie, und es wäre wohl nötig, dass sie noch heute …

Sie musste noch einmal auf den gynäkologischen Stuhl. Die Richtigkeit der Überweisung muss überprüft werden. Auf der Überweisung steht: Ausschabung wegen missed abortion, so lautet der Fachbegriff für eine abgestorbene Schwangerschaft, die der Körper, als wäre er erstaunt, begriffsstutzig oder ahnungslos, vorläufig weiter bei sich behält.

Und da, als Frau Harnik-Schwartz gespreizt auf dem gynäkologischen Stuhl halb saß, halb lag – in Krankenhäusern halten sie sich mit den dezenteren Liegen für den Ultraschall gar nicht auf –, wurde die Ambulanzärztin persönlich, sehr persönlich, seien Sie froh, dass das jetzt passiert, flüsterte sie ihr zu und starrte ihr beschwörend ins Gesicht – Frau Harnik-Schwartz sieht die dicken schwarzen Kajalstriche um die Augen der Ärztin bis heute vor sich, während ihr Mann, nur durch einen Vorhang getrennt, vor dem Schreibtisch saß wie ein armer Sünder –, seien Sie froh, seien Sie dankbar, jetzt und nicht später, ich weiß, wovon ich spreche, ich habe drei Kinder, zwei sind behindert, eines musste ich bereits beerdigen, glauben Sie mir, eine Fehlgeburt ist in der frühen Phase ein Glück! Danke, habe Frau Harnik-Schwartz gestammelt, danke, ich verstehe, es tut mir leid, entschuldigen Sie, und dann habe ihr diese Ärztin, während ihre hexenhaften Beschwörungen, ebenso wie die Tränen von Frau Harnik-Schwartz, nicht aufhören wollten zu fließen, auf dem Farbultraschall die rotorangenen Blitze gezeigt, die Frau Harniks eigenen Kreislauf anzeigten, in den Blutgefäßen rundum, anschließend sei sie von dort mit der Sonde zurück zu dem stumm schaukelnden Embryo gefahren, wo alles blau und grün gewesen sei, keine Blitze, kein Herzschlag, nichts. Nur die Form war perfekt, nach so vielen Wochen, ein großer Kopf, ein kleinerer Körper, und die Arm- und Beinknospen. Seien Sie froh, danken Sie Gott, ich habe ein Kind beerdigen müssen, aber Sie, Sie können Ihres hygienisch absaugen lassen, ohne Grab, ohne Sarg, ohne Namen.

Ich habe erst geglaubt, ich bin einer Irren in die Hände gefallen, beschließt Frau Harnik-Schwartz ihre Geschichte, später wollte ich mich beschweren, aber mein Mann hat gesagt, in gewisser Weise hat sie ja recht, und sie wollte nur helfen.

Sie lässt sich auf den Stuhl fallen und zieht im Sitzen ihren zweiten Kniestrumpf an.

Es tut mir sehr leid, wiederholt Heike, weil es nichts anderes zu sagen gibt, bitte melden Sie sich wieder, wenn es hinter Ihnen liegt.

Ich werde vierzig, antwortet Frau Harnik-Schwartz, meine Krankenkasse ist fein raus.

Wir reden darüber, wenn Sie das hinter sich haben, sagt Heike, fahren Sie erst einmal nach Hause und ruhen Sie sich aus.

Ich fahre jetzt erst einmal zum Golf, sagt Frau Harnik-Schwartz trotzig, ich muss meinen Mann dort abholen, und vielleicht tut mir eine Runde ja gut.

Sie reicht Heike die Hand, dreht sich abrupt um und geht. Jetzt sollte Heike sich beeilen, eine halbe Stunde Bauch-Beine-Po könnte noch zu schaffen sein. Bevor sie nach Hause fährt, wo sie ihr glückliches, pralles Leben erwartet, der Sohn, die Tochter, der Fisch, das Ergebnis des Deutschreferats, die gebügelten Fußballtrikots, ihr inzwischen eisgrauer, aber weiterhin immens viriler Manfred, der heute Abend einen Gast mitbringt aus den USA, deshalb der Fisch, mit Amerikanern muss man vorsichtig sein, manchmal sind sie Vegetarier, oder Juden, aber danach kann man vorher ja schlecht fragen.

Heike geht auf die Toilette und wäscht sich ausgiebig die Hände, mit sehr heißem Wasser. Sie wird wieder unter den Letzten sein, die nach Hause gehen. Draußen ist es still, aber vielleicht empfindet sie das genau in dem Moment, als es laut wird. Laufschritte, aufgerissene und zugeschlagene Türen. Man ruft ihren Namen. Sie trocknet sich ab und wirft sich einen Blick im Spiegel zu. So geht das nicht mehr weiter, sie hat Schatten unter den Augen. Sie atmet ein und strafft die Schultern, da geht die Tür auf, eins von den Empfangsmädchen, Frau Doktor Guttmann, bitte, kommen Sie, schnell, sie tritt auf den Flur, schräg gegenüber steht die Tür zu ihrem Zimmer, die sie angelehnt hat, nun offen wie ein Scheunentor, darin verschwindet gerade der Kollege Steinwendner, nicht mehr in Grün, das wäre ja völlig jenseits, sondern in Feierabendmontur, Hose und Jackett, hier ist sie, ruft das Mädchen ihm hinterher, aber Steinwendner eilt unbeirrt durch Heikes Zimmer und dreht sich nicht einmal zu ihr um, er bleibt erst am Fenster stehen. Der Ausblick von seinem Zimmer ist weniger gut, es geht nach hinten, in einen teuer bepflanzten, aber eben: in einen Hinterhof, wie gesagt, er ist noch nicht lange dabei, er ist kein Partner der Gemeinschaftspraxis, und wer weiß, ob er es je werden wird. Das Mädchen vom Empfang ist stehengeblieben und weiß nicht mehr weiter. Es rudert mit den Armen, deutet den Flur entlang Richtung Ausgang, dahin, woher es gekommen ist, aber gleichzeitig in Heikes Zimmer, auf den massigen Rücken von Steinwendner. Draußen, begreift Heike, das, worauf ihre Aufmerksamkeit gelenkt werden soll, ist draußen. Sie entscheidet sich für den kurzen Weg und folgt Steinwendner. Ganz leise, in der Ferne, sind schon Sirenen zu hören, Lennart hat das als kleines Kind geliebt und mitgesungen, tatüü, tataa, Laura nicht, die hat sich heulend die Ohren zugehalten, so sind wir alle ein einzigartiges, unerklärliches Produkt unserer Gene, unseres Geschlechts und Charakters.

Auf dem Parkplatz wütet Frau Harnik-Schwartz. Sie hat ihren Golf-Trolley aus dem Auto geholt, aufgeklappt steht er da, als wartete er auf den Caddie. Soweit man das erkennen kann, schwingt sie ein Dreier-Eisen, die sind inzwischen selten geworden. Sie hat mehrere Windschutzscheiben zertrümmert, milchig blind, wie von Spinnweben überzogen, liegen sie im Nachmittagslicht. Ein Seitenspiegel hängt, nur noch dünn verbunden, herunter, und gerade nähert sie sich einem älteren gelben Golf. Mit einem Ruck sticht sie das Seitenfenster ein, sie dreht dazu das Eisen blitzschnell um und stößt mit dem Griff. Die Windschutzscheibe bleibt diesmal verschont. Macht sie soziale Unterschiede? Bonzenbestrafung, wie die Kreuzberger Autonomen, die gelegentlich Nobelkarossen abfackeln? Falls sie der Reihe nach vorgeht, ist das nächste Auto Steinwendners anthrazitfarbener Audi. Daneben steht Heikes Cabrio. Um Himmels willen, stöhnt Steinwendner, das gibt's doch nicht, aber Heike, unvorhersehbar und rätselhaft für sich selbst, hebt langsam die Hand vor die Augen, als blendete sie die längst verschwundene Sonne, und sagt mit pelziger Zunge einen Satz, den sie manchmal Manfred und den Kindern gegenüber verwendet, aber niemals, unter keinen Umständen, gegenüber all den Frauen, die sich Kinder wünschen: Ach wissen Sie, Herr Kollege, es gibt wirklich Schlimmeres.

Die schlichte Wahrheit ist ungenießbar.

– Mark Twain –

6 Nelson hat fremde Städte im Regen, bei Nacht immer gemocht. Man konnte unterschlüpfen, den Einheimischen spielen, man wurde eins mit den müden Massen in Bahnen und Bussen. Touristen springen nur bei Licht ins Auge, es sei denn, sie entfalten kummervoll ihre Stadtpläne. Nelson stellte sich vor, dass all die verschiedenen Städte, die er bereiste, wie Kulissen im selben schwarzen Theaterraum standen. Diesem Hintergrund, dem festen, gesichtslosen Weltgebäude, galt es, sich anzuverwandeln, damit er sich da, wo er zufällig gerade war, nicht allzu fremd fühlte. Als umfassend Heimatloser fand er dieses Bedürfnis verständlich. Nacht und Regen warfen eine milde Decke über die Großstädte der Welt, und sie begannen sich zu ähneln.

Nelson war schlank und nicht groß. Er hielt sich deshalb sehr aufrecht. Er kleidete sich mit Bedacht so unauffällig, wie es ihm zu seinem Aussehen am besten zu passen schien. Er wirkte, als trüge er seit vielen Jahren dieselben Sachen, dabei modernisierte er sie unaufhörlich. Denn selbst bei klassischen Hemden und Hosen änderten sich mit der Zeit die Schnitte und Knopfgrößen.

Seit er eine Lesebrille brauchte, war sein auffallendstes Merkmal zeitweise versteckt. Seine Augen waren verschiedenfarbig, eins braun, eins blau, eine Laune der

Natur. Das kommt direkt von Gott oder vom Teufel, hatte seine Großmutter, die nach Teig und Zigaretten roch, gesagt, dazwischen gibt es nichts. So, wie sein Leben verlief, schien sie auf eine etwas andere Weise, als sie gemeint hatte, recht zu behalten. Gott hielt die Hand über ihn, aber der Teufel war ihm einmal so nahe gekommen, dass er seinen Atem immer noch spürte.

Wäre er heute jung, hätte er es mit einer farbigen Kontaktlinse versuchen können. Doch war es sein Prinzip, das, was kam, anzunehmen, ohne Ausnahme. Dafür gab er seit über fünfzehn Jahren ein Beispiel, das weit über seine Körpergröße hinausging und seinen Namen in Zusammenhang mit dem Friedensnobelpreis gebracht hatte. Der zweite Nelson, wie witzig. Er hoffte innig, dass er ihn nie bekam. Viele fragten ihn, woher er die Kraft nahm. Nur enge Freunde wussten, dass ihn diese Frage beinahe beleidigte. Solange man nicht tot war, stand man eben jeden Morgen wieder auf. Er ließ sich nur selten ein Wort über seinen Schmerz entlocken, ein dürres, vorsichtiges Wort. Die langen Pausen, in denen er scheinbar um Worte rang, machten den Fragestellern höflich, aber wirkungsvoll klar, dass sie eine Grenze übertreten hatten. Er hatte nie abgelehnt, eine bestimmte Frage zu beantworten, obwohl er die persönlichen Fragen meistens so gut wie unbeantwortet ließ.

Viele seiner Gesprächspartner, Diplomaten, Journalisten, berichteten, dass die unterschiedlichen Augen gar nicht auffielen, so sehr ziehe einen das, was er sage, in den Bann. Dabei hatte er das schon als Kind, aus der Not, perfektioniert: Er wollte einen Blick wie ein Schlangenbeschwörer haben, damit sie sich ihm überließen und nicht hin- und herschauten, als wären seine Augen nur aufgenähte Knöpfe.

Plötzlich rumpelte der Bus, als hätte er etwas überfahren. Das Licht fiel einen Moment lang aus, ein, zwei Mädchen schrien auf, gewiss weniger aus Angst, sondern aus einem von Fernsehserien erzeugten Habitus. Der Fahrer bremste scharf, Nelson bemerkte die Hände ringsum, die sich wie choreografiert zu den gelben Haltestangen hoben, manche waren schon dort, packten aber fester zu. Alles bebte, vor, zurück, dann stand der Bus still. Der Fahrer stieg aus, schien im Regen umherzutappen, man konnte nicht viel sehen, es war ziemlich voll. Als Nelson wieder von der Zeitung aufsah, traf sein Blick den einer Frau, die ihm gefiel. Sie hob fragend die Augenbrauen, er ebenfalls, beide lächelten. Nelson las weiter. Später gab es eine Durchsage, und die Türen gingen auf. Einige machten sich murrend unter Regenschirmen davon, andere begannen zu telefonieren, der große Rest schien auf irgendetwas zu warten. Nelson stand auf, kämpfte sich nach vorn und fragte den Fahrer, ob er Englisch spreche. Der schüttelte den Kopf, unfreundlich wie alle, die sich schämen, griff aber immerhin zum Mikrofon und fragte seine Passagiere. Die Frau, mit der Nelson Blicke getauscht hatte, kam nach vorn. Besser hätte er es nicht treffen können.

Das Ding ist kaputt, erklärte sie und lächelte wieder, er sagt, es kommt Ersatz, aber das kann dauern. Wo müssen Sie hin?

Er zeigte ihr den Zettel, auf dem er die Adresse eines alten Freundes notiert hatte. Der Straßenname war so lang und konsonantengespickt, dass er lieber nicht versuchte, ihn vorzulesen. Die Frau besprach sich mit dem Busfahrer, Nelson musterte sie in aller Ruhe. Sie war nicht so jung, wie sie auf den ersten Blick wirkte, aber natürlich viel jünger als er. Müdigkeit lag über ihrem Gesicht wie eine zweite Haut. Sie war ein Typ, der beim zweiten und dritten Blick schöner wurde, sodass man sich über den eigenen ersten, den flüchtigen, beinahe zu ärgern begann. Was, wenn der Busfahrer Englisch gekonnt hätte? Dann wäre sie ihm entgangen.

Nelson wunderte sich über gar nichts mehr. Er hatte schon früher in den seltsamsten Situationen Menschen getroffen, die ihm eine Weile geblieben waren, manche für immer. Er erkannte sie sofort, an einem ganz bestimmten freien Blick, bei dem man sich einhaken konnte, ohne Bedingungen.

Die Frau erklärte, dass ihn eine U-Bahn näher an sein Ziel bringen würde. Sie selbst habe wenig Vertrauen in das baldige Eintreffen des Ersatzbusses, deshalb biete sie ihm ihren Schirm und ihre Begleitung an, es sei ein Fußweg von etwa zehn Minuten. Allerdings im strömenden Regen, sagte sie und sah ihn fragend an. Er hob die Schultern. Ich begebe mich gern in Ihre Hände, sagte er. Bevor sie ausstiegen, bedankte sich Nelson bei dem Busfahrer und verabschiedete sich auf Deutsch. Vielen Dank und auf Wiedersehen, das war ja nicht sehr schwierig. Aber so richtig gewöhnt waren es die Leute nicht.

Damals schlief er bereits mit Vivian, was ihn von Anfang an beglückte und verwirrte. Es hatte in Den Haag begonnen, nach seinem Kreislaufzusammenbruch. Der Arzt hatte ihm vierundzwanzig Stunden Bettruhe verordnet, obwohl er bloß überanstrengt und unterzuckert gewesen war, dazu die schlechte Luft in einem Konferenzraum mit giftigem Licht. Während er dalag und döste, fragte er sich, ob es mit seiner psychischen Kraft nun doch zu Ende ging, eineinhalb Jahrzehnte nach den Ereignissen. Er hatte sich nie aus so geringen Gründen ins Bett schicken lassen, aber jetzt lag er ohne jeden inneren Protest da und starrte an die cremeweiße Hilton-Decke. Den Termin mit der Chefanklägerin ließ er absagen.

Am nächsten Morgen, nach dem Frühstück, kam der Arzt zur Kontrolle. Er horchte Nelsons Herz ab, maß den Blutdruck und ermahnte ihn, regelmäßiger zu essen. Vivian begleitete den Arzt hinaus und kam mit den Unterlagen und ihrem winzigen Computer zurück. Sie setzte sich in einen Sessel, Nelson saß gegenüber auf einem breiten Sofa. Er wusste nicht, wieso er sich im Scherz zur Seite kippen ließ, vielleicht war es die Fortsetzung des korrumpierenden Nichtstuns vom Vortag. Sie war mit einem Sprung bei ihm. Er lag seitlich auf dem Sofa, verdrehte die Augen und beschwerte sich: Vivian, ich werde alt. Sie lachte erleichtert und streichelte seine Wange. Da zog er sie an sich, und später schien ihm, sie habe das erwartet. Als gehörte das Befriedigen intimer körperlicher Bedürfnisse ebenso zu ihren selbstverständlichen Aufgaben wie das strenge Filtern seiner Gesprächspartner und die Koordination der Termine.

Vivian lächelte professionell, wenn man sie in Europa für Nelsons Assistentin hielt. In Wahrheit gaben sie ein Stück mit verkehrten Rollen. Sie war eine enge Freundin, ein Mensch, der ihm seit Langem beim Überleben half, mit deren Mann Nelson Schach spielte und deren jüngstes Kind er kannte, seit es lesen gelernt hatte. Als Literaturagentin hatte sie ein Vermögen gemacht. Sie stellte ihm ihre Arbeit und ihre Infrastruktur zur Verfügung, weil sie Nelson verbunden war und an seine Mission glaubte, womöglich mehr als er selbst. Und deshalb war Vivian wahrscheinlich die einzige Frau der Welt, mit der er zu schlafen wagte, weil er sich auf ihre Solidarität und Diskretion verließ.

Sie sprachen nie darüber. Beide benahmen sich, als fänden diese zärtlichen, ausgelassenen und, jedenfalls für Nelson, überaus erfüllenden Liebesspiele in einer Parallelwelt statt. An ihrem Verhalten außerhalb von Hotelzimmern änderte sich nicht das Geringste. Sie sprachen im Bett nicht über Termine, und sie ließen beim konstruktiven Arbeitsfrühstück niemanden merken, dass sie nur ein paar Stunden zuvor stöhnend vor Genuss ineinandergesteckt hatten. Vivian schlief danach in ihrem eigenen Zimmer. Sie schliefen immer in Nelsons Zimmern miteinander. Sie blieb im Grunde nie länger, als es für eine ausführliche Besprechung schicklich gewesen wäre. Falls jemand das Ein und Aus beobachtet hätte.

Aber seither wusste Nelson, dass Sex keinesfalls überschätzt wurde. Echter Sex, bei dem es um die warme Haut eines anderen ging, um Gerüche und das Verschwimmen der Körpergrenzen, wurde im Gegenteil himmelschreiend unterschätzt. Vielleicht wusste das niemand so genau wie er, der durch das Gemetzel seine ganze Familie verloren und aus Abscheu, Trauer und Überzeugung jahrzehntelang keine Menschen berührt hatte, Handschläge ausgenommen. Ausgerechnet er, das lebende Denkmal eines Witwers, war belehrt worden, dass es nicht durchzuhalten war. Vielleicht wäre es durchzuhalten, aber es war nicht menschlich, auch nicht übermenschlich, es war einfach nur ungesund. Er würde das niemals zugeben. Es gab ein paar letzte Barrieren zwischen öffentlich und privat, die mussten selbst für ihn gelten, über den man fast alles zu wissen glaubte. Barrieren wie Hotelzimmertüren, schallgedämmt, mit Spion, hier und da.

Sie trug einen hellblauen Pullover, diese Frau aus dem Berliner Bus, als er sie Monate später wiedersah. Er brauchte einen Moment, um sie einzuordnen, aber die Umstände gewährten ihm Vorsprung. Sie stand, zwei Kunden vor ihm, an der Kasse seines bevorzugten Coffee-to-go-Ladens, den größtmöglichen Kaffeebecher in der einen, ein Croissant, von dem sie schon abgebissen hatte, in der anderen Hand. Sie stellte den Kaffee auf den Tresen und wühlte in ihrer Handtasche nach Geld. Lass sie es nicht finden, bat Nelson eine übergeordnete Instanz, aber wahrscheinlich hatten die hektischen Bewegungen und das Rosa, das ihren Hals überzog, seinen Gedanken die Richtung vorgegeben. Er entschuldigte sich leise bei seinem Vordermann, trat aus der Reihe nach vorne und hielt dem Kassierer, den er kannte, einen Schein hin.

Alles zusammen?

Nelson nickte. Die Frau, den Unterarm in ihrer Tasche, schaute auf. Wie Wolken zogen Verdutztheit, Scham, Erleichterung und Wiedererkennen über ihr Gesicht.

Das letzte Mal haben Sie mich gerettet, sagte Nelson, ich freue mich, dass ich Gelegenheit habe, mich zu revanchieren.

Als sie draußen an einem Tisch in der Sonne saßen, entschuldigte sie sich dafür, dass sie ihn damals, im Bus, nicht erkannt hatte. Am nächsten Tag sei ein Porträt in der ›Zeit‹ erschienen, und da erst habe sie begriffen, wen sie unter ihrem Regenschirm zur U-Bahn gebracht habe. Nelson ärgerte sich einen Moment lang, dass wieder einmal so viel festzustehen schien über ihn, dass er nicht ein einziges Mal, wie andere Leute, einfach jemanden kennenlernen konnte und die Ausgangslage war für beide gleich.

Wie bedauerlich, dass Sie diese Zeitung lesen, scherzte er, und sie gab zurück: Ich wette, Sie waren schon in allen.

Nelson gestand, dass er sich selbst manchmal verleugne – oh nein, aber mit diesem Kerl werde ich oft verwechselt – , zum Glück werde er, anders als seine Freunde glaubten, nur sehr selten erkannt. Warum hatte er das gesagt? Es klang selbst in der Verneinung hochtrabend. Sie sah ihn staunend an. Sie war lebendig und so unglaublich anwesend. Sie war für ihn da, jetzt, in diesem Moment. Sie musterte ihn unverstellt, so wie er selbst es vorhin nur aus der Deckung gewagt hatte. Wenn sie sprach, benutzte sie als zweite Stimme eine Anzahl von Gesten, präzise und originelle, kein Gefuchtel. Sie teilte die Luft wie einen Vorhang, setzte Punkte mit dem Zeigefinger und formte mit beiden Händen luftige Körper. Es sah aus wie ein Armballett, ein bisschen nervös, aber rhythmisch. Nelson hielt sich beim Sprechen bewusst vollkommen still. Es war ein Schutz, den diese Frau nicht brauchte. Sie schien ihm jetzt wieder jünger als damals im Bus. Er fragte sie nach ihrem Alter. Er spürte dem Unterschied nach: Du hast laufen gelernt, und ich wurde Vater.

Trotzdem sind wir in der Lage, uns irgendwie primitiv zu verständigen, sagte sie und imitierte dazu die Bewegungen einer Gebärdendolmetscherin.

Manchmal war es so einfach mit anderen Menschen. Er wusste, dass es in seinem Leben nur wenige Nischen gab, erlaubte Umwege, Überraschungen. Er hoffte, sie habe ein bisschen Zeit. Ein, zwei Stunden, sie könnten einander ein wenig kennenlernen, und vielleicht bliebe ihm etwas davon, ein Farbtupfer, ein freundlicher neuer Ton.

Am Nebentisch erwähnte jemand das John-Soane's-Museum; Nelson nahm es als Wink. Sie hatte nie davon gehört, war aber begeistert, dass er es ihr zeigen wollte. Sie hatte zwei Stunden bis zu einem Lunch mit Freunden, die beruflichen Termine, deretwegen sie hier war, fanden erst am nächsten Tag statt.

Wohnst du in London, fragte sie.

Es ist zumindest der Ort, an dem ich die größte Anzahl von Tagen im Jahr bin.

Hast du Kinder, fragte er.

Eins.

Nur eins?

Ich hätte sehr gern mehrere gehabt. Aber.

Aber?

Fehlgeburten.

Das tut mir leid.

Ich spreche nicht gern darüber, sagte sie, es ist doch absurd, dass einem auch die Ungeborenen fehlen.

Es ist nicht absurd, sagte er, ich sehne mich täglich nach meinen Enkeln.

Schummrig und verschachtelt, dazu getränkt von einem skurrilen, irgendwie anarchischen Humor – das Museum des John Soane passte Nelson an diesem Vormittag wie ein bequemer, alter Anzug. Sie waren meistens allein, er und die Frau aus dem Berliner Bus, die seine Tochter hätte sein können, und die selbst, ebenso knapp gerechnet, Enkel hätte haben können, in einem anderen, früheren Leben, zum Beispiel im Mittelalter. Sie war ihm vor die Füße gefallen wie Planetenstaub, und schon war sie ihm lieb und nah, ohne dass er das Ende dieses Zusammenseins gefürchtet hätte. Das beste Leben ist das gegenwärtige; aber meistens kommt einem die Gegenwart blass vor, sodass man fruchtlos und ermüdend an Vergangenheit und Zukunft herumzupft. Wenn die Gegenwart jedoch aufglüht, dann sollte man sich ihr überlassen, dachte Nelson. Das zumindest könnte man von sich verlangen; ohne Neben- und Hintergedanken.

Sie wanderten herum, in vor Fremdheit knisternder Eintracht, zwischen den Gemmen und Götzen, den Gemälden, Sarkophagen und Katzenmumien, mit denen dieser Soane seine Privatgemächer vollgestopft hatte. Eine falsche Krypta, eine gotische Klosterruine im Hinterhof, davor ein zierlicher Grabstein für den Lieblingshund von Soanes Frau: ›Alas, poor Fanny‹. Ein Tisch mit einem Totenkopf, eine Apoll-Statue, ein Abguss aus dem Vatikan, aus dessen Sockel sich eine Schreibtischplatte ziehen ließ, an der Soane gern gearbeitet haben sollte. Im eigenen Haus alle Möglichkeiten von Museumsarchitektur durchspielen zu wollen, was für eine Idee. Hier eine Kuppel, da eine Miniatur von Säulenhalle, und ständig die eigenen Studenten im Wohnzimmer. Heute allerdings machten die Menschen viel privatere Dinge zu Anschauungsobjekten für … was eigentlich? Nelson lehnte Kulturpessimismus ab wie alles, was er für reflexhaft hielt, aber es war leider nicht zu leugnen, dass auch sein intellektuelles Immunsystem im Alter schwächer wurde.

Seine Begleiterin bewunderte vor allem Soanes Spiel mit Licht und Schatten. Sie bemerkte jeden Lichtstrahl, sie verfolgte ihn zurück zu seinem Ursprung, zu einem Oberlicht, einem Durchbruch, irgendeinem von Soanes hunderten Spiegeln.

Er hat mit gerichtetem Licht gearbeitet, bevor es Scheinwerfer gab, stellte sie fest und setzte sich auf die Stufen, die hinunter in die Krypta führten, das ist beeindruckend.

So dachte er später meistens an sie; wie sie im gedämpften Licht auf den Stufen saß und über John Soane staunte, wie sie über ihn, Nelson, lachte, als er unten an die Glasscheibe der Mönchszelle klopfte und mit Kindermonsterstimme rief: Komm heraus, Padre Giovanni! Nelson wusste, dass die Zelle keine Tür hatte, ein toter Raum war, eine weitere Inszenierung. Doch zum Spaß ließ er Xane suchen, nach der Tür, dem Zugang. Sie war sofort eifrig dabei. Erst blieb sie auf den Stufen sitzen und sah sich um, sie suchte also zuerst mit dem Kopf. Sie fragte ihn, ob er glaube, dass sie den Wandteppich hochheben dürfe, oder ob ein Alarm losgehen würde. Er hob lächelnd die Schultern, er hätte den Alarm riskiert, um sie länger beim Schlausein betrachten zu dürfen. Leider kam ein Angestellter herunter und fragte, ob er helfen könne. Wir suchen die Tür zu der Mönchszelle da, sagte Xane und grinste Nelson ins Gesicht, als wäre das ein erlaubter Spielzug. Es gibt keine Tür, erklärte der Angestellte und zeigte ihnen die Stelle, wo das letzte Stückchen Mauer geschlossen worden war, nachdem Soane den winzigen Raum als karge Zelle dekoriert hatte.

Ich habe ein lösbares Rätsel erwartet, kein unlösbares, sagte sie enttäuscht.

Ist ›keine Tür‹ nicht auch eine Lösung?

Nein. Du hast gefragt, wo ist die Tür, nicht, ob es eine gibt, und wenn ja, wo. Das ist ein Unterschied! Gibst du das nicht zu?

Ich gebe alles zu.

Du gibst alles zu? Versprich nicht zu viel!

Was willst du wissen?

Ach – nichts.

Als es für sie Zeit wurde, zu gehen, fragte sie ihn, ob er nicht mitkommen wolle. Es seien alte Freunde, er würde sie mögen, doch Nelson lehnte ab. Er wollte kein Publikum, er wollte keine Rolle spielen müssen, er hätte nicht gewusst, welche. Er wollte sie für sich. Er lernte ohnehin nur ungern Menschen kennen, neben all denen, die er alltäglich kennenlernen musste. Er sagte nichts davon. Er sagte: Nein, danke, ich werde nach Hause gehen. Sie schauten sich an, draußen im Licht, und wussten nicht, wie sie sich verabschieden sollten. Er fragte nach ihrer Telefonnummer. Sie gab sie ihm, fast erleichtert, sie schrieb sie auf die Eintrittskarte des Museums und borgte sich dafür seine Handfläche als Unterlage aus.

Ruf mich an, sagte sie, egal, wann, ich würde mich sehr freuen.

Ich werde mich melden, versprach er, sie umklammerte seine Hand von unten, wie einen Teller, und drückte von oben die Kante ihrer Schreibhand darauf. Er hielt die Karte, hielt die Hand flach, bemühte sich um Ruhe. Danach umarmten sie sich kurz.

Weißt du, Xane, ich mag dich wirklich, sagte Nelson, bevor er sich umdrehte und ging.

Am Anfang des Sommers wurde Oberst R. verraten, gefasst und nach Den Haag ausgeliefert. Er trug keinen Bart wie damals Sadam Hussein, und er hatte aus keinem Erdloch gezogen werden müssen, er sah aus wie früher, nur feister. Wunden brachen auf, alte und neue, selbst in Nelson fanden sich noch Stellen, die schorfig wurden. Er musste viel telefonieren, rund um die Welt, mit Müttern und Witwen, mit verwaisten Menschen wie ihm selbst. Zeugen wurden gesucht und gefunden, nicht nur von den Anklägern, vor allem von den Medien. Ihre Geschichten in den internationalen Zeitungen waren nicht zu übersehen, und nicht die blutigen Schlagzeilen, mit denen man diese Geschichten versah. Am wenigsten zu übersehen war das Foto dieses Mannes, dem Nelson nie selbst begegnet war. Es schien nur ein einziges zu geben, das klein und groß, schwarz-weiß und bunt gedruckt und gesendet wurde. Die Eintönigkeit der immergleichen Aufnahme war eine Qual für sich.

Wenn die Anzahl von Nelsons Verpflichtungen schädlich und er über die dummen Fragen und politischen Widerstände bitter wurde, erinnerte er sich an die ersten Jahre. Er und die paar anderen waren über die Kontinente gewankt wie versengte Tiere ohne Zunge. Nicht, dass man ihnen nicht geglaubt hätte, das wäre ja bereits ein zweiter Schritt, eine Reaktion gewesen. Nein, es hatte so unerträglich lange gedauert, bis man sie überhaupt hörte und verstand.

Die Zeit, die verstreicht, ohne dass auf etwas Ungeheuerliches geantwortet wird, kann Menschen in den Selbstmord treiben. Wenn es ein Urvertrauen gibt, gibt es vielleicht auch ein Weltvertrauen, das nicht zerstört werden darf. Das hatte er in den frühen Jahren oft gesagt. Den Teil mit dem Selbstmord ließ er inzwischen weg, weil er den Zusammenhang für ungünstig hielt. Wer etwas will, muss lästig sein. Das eigene Verschwinden ist keine Drohung.

Einige aus der Versengtengruppe hatten sich umgebracht. Nelson erinnerte öffentlich mit ebensolchem Nachdruck an sie wie an die grabsteinlosen Opfer. Aber er selbst musste vital wirken, unverdrängbar. Das war er dem Teufel schuldig, der ihm wieder öfter in den Kragen hauchte, seit R. hohngrinsend in Haft saß, am liebsten im Schlaf.

Manchmal rief er die Frau in Berlin an. Das erste Mal rief er an, als er eines Morgens auf einen Hotelbalkon trat und unter ihm ein Blumenmeer wogte. Einen Moment lang war alles um ihn Farbe und Duft. Er atmete ein, ging zurück, zerrte das Telefon am langen Kabel heraus und sprach mit ihr, den Blick nach unten gerichtet, bis die einzelnen Blüten verschwammen.

Es war schön, deine Stimme zu hören, du klingst vergnügt, sagte er.

Wahrscheinlich, weil du angerufen hast. – Nelson?

Ja?

Wie kann ich dich erreichen?

Du kannst meiner Agentur mailen. Vivian Rear. Sie wissen immer, wo ich stecke, und ich rufe dich zurück.

Deine Handynummer gibst du mir nicht?

Ich … muss darüber nachdenken.

Ein anderes Mal rief er im Frühherbst an, als er nach langer Zeit ein freies Wochenende hatte. Er war bei Vivian und ihrer Familie zu Besuch, er hatte gelegentlich sieben Stunden am Stück geschlafen und war täglich schwimmen gewesen. Sein eigener Körper schien ihm wieder fest umgrenzt, von einem Schwerpunkt aus kontrollierbar, kein schwammiges Gebilde mit pochenden Rändern. Der Prozessauftakt kam näher, und es gelang ihm, die Nachtbilder zu verdrängen, ruhiger zu werden, gepanzert. Wahrscheinlich warf sein Kopf die letzten Reserven in die Schlacht.

Nächste Woche muss ich nach Brüssel, sagte sie.

Ich auch!

Im Ernst?

Warte, bleib dran, ich habe hier irgendwo einen Reiseplan – Mittwoch. Mittwochnachmittag habe ich ein paar Stunden frei.

Ruf mich an, ja?

Bis dann.

Bis dann, ja.

Er freute sich auf sie, gleichzeitig zweifelte er an sich. Verdarb er durch die Verabredung London, den Zufall eines herrlichen Nachmittags? Wurde daraus bereits eine Geschichte? Dann sollte er sich wohl über deren Fortgang Gedanken machen. Er war ein alter Mann, im Vergleich zu ihr. Denkt nicht jeder jüngere Mensch darüber nach, ob die eigenen Eltern noch miteinander schlafen, und befindet sie, befremdet, als zu alt dafür? Als er fünfzehn war, waren seine Eltern noch keine vierzig. Jünger also als Xane, die ihn nicht ansah wie einen alten Mann und sich auch nicht so verhielt. In London hatte er ihr gesagt, dass er gern zuhöre, wenn sie Deutsch spreche. Am Telefon hatte sie ihm gesagt, dass sie seither an ihn denke, wenn sie abends ihrem Kind vorlese.

In einem anderen Leben hätte er gern ausprobiert, wie es wäre, mit ihr zu schlafen, daran bestand kein Zweifel. Aber das war nicht das Wichtigste; er hatte ja Vivian, die sichere, genau bemessene Lust.

In einem anderen Leben hätte er allerdings gedacht, dass es sich lohnen könnte, mehr zu wollen als von Vivian.

In einem anderen Leben hätte er sie nie kennengelernt! Da hätte er, wie Generationen seiner Familie zuvor, mit seinen Söhnen sein kleines Land bewirtschaftet, auf die eine oder andere Weise. Hätte mit Sicherheit kürzer gelebt als der westliche Durchschnitt. Das konnte immer noch geschehen. Sie waren keine Bauern gewesen, aber zu manchen Zeiten hatten sie welche sein müssen. Nelsons Vater war Friseur gewesen; der Großvater Busfahrer. Aber die Geschichte seiner Familie in jenem Land war vorbei, die Geschichte seiner Familie insgesamt. Beendet mit einem großen, sternförmigen Blutfleck an der Hausmauer, der wohl zum Großteil von seiner Frau und dem jüngsten Kind stammte.

In einem belgischen Café lächelten Xane und er einander über Schlagsahnebergen zu. Xane wirkte angespannter als zuletzt. Man sollte weniger nachdenken. Das sagte er laut.

Wenn das so einfach wäre, antwortete sie. Sie sah ihn prüfend an, dann holte sie eine Kamera aus ihrer Handtasche und legte sie auf den Tisch. Ich möchte ein Foto von uns beiden, sagte sie.

Nelson lächelte abwehrend.

Nicht was du denkst, sagte sie.

Was denke ich?

Als wollte ich ein Autogramm von dir. – Leg deine Hand hierhin.

So?

So.

Sie legten ihre Hände nebeneinander auf die Tischplatte, mit leicht gespreizten Fingern, ihre Daumen berührten sich. Sie zeigte ihm das Foto, eindeutig nur zwei Hände auf marmoriertem Untergrund, daneben ein Teller mit Schokoladentorte. Sie fragte ihn, ob er sich auch die Ohren zutraue. Sie steckte eine Haarsträhne hinter ihrem Ohr fest, rutschte um den Tisch herum und lehnte sich an ihn, den Kopf ein bisschen abgewandt, damit nichts anderes aufs Bild käme als die Ohren. Das Ergebnis war verschwommen und überbelichtet, es sah aus wie diese Kunstpostkarten, die auf Kneipentoiletten zum Mitnehmen bereitlagen.

Für die CIA würde es trotzdem reichen, sagte sie herausfordernd, und er sagte: Die CIA macht bessere Fotos.

Natürlich dachte er manchmal über sie nach. Er nahm an, dass ihre Ehe unglücklich war, obwohl sie nie etwas dergleichen erwähnte. Vielleicht war sie bloß schal geworden, die Ehe, über die Jahre. Sie liebte ihr Kind, er vergaß nie, sie danach zu fragen. Ihr Überschwang für das Kind ähnelte dem, den sie ihm entgegenbrachte. Eine wilde Liebe, die in seinem Fall in einem respektvollen Käfig blieb. Sie rüttelte durchaus manchmal daran. Sie hätten Zeit gebraucht, um herauszufinden, ob das spontane Gefühl irgendwohin trug. Aber sie hatten keine Zeit, nicht im Sinn von wenig, sondern im Sinn von null.

Als er in Brüssel von ihr wegging, wärmte ihm ihre Empörung das Herz. Er hatte ihr förmlich die Hand geben müssen, weil in ihrem Rücken Menschen aufgetaucht waren, die ihn kannten.

Es gibt manches, was du nicht weißt, was ich auch nicht erklären will, sagte er, ihre Hand in seiner, aber du kannst mir glauben, dass ich dir nichts verheimliche. Mir scheint nur jedes Wort darüber verschwendet, wenn ich dich sehe.

Ich glaube manchmal, du bist vollkommen paranoid, zischte sie. Es hatte sich eingebürgert, dass sie ihm ihre Zuneigung vor allem als Verdruss verkleidet zeigte. Sie warb, aber kam nicht weiter, er hielt sie auf Armeslänge Abstand. Als Wütende bewahrte sie ihre Souveränität. Wütend war sie keine Bittstellerin, sondern jemand, dem man seinen Anteil verwehrte.

Nelson verstand das genau, und ihr Temperament zog ihn ungemein an, solange sie zusammen waren oder er mit ihr telefonierte. Die Erinnerung an sie behandelte er vorsichtig und holte sie nur selten hervor. Jetzt trug er wieder sein regloses Lächeln im Gesicht, die Außenhaut, die undurchsichtige, nickte noch einmal und ging, aufrecht, schmal, unauffällig.

Ich habe lange nichts von dir gehört, sagte sie.

Hör zu, Xane, wenn dir meine Anrufe eine Last werden, oder es quälend wird, weil du darauf wartest …

Falls ich warte, ist das meine Sache.

Ich will nur, dass es dir gut geht.

Dann ruf mich öfter an.

Gerade das kann ich nicht.

Was heißt das, du kannst nicht?

Ich kann nicht, und es wäre nicht gut.

You're the boss after all, aren't you?

Drei Wochen nach Prozessbeginn erlitt Nelson einen zweiten Schwächeanfall. Schlecht daran war, dass es im Gerichtsgebäude geschah, gut, dass er wenigstens aus dem Saal hinaus war. Der Oberst war längst weit weg, in seiner Zelle. Trotzdem wurde es an die große Glocke gehängt, vor allem wegen einer Platzwunde an der Stirn, die lächerlich spritzte. Diesen Journalisten fiel jedes Detail wie von Zauberhand in den vorgefertigten Bezugsrahmen. Es war schlicht undenkbar, dass jemand bloß wegen der Wetterlage, schlechter Luft oder seiner Hypotonie schwächelte. Nein, es musste schon der Anblick der Bestie sein!

Vivian empfing Genesungswünsche aus der ganzen Welt, von Regierungen, Botschaftern, Organisationen. Er saß im Bett, im Rücken zwei Kissen, und ertrug zum ersten Mal nicht einmal sie. Bitte geh, sagte er und sprach sehr leise, um seinen Worten die Schärfe zu nehmen, ich muss nachdenken.

Am übernächsten Tag stand er auf und ging ins Gericht, unberührbar zwischen den Kameras und Mikrofonen durch. Ein Stück des dicken Pflasters ragte über die Augenbraue in sein Gesichtsfeld, damit er es bloß nicht vergaß.

Er saß und ließ die zähe Zeit durch sich hindurchgehen. Gutachter, Zeugen, Pathologen zogen an ihm vorbei, Befehlsketten wurden aufgerollt und angezweifelt, Erinnerungen zerpflückt. Vor Jahren hatte Nelson einen Aufsatz gelesen, der, wiewohl moralisch zerquält, dem Tyrannenmord, dem Standgericht zumindest eine systematische Berechtigung zubilligen wollte. Das Argument war die Verhältnismäßigkeit der Zeit gewesen. Setze Menschen unter Zeitdruck, und du bringst sie zu fast allem: Massaker, Pogrome, Lynchjustiz, das alles geht vor allem – schnell. Ein paar Stunden, ein paar Tage, ein paar Wochen, wen ich nicht gleich umbringe, der bleibt womöglich am Leben. Aber diese Eruptionen soll man anschließend so detailliert untersuchen wie die vollständigen Flugbahnen aller Einzelteile einer Granate? Man bräuchte die millionenfache Zeit dafür, und selbst wenn man sie hätte, verfälschte ihr Vergehen die Wahrheit in einem tieferen Sinn. Der Scherge weiß es selbst nicht mehr, bei all dem Adrenalin, das in ihm pochte, aber der Zeuge muss es wissen, wer zuerst umgebracht wurde, das Kleinkind oder die Großmutter. Und er muss beweisen, dass er das aus seinem Versteck so genau sehen konnte.

Nelson verschob alles, was von ihm verlangt wurde, auf *danach*. Vivian sammelte die Anfragen. Er konnte nichts entscheiden oder zusagen. Er ging ins Gericht, danach legte er sich ins Bett und schaute an die Decke. Zwischendurch zwang ihn Vivian zu Mahlzeiten, die er absolvierte wie Arztbesuche. Er steckte in einem Tunnel aus gleichförmiger Zeit. Das war keineswegs unangenehm. Draußen war es ihm zu hell.

Als eine weitere Woche anbrach, legte Vivian ihm während des Frühstücks trotzdem zwei Blätter hin, Nachrichten aus der Außenwelt. Zumindest das erste, bat sie, da nahm er beide. Das Erste war von seinem alten Freund. Er hatte sich geweigert, nach Den Haag zu kommen, er hatte angekündigt, keine Zeitungen zu lesen und eventuell sogar den Fernseher aus dem Fenster zu werfen, Nelson solle ihn aber anschließend besuchen und berichten, wie es gewesen sei. Jetzt schrieb er: Kannst du kommen? Ich halte wahrscheinlich nicht mehr lange durch.

Das Zweite war eine Nachricht von Xane, der es gelang, ihre Mail formell und dennoch persönlich klingen zu lassen: Wenn Sie ihm bitte nur mitteilen könnten, dass ich mich gemeldet habe. Er kann mich jederzeit anrufen, ich wäre sehr dankbar.

Er bat Vivian, für Donnerstag einen Flug zu buchen.

Auf dem Hinweg, als er sich noch für einen Helden der Freundschaft hielt, rief er Xane an.

Ich steige gleich in die U7 Richtung Rudow, sagte er ohne Begrüßung, eine hinreißende Frau hat mir einmal den Weg gezeigt.

Sie freute sich, aber sie klang aufgeraut. Ihr Kind sei krank gewesen, mehrere Wochen lang, jetzt sei es noch schwach, aber auf dem Wege der Besserung. Im Hintergrund hörte Nelson es rufen. Er sagte ihr, dass er zwei Tage bleibe; ob sie irgendwann ein bisschen Zeit habe? Sie vereinbarten ein Mittagessen am nächsten Tag, sie würde ihn vom Hotel abholen.

Er ging durch die Vorstadt, die an manchen Stellen wirkte, als hätte sich ein Spießer als Nutte verkleidet oder umgekehrt. Beim letzten Mal hatte ihm sein Freund dazu eine Theorie serviert: Dieser südöstliche Rand Westberlins sei psychisch – auch architektonisch – genauso depressiv-eintönig wie der frühere Ostteil, habe das aber durch einen Überschuss an Neonreklamen angestrengt vergessen machen wollen. Alles blinkte, dazwischen brach es grau hervor. Sein Freund hatte behauptet, für ihn sei es der perfekte Rückzugsort. Die Vorteile der Großstadt und des Dorfes vereint, dazu diese knarzigen Menschen, die einen in Ruhe ließen. Er bewohnte ein einstöckiges Mehrfamilienhaus aus den Dreißigerjahren, der schmale Garten rundum genauso, wie es das Klischee über die Deutschen wollte: keine Blumen, sondern Bodendecker, keine Obst-, sondern Weihnachtsbäume. Drinnen aber war es überraschend licht, wie frisch lackiert.

Nelson war mit diesem Freund aufgewachsen. In einer seiner frühesten Erinnerungen reparierten sie zusammen einen Tretroller, der keinem von beiden gehörte. Warum sie das taten, ob sie einen Schaden verschuldet hatten – Nelson wusste es nicht mehr. Auch ihre Frauen waren Freundinnen gewesen. Als er das letzte Mal zu Besuch war, hatte Nelson ein Foto bemerkt, auf dem die Frauen Mädchen waren, vergnügt aneinandergelehnt. Er hatte sich so gesetzt, dass er das Bild im Rücken hatte, und seinem Freund von dieser vermeintlichen Deutschen erzählt, die ihn so freundlich zur U-Bahn gebracht hatte.

Diesmal standen Polizei, Notarzt und ein Leichenwagen in der Straße. Nelson blieb trotzdem nicht stehen, er ging entschlossen auf das Haustor zu, als würde solcher Mut belohnt. Er kam bis zur Wohnungstür seines Freundes, die offen stand. Dort wurde er aufgehalten, von einer Nachbarin als früherer Besucher erkannt, in Gespräche verwickelt, die an der Sprache scheiterten. Von irgendwoher wurde ein Student geholt, der leidlich Englisch sprach. Der Polizist wollte keinerlei Auskünfte geben, sondern nur Fragen stellen. Der Student war so freundlich, ihm anschließend zu erzählen, was die Nachbarn sagten, obwohl es so gut wie nichts war. Er sei krank gewesen, Nelsons Freund, behauptete die Nachbarin, sehr krank, obwohl er alles noch selbst habe erledigen können. Als er zwei Tage lang nicht gesehen worden sei und die Tür trotz Klingelns nicht geöffnet habe, habe sie sofort Hilfe geholt. In der Wohnung seien seither nur die Polizisten und die Rettungskräfte gewesen, und die hätten nichts gesagt. Nelson fragte, ob ein Selbstmord denkbar sei. Als der Student übersetzte, schlug sich die Frau die Hand vor den Mund. Diese Frau hatte seinen alten Freund täglich gesehen, im Gegensatz zu ihm. Er hinterließ die Adresse seines Hotels und Vivians Karte.

Als er sich in die Richtung wandte, aus der er gekommen war, lag die Straße, standen die Ziertannen genauso trotzig da wie vorhin. Wenn man den Leichenwagen im Rücken hatte.

Von den folgenden achtzehn Stunden wusste er nicht viel. Er hatte sich Essen aufs Zimmer bestellt und ferngesehen, wohl auch geschlafen. Am nächsten Morgen stand er wie gewohnt auf, wusch und rasierte sich, zog sich an, legte sich anschließend aber wieder aufs Bett. Die Zimmerdecke war beige und hellgelb gestreift, am Sprinkler tanzte ein Staubfaden hin und her. Er schlief ein. Irgendwann läutete das Telefon, und Xane wurde gemeldet. Er sagte, ich komme sofort, aber noch bevor der Concierge den Hörer auflegte, änderte er seine Meinung und verlangte, sie zu sprechen. Er bat sie, heraufzukommen, und nannte ihr die Zimmernummer. Danke, sagte er, als sie zögernd hereinkam, danke, er zog sie ins Zimmer und verriegelte die Tür. Er schob einen Sessel nahe an sein Bett und setzte sie hinein. Als er die Hände von ihren Schultern nahm, stand sie wieder auf und zog den Mantel aus. Er setzte sich auf sein Bett, das er eilig mit der Tagesdecke bedeckt hatte. Er rückte an den Rand, ihr entgegen, und umfasste ihre Handgelenke mit Daumen und Zeigefinger.

Endlich, sagte er.

Du siehst grauenvoll aus, sagte sie.

Wie charmant.

Das ist kein Witz, du siehst aus, dass man erschrecken könnte.

Erschrecke ich dich?

Ich bin nicht sicher.

Sie erzählte von ihrem Kind, von der Krankheit, die es gehabt habe, dass es jetzt sehr dünn sei, aber wahrscheinlich viel gescheiter. Die Kinder werden krank, aber danach haben sie jedes Mal einen geistigen Sprung gemacht, das sei faszinierend. Nelson erwiderte, diese Fähigkeit nehme im Alter nicht nur ab, sondern verkehre sich ins Gegenteil. Es wäre interessant, die Krankheit zu kennen, die die letzte gewesen sei, bei der man klüger geworden sei. Den Scheitelpunkt. Noch während man sie habe, oder erst Jahre später, im Rückblick, wollte Xane wissen, und er drehte die Handflächen nach außen.

Und du? Was ist mit dir, fragte sie, sie habe es in der Zeitung gelesen, sie deutete auf seine Stirn.

Du willst nicht darüber reden?

Es gibt nichts zu sagen, mir fällt nichts mehr ein, sie werden ihn verurteilen, aber juristisch wird es an einem seidenen Faden hängen, und das stärkt die Position dieses Gerichtes nicht gerade. Ein Kompromiss. Für die einen zu viel, für die anderen zu wenig.

Warum bist du eigentlich da, fragte sie.

Ich musste dich sehen, sagte er.

Nelson!

Okay. Ich musste meinen Freund besuchen, da draußen, du weißt schon. Er wollte mich unbedingt sehen.

Und? Alles in Ordnung mit ihm?

Danke, ja, so weit.

Als er sich zu ihr beugte, an ihrem Gesicht blieb und mit seinen Lippen ihre befühlte, zuckte sie nicht zurück. Aber sie blieb still, wie erschrocken, sie kam ihm nicht entgegen. Wer hatte denn gesagt, dass es so gehen müsste wie mit Vivian? Sie hatte es gesagt, ohne Worte, all die Monate, seit sie sich kannten. Zumindest hatte er es so verstanden.

In letzter Zeit, wenn er mit Vivian schlief, hatte er manchmal an Xane gedacht, an ihre Augen, wie sie Fratzen zog, um ihm zu zeigen, wo sie überall Falten hatte, beziehungsweise, wo sie sich liften lassen müsste, um jünger auszusehen. Es war einerseits rührend, wie sie über das Altwerden klagte, als wollte sie ihm auf diese Weise näherkommen und womöglich einen Teil der Jahre vergessen machen, die zwischen ihnen lagen. Andererseits legte es offen, wie sie über ihn dachte. Dabei fühlte Nelson sich nicht alt. Wer etwas Wichtiges zu erledigen hat, kann sich nicht allzu alt fühlen. Und wer seinen Toten nahebleiben will, der muss sich länger in dem Alter wähnen, in dem er sie verlor. Also schwamm er innerlich gegen den Strom der Zeit, und es kam ihm gar nicht sinnlos vor.

Die Frau schob ihn vorsichtig weg, nur eine Handbreit. Einen Moment lang war er überrascht, dass es Xane war und nicht Vivian. Seine Hände und Lippen hatten das Vivian-Programm begonnen, obwohl hier die echte Xane saß. Das war peinlich, und unmöglich zu erklären. Es ist kein Kompliment, einen Liebesakt schon mit einem Platzhalter durchgespielt zu haben, sodass der Sinn für den wahren und einzigartigen ersten Moment verloren geht.

Sie sah ihn unerforschlich an und bat um etwas zu trinken. Kaffee oder etwas Kaltes, fragte Nelson, und ob sie lieber hinunter ins Restaurant gehen wolle. Sie zögerte.

Wir können hierbleiben, sagte sie.

Nelson bestellte telefonisch Kaffee, sie setzten sich zurecht, sie warteten, dass die Getränke gebracht wurden. Er fragte nach ihrer Arbeit, das war wenigstens ein Thema.

Als sie ihren Kaffee getrunken hatte, trank sie das Wasser. Danach griff sie nach einem kleinen verpackten Keks, packte ihn aus und aß ihn. Er bot ihr seinen an, sie nahm ihn. Sie drehte ihn zwischen den Fingern, sie spielte damit, anstatt ihn zu essen. Einmal ging sie zur Toilette, zweimal kontrollierte sie ihr Mobiltelefon.

Schließlich zog Nelson den Tisch, der zwischen ihnen stand, zur Seite und streckte die Hand nach ihr aus.

Nelson, ich möchte dich etwas fragen.

Hm?

Hast du jemals darüber nachgedacht, abzuschließen? Ich meine, das Vergangene vergangen sein zu lassen? Wir Menschen vergessen alle, früher oder später, aber vielleicht muss man das zulassen, als einen natürlichen Prozess?

Du meinst, ich soll die Toten in Ruhe lassen und nicht dauernd den Deckel heben und nachschauen, ob sie noch tot sind?

Entschuldige. Es ist wohl die falsche Frage.

Gar nicht, Xane, es ist eine gute Frage. Und ich habe sie mir oft gestellt. Aber so, wie du es formulierst, klingt es aktiv. Es ist aber passiv. Es passiert, so oder so. Manche lassen früher los, andere nie. Ich glaube, darum kann man sich nicht bemühen.

Wenn er so mit ihr sprach, schien sie die Situation zu vergessen, in der sie waren. Es war offenkundig besser, wenn sie sie vergaß. Sie schaute ihn versonnen an, beinahe gläubig. Er hatte schon früher bemerkt, dass ihn das, was geschehen war, von den anderen Menschen glatt abtrennte, nicht nur aus seiner, sondern auch aus deren Sicht. Er war der Gezeichnete, dem man aus frommem Glauben an eine bannende Wirkung zuhörte, sobald er zu sprechen begann. Das war gefährlich, es war verführerisch und obszön. Für Xane stimmte das noch am wenigsten. Einmal hatte sie ihn gefragt, ob er mit seiner Frau glücklich gewesen sei. Natürlich durfte man Fragen stellen, die keine Rücksicht darauf nahmen, ob einer lebte oder tot war. Man sollte sie vielmehr genauso stellen, als ob alle noch lebten. Dann hatten die Toten zumindest theoretisch noch einmal die gleichen Rechte.

Beantwortet hatte er die Frage aber nicht, weil er gedanklich nicht mehr hinter den Blutfleck an der Hausmauer zurückkonnte. Das war wie ein Naturgesetz. Alles, was einmal klar gewesen war, war mit diesem Fleck verkleistert. Wenn er sich um Erinnerungen bemühte, tastete er sich bloß an etwas Dunkles, Nebliges heran, was unheimlich war. Als müsste er mit verbundenen Augen in einen Schacht springen.

Er hielt ihr Handgelenk fest. Xane schaute ihn an. Er beschloss, sie weiter zu küssen. Dafür waren sie doch da. Sie war in sein Zimmer gekommen. Sie hatte immer schon in sein Zimmer kommen wollen. Jetzt brauchte er sie. Jetzt hatte sich, unwahrscheinlich genug, die Wirklichkeit geöffnet und einen Spalt gelassen, ein Stück Parallelwelt. Er war gar nicht richtig da, und sie auch nicht, vor wenigen Tagen schien es noch gewiss, dass sie zu diesem Zeitpunkt nicht am selben Ort wären. Jetzt waren sie es dennoch. Daher konnten sie alles tun, wonach ihnen war. Es war nicht justiziabel. War ihr das nicht klar?

Sie küsste ihn höflich, als wäre Küssen eine exzentrische Verzierung des normalen Umgangs, nicht der zarte Beginn von etwas Überwältigendem. Sie setzte ab, blieb aber an seinem Mund und flüsterte: Nelson, und was ist mit deinem Auge passiert?

Auge? Wieso? Was ist damit?

Dein rechtes Auge hat plötzlich eine andere Farbe!

Nein, natürlich musste man nicht miteinander schlafen, nur, weil es zufällig Gelegenheit dazu gab. Es war bestimmt auch seltsam, dass Geschlechtsverkehr als Ultima Ratio des menschlichen Miteinanders angesehen wurde, wobei Ratio das falsche Wort war. Er verstand schon. Als höchstes oder tiefstes Ziel. Ein Orgasmus ist großartig, aber dafür, wie kurz das dauert, wird vielleicht zu viel Aufhebens darum gemacht?

Dass es eine Mutprobe war – springt man oder springt man nicht –, hatte Nelson noch nie so empfunden, aber bitte, aus weiblicher Sicht … Dass es entsetzlich peinlich war, sich wissentlich so nah an die Absprungkante zu begeben und dann doch nicht zu springen, nur zu schauen, ob dahinter wirklich der Abgrund an verbotenen Möglichkeiten war, versuchte er ihr auszureden, mit kleinen, sehr zärtlichen Küssen hinter die Ohren, wo es angenehm roch. Immerhin lagen sie inzwischen umschlungen auf seinem Bett. Allerdings mit viel Stoff dazwischen.

Natürlich war es etwas anderes, wenn man jemanden betrog. Es änderte bestimmt etwas, wenn man nachher nach Hause ging und dem anderen ins Gesicht schaute, beziehungsweise nicht mehr wusste, wie man schauen sollte. Er stimmte auch zu, dass Menschen hochkomplexe Wesen seien, die sich auf so viel geheimnisvollere Weisen näherkommen konnten als über den ritualisierten Abruf von Körperzuständen. Er fand allerdings, dass sie hier zu sauber trennte. Banaler Abruf von Reizen mit irgendwem, nur um der Reize willen – geschenkt. Aber in komplexen Beziehungen wurde doch auch der Sex komplexer, das, was er sein und, na ja, transzendieren konnte. Aber das sagte er nicht, denn der geringste Widerspruch hätte hier zu emotionalen Zerrüttungen führen können. Schon seine Verblüffung darüber, dass sie seine verschiedenfarbigen Augen niemals bemerkt haben wollte, hatte ja diese Geständnislawine ausgelöst.

Nelson lächelte in ihre Haare hinein. Sie hatte Angst. Sie hatte nicht damit gerechnet, sie hatte die türlose Mönchszelle damals für einen eleganten Hinweis gehalten, der die Grenzen ihrer Beziehung absteckte. Eine kleine Kränkung verspürte er, zwischen den Beinen, aber er konnte sich nicht beschweren. Er lebte auf einem Berg von fahlen Scherben, und er hatte sich von ihr nur einen Funken, einen freundlichen Ton gewünscht. Nun lagen sie da und hielten sich eine Weile aneinander fest. Xane versteckte ihr Gesicht wie ein Kind in seiner Halsbeuge. Sein ältester Freund aber lag in einer Kühlkammer, und wo die anderen waren, wusste wahrscheinlich nicht einmal das Schwein im Den Haager Glaskasten.

Wann sehe ich dich wieder, fragte sie, und er schüttelte den Kopf. Er hatte keine Ahnung. Man konnte nicht sagen, was kam, aber vor allem wusste er nicht, wie er sein würde. Er brachte sie hinunter in die Halle, dort gaben sie einander die Hand. Einen ironischen Mundwinkel konnte sie sich, mitten in ihrer Verwirrung, nicht verkneifen.

Als sie in die gläserne Drehtür trat, straffte sie sich. Das fiel ihm auf, und deshalb schaute er ihr noch einen Moment nach. Sie verließ die Drehtür, machte ein, zwei Schritte und war weg, so plötzlich, als hätte sich unter ihr eine Falltür geöffnet. Er hätte an Einbildung geglaubt, wenn dabei ihr Kopf nicht auf eine unnatürliche Weise zur Seite abgeknickt wäre. Er rannte hinaus und dachte später lange und bitter über seine Assoziationen nach, darüber, wie eiskalt es ihm im Brustkorb geworden war. Wie nahe der Teufel immer noch war, wahrscheinlich blieb er da bis zum Schluss. Nein, sie war nicht erschossen worden, weil sie in seiner Nähe gewesen war, sie war auf keine Mine getreten und von keiner Granate zerfetzt worden. Sie hatte sich verknöchelt und war die paar Stufen vor dem Hotel hinuntergefallen, nichts weiter. Als er sie erreichte, war sie schon wieder auf den Knien. Sie lachte, obwohl sie sich wehgetan hatte. Sie streckte ihm eine Hand entgegen und ließ sich hochziehen.

Geht es, fragte er, und sie sagte: Wie unglaublich blöd von mir.

Beide schauten erst auf ihre aufgeschürfte Handfläche, dann fielen sie sich in die Arme, heftig und bestürzt wie Überlebende. Als er sie losließ, fuhr ein Bus vor und entließ, als ob er platzte, einen Schwall junger Leute, in deren Mitte sie mit einem Mal standen. Sie bahnte sich ihren Weg durch Lärm und Unruhe und hob noch einmal, ohne sich umzudrehen, die Hand, als würde sie ihn heimlich grüßen. Die Türen schlossen sich, und das Licht stand so, dass das Glas weiß schien und er nichts mehr von ihr sah.

Angenehm ist es, zur rechten Zeit ein Narr zu sein.

– Horaz –

7 Ich lebe so, wie ich es immer wollte. Ich habe nicht mehr, wie in den ersten Jahren, beim Einschlafen Herzrasen, weil dieses alltägliche Pasticcio aus Unordnung, Geschrei, Fieberzäpfchen, Fischstäbchen, Brechdurchfall, Sand auf dem Sofa, Lego im Bad, nutellaverschmierten Handtüchern und der Selbstverpflichtung, die Nachmittage mit lähmend langweiligen Spießern zu verbringen, nur weil sie ebenfalls Kleinkinder haben, mich zu erschlagen drohte wie eine Grabplatte. Der einzige echte Ausweg, als Rabenmutter bei Nacht und Nebel nach Australien, im Flugzeug schluchzend an ein Päckchen Kreditkarten geklammert, war so realistisch, wie sich den Arm abzuhacken.

Um sich halbwegs menschenwürdig zu fühlen, braucht es inzwischen nur ein gewisses Organisationstalent. Gegen Bares passen die größeren Kinder abends auf die kleineren auf, und selbst ein paar erschöpfte Tage Wellness zu zweit sind drin, wenn man Wochen vorher den Schnäppchen-Flug für eine Großmutter bucht. Oder wenn die schwulen Freunde unversehens Lust auf ein Brutpflege-Wochenende haben, das sie aber erst langfristig in ihrem Businessplan unterbringen müssen.

Spontaneität wird ohnehin überschätzt.

Doch, die Kinder geraten gut. Die beiden Älteren

haben, scheidungs- und pubertätsbedingt, ein paar Macken, das jüngste Kind ist dafür ein reiner, edler Sonnenschein. Das ist ein Kredit auf unsere Nerven, den wir in der Pubertät vermutlich auf Heller und Pfennig, auf geknallte Tür und ›fick dich‹ zurückzahlen werden.

Den Mann gefunden zu haben, bleibt das eigentliche Wunder. Nie hätte ich mir vorstellen können, so viele Jahre mit ein und demselben Menschen zu verbringen, ohne dass es eine Qual aus Altbekanntem, kalt Durchschautem und Unerträglichem wird. So wie damals mit den Eltern.

Im besten Fall, glaubte ich, würde es langweilig. Mor ist manchmal haarsträubend eitel, lebenstechnisch ungeschickt, kritikunfähig, übertrieben fürsorglich, golemhaft unaufmerksam, aber langweilig? Nie. Natürlich kennen wir die obligatorischen Beziehungs-Zahnpastatuben, auch wenn es bei uns Mors benutzte Kaffeelöffel sind, die in der ganzen Wohnung, auf allen nur denkbaren Oberflächen abgelegt werden. Ich dagegen falte Pappkartons nicht zusammen, bevor ich sie in die Altpapierkiste lege, sondern steige in jene Kiste, wenn sie zu voll wird. Das macht Mor wahnsinnig.

Wir haben Eigenschaften in die Beziehung mitgebracht, die wir aneinander weiterhin fremd und seltsam finden werden. Wir haben in der Beziehung Eigenschaften erst entwickelt, die den anderen tödlich nerven. Aber unser Grundverhältnis zur Welt ist ein ähnliches. Wir mögen dieselben Menschen, und wir lehnen andere aus ähnlichen Gründen ab. Wir sind ehrgeizig und wollen unsere Sache gut machen, egal, ob die Sache gerade Beruf, Kindererziehung, Selbstbeherrschung oder Zubereitung eines mehrgängigen Abendessens heißt. Wir amüsieren oder ärgern uns meistens über dieselben Dinge. Mor bringt mich oft zum Lachen, das ist eine seiner besten Eigenschaften und ein besonderes Talent. Was Humor betrifft, bin ich anspruchsvoll. Denn dümmliche Witzler gab es in meinem ersten Leben, dem österreichischen, wahrlich genug.

Er sieht immer noch gut aus, auch wenn er dicker und grau geworden ist. Er ist ein hinreißender Vater, gerade, weil er Unsicherheit und Kränkung auch Kindern gegenüber schlecht verbergen kann. Ich eigne mich besser zum Gefängniswärter, zum Stasi-Verhörer mit Pokerface. Andererseits bin ich es, die funkenschlagend ausflippt, um den Kindern klarzumachen, dass auch Eltern Menschen sind und keine verdammten Verständnis-Roboter. Mor hat mehr Mitte, ich habe mehr Extreme, auf der positiven Seite sind das Mütterlichkeit, Verwöhntalent. Wir sind ein gutes Team.

Es geht uns gut. Die Lebensmitte ist sicher und berechenbar wie eine ungestaffelte Warmmiete. Befristet ist sie, klar, aber für wie lange? Da kann man nur hoffen. Meine Eltern und Mors Mutter sind noch am Leben, auch wenn ihnen das brutale Alter schon ein paar unbedeutendere Fähigkeiten weggeschossen hat. Gepflegt werden muss keiner, dafür haben wir ohnehin erst Zeit, wenn die Kinder aus dem Haus sind.

Und trotzdem genügt das alles manchmal nicht. Trotzdem wird jedes Paradies irgendwann zum Käfig. Das liegt dem Menschen im Blut. Irgendein Zweifel fällt ein, ein Schatten, es gibt eine minimale Verschiebung des Lichts. Und dann werden wir krank und unvernünftig, wir wollen uns häuten. Hier, vor mir, sitzt wieder eine Infizierte, die für eine Weile fiebriger ist als wir anderen. Ich war auch schon infiziert, mehrmals leicht, aber es ging immer verlässlich vorbei. Wenn es eines Tages nicht vorbeigehen sollte, hätte man ein Problem. Davor fürchte ich mich unsagbar, gleichzeitig soll es bitte eine reelle Möglichkeit bleiben. Dass eines Tages doch noch etwas geschieht, das stärker ist als man selbst, etwas, das man weder wegdiskutieren, noch aussitzen, noch auslassen kann.

Meine Freundin Krystyna hat sich verliebt, nach dreizehn Jahren Ehe zum ersten Mal. Das schwört sie, beides. Ihre Augen und Haare glänzen, die Männer drehen sich wieder nach ihr um; wir alle glaubten ja von uns, das sei für immer vorbei. Als sie auf mich zuschwebte im kurzen Rock, habe ich überlegt, ob sie noch einmal schwanger sein könnte, in ihrem Alter. Das hätte mir einen Stich gegeben, denn sie hat schon zwei Kinder, eines mehr als ich. Ein Baby ist es nicht, sondern ein Mann. Es gelingt mir problemlos, alle Gedanken an Richard, mit dem ich länger befreundet bin als mit ihr, wegzuschieben und mich auf ihre Geschichte einzulassen, als wäre sie ein Roman.

Sie bedeckt mit den Händen Augen und Mund, während sie erzählt. Ein seltenes Phänomen, bekannt aus Extremsituationen: Dass das Gesicht seine Funktion als Schirm und Schleuse der Seele nicht mehr erfüllt und stattdessen bleckt wie eine Wunde. Oder wie die Geschlechtsorgane, wenn sie dem Arzt gezeigt werden müssen.

Zwischendurch schaut sie sich um, ob uns niemand belauscht. Dabei ist der edle Asiate am mittleren Nachmittag so gut wie leer. Ich habe kaltes, mariniertes Rindfleisch gegessen, sie wollte nur eine Suppe, sie bringt derzeit nichts runter. Wie mit siebzehn, flüstert sie, die Röhrenjeans passen wieder, nach so vielen Jahren, und wir lachen beide, in spitzen Tönen, für die wir andere Frauen in bestimmte, verächtliche Schubladen stecken würden.

Nächste Woche wird sie den betreffenden Mann auf einer Tagung wiedersehen. Sie sagt mir den Namen nicht, das machen die meisten so, die neu in diesem Zustand sind. Falls sich die Sache schnell ablebt, wird man den Namen nie erfahren, denn dann ist es nur mehr der blöde Werbefuzzi/Anwalt/Musiker, du hast mich da hoffentlich nicht ernst genommen, Xane? Eine kleine hormonelle Verwirrung, nichts weiter! Falls daraus aber eine dramatische, jahrelange Sache wird, eine, die man für immer, voller Sündenstolz im Herzen herumtragen wird, dann erfahren die besten Freundinnen den Namen post festum, wenn die Wunden halbwegs verheilt sind. Dann wird dieser Name zur geflüsterten Trophäe, zu einer Währung, valide nur in der Frauenwelt.

Krystyna und der namenlose Mann werden im selben Hotel ihre Zimmer haben, aber in die Therme wird sie, abends nach Konferenzschluss, bestimmt nicht gehen. Da plantschen die Teilnehmer in den heißen Becken, ihr leutseliger Chef, dazu dieser Mann und dessen Kollegen, vor denen man sich entblößen müsste. Nein, der Gedanke allein ist unerträglich peinlich. Ich kann nicht einmal als Erklärung eine Hautkrankheit erfinden, sagt sie und lacht wieder los, wie würde sich das denn für ihn anhören.

Zimmer im selben Hotel, sagt sie und runzelt die Stirn, einfacher geht's nicht.

Vielleicht ist das gerade hinderlich, gebe ich zu bedenken, es ist einerseits aufgelegt, andererseits hochriskant, und sie antwortet, ja, das habe sie sich auch schon gedacht.

Bisher ist nichts Schlimmes passiert. Bisher schreiben sie einander E-Mails. Erst waren die Mails vergnügt und neckisch, wie man eben mailt mit Geschäftspartnern, die man mag, doch als der letzte Auftrag vor dem Abschluss stand, war da so eine Bemerkung, dass er die regelmäßige Korrespondenz mit ihr vermissen werde. Nur dieser halbe Satz, aber ihr war, als hätte man ihr etwas vom Gesicht gerissen, eine Schutzbrille, oder nein, gleich einen Ganzkörperschutzanzug, der einen wie das Michelin-Männchen gegen jede Versuchung polstert. Sie kichert und wirft den Kopf in den Nacken. Sie legt sich die Hände an die heißen Wangen, stützt die Ellenbogen neben die Suppenschale, schaut mich mit lachfeuchten Augen an und bittet: Ich weiß, ich bin gerade total verrückt. Magst du mich trotzdem?

Du bist hinreißend, meine Süße, erwidere ich, und ich beneide dich.

Das hätte ich nicht sagen sollen, aber ein wenig will ich mitspielen, nicht nur das dankbare Publikum sein.

Weit hinten in ihrem Blick glimmt spitz die Neugier auf.

Aber sag, hast du denn nie … Xane, wie lange seid ihr verheiratet?

Nein, nie, bestätige ich und schüttle so bedächtig den Kopf wie ein alter Mann, wie ein Höchstrichter oder Bundespräsident: Jedenfalls nichts Echtes, kein körperlicher Betrug.

Das frage ich mich sowieso, wo der Betrug überhaupt beginnt, unterbricht sie mich trotzig, und ich seufze innerlich, denn dieses Thema habe ich schon mit anderen Freundinnen durchgekaut. Frauen sind nämlich analytischer, als Männer gern behaupten. Auch wir können im Kopf den Abgang einer Lawine umdrehen, besser vielleicht als die Räumlich-denken-Würfel beim Intelligenztest. Auch wir können gedanklich zurückgehen an den Anfang, wo noch nichts gefährlich oder eindeutig war, wir können alles noch einmal in Zeitlupe abspulen. Aber wer sich fragt, wie sich eine Katastrophe hundertprozentig verhindern lässt, landet bäuchlings in der Bigotterie.

Bigott wäre es, bei jedem Menschen, der einem auf diese besondere Weise gefällt, zu denken: um Himmels willen, dem muss ich von nun an aus dem Weg gehen. Darüber herrscht, glaube ich, Einigkeit. Ab dann aber ist es, Schritt für Schritt, Ermessenssache. Schritt für Schritt einer Schuld oder Teilschuld entgegen. Die einen gehen spielerisch damit um, die anderen rigide. Gehe ich nach dem netten Abend noch auf einen Absacker in die Bar? Lasse ich mich einladen? Frage ich nach einer Telefonnummer? Gebe ich meine E-Mail-Adresse heraus? Antworte ich, falls eine Mail kommt? Wie lange lasse ich mir damit Zeit?

Vermutlich sieht man mir das an, sogar Krystyna in ihrem erhitzten Zustand merkt, dass dieser Abzweig keine intellektuellen Herausforderungen für mich bereithält. Denn sie hört mit dem Räsonieren über den Betrugsanfang auf und fragt: Nichts Echtes, aber?

Ein älterer Mann, den ich sehr mag, antworte ich und denke an Nelsons amüsierten Blick, als er, ein paar Pfundnoten in der Hand, vor mir stand, mich und meinen Muffin auslöste und sagte: We've met once. Wie gern ich ihm um den Hals gefallen wäre. Wie gern ich ihm um den Hals gefallen bin, das eine, einzige Mal, als meine Hand schon anschwoll.

Nein, nicht in Berlin, woanders, viel weiter weg, antworte ich unbestimmt. Ich würde es ja gern erzählen, es will heraus, will sich als Geschichte ausprobieren, aber ich weiß, dass ich es nicht in die richtigen Worte fassen kann. Das Besondere lässt sich nicht sagen. Es wäre Entweihung.

Ja, ich war verliebt, auf eine Weise, die mir pubertär vorkam, weil ich nicht genau wusste, was ich wollte. Händchenhalten? Sex? Austausch von elegischen Briefen?

Bei Mor damals war mir das sofort klar: Ich wollte alles von ihm wissen, alles haben und nie wieder ohne ihn sein. Das war ein existenzielles Erdbeben. Die Zeitrechnung begann neu, als man mir Herrn Professor Braun vorstellte, damals, bei dieser Filmpremiere in Duisburg. Niemals wieder werden wir einem so schlechten Film so dankbar sein, sagten wir nachher dutzende Male und grinsten uns an, bis über beide Ohren überzeugt, dass nur wir, als Einzige der gesamten Menschheit, ermessen konnten, was es bedeutet, den Richtigen gefunden zu haben. Wie es sich anfühlt, sich mit der Platon'schen Kugelmenschenhälfte wiederzuvereinen, in ihr aufzugehen ohne Narbe oder Falz.

Mein Leben zerfällt in die Vor-Mor-Zeit und die Mor-Zeit. Die Vor-Mor-Zeit galt mir lange Jahre wenig, sie wirkte grau wie das Mittelalter oder die Stummfilmepoche. Freunde von damals, die nicht ähnlich enthusiastisch auf Mor reagierten, wurden unauffällig fallengelassen, was mir heute, eineinhalb Jahrzehnte später, durchaus fragwürdig erscheint. Inzwischen nimmt die Vor-Mor-Zeit nämlich wieder ein bisschen Farbe an, als ob sich ihre Wangen röteten. Manchmal wirkt sie beinahe wieder interessant, wie ein staubiges, leicht anrüchiges Kostüm, das man zum Spaß noch einmal anprobieren könnte.

Aber damals musste der Bruch sein. Mor und ich, wir krachten kosmisch zusammen, und alles musste auf der Stelle anders werden. Der Lauf der Welt wurde umgeschrieben. Wir waren zu allem entschlossen. Eine Halbheit, eine Affäre, war undenkbar. Wir taten uns zusammen und stellten uns kämpferisch-glücklich allen Umständen. Was wir vorfanden, war ja durchaus nicht unkompliziert. Aber Mor und ich, wir wachsen beide gern an den Aufgaben.

Das hochneurotische Wesen, mit dem er damals verheiratet war, war längst durchgebrannt; als wir uns kennenlernten, wusste er seit ein paar Monaten immerhin, wo es sich ungefähr aufhielt. Die deutsche Botschaft in Neu-Delhi hatte die bulimische Zimperliese aufgestöbert, aber da sie nicht entmündigt war, durfte sie bleiben, wo sie wollte. Die Kinder waren noch klein, das kleinere war geradezu winzig, dicker Windelhintern und einen bunten Schnuller im Gesicht, dazu entwickelte es Asthma. Und Oma Anke, die fette Fregatte, war auch schon da, kurzentschlossen von Recklinghausen nach Berlin gezogen, hatte eine Wohnung gekauft und Mor unter Druck gesetzt, bis er einwilligte, die Kinder mit ihr zu teilen. Auf dass sie den Kontakt zur mütterlichen Familie nicht verlören.

Damit habe ich später oft gehadert: Wenn Mor und ich uns nur eine Spur eher kennengelernt hätten, bei einem früheren schlechten Film ... um wieviel leichter hätten wir es haben können. Keine halben Kinder, sondern bloß Besuchswochenenden für Oma Anke, die verletzlichen Kinderseelen ganz in unserer ruhigen und besonnenen Hand. Mor lächelte nur, gerührt von meinem überschießenden Stiefmutter-Engagement, und sagte nichts. Das hieß: Er hätte es trotzdem so gemacht, der Kinder wegen. Die richtig dicken Hunde kamen erst Jahre später, Oma Ankes Schandtaten (Rechtsanwälte, Jugendamt, Familiengericht) auf dem Rücken der beiden Mädchen, die selbst Mor dazu brachten, in einer depressiv-alkoholischen Nacht zu sagen, jetzt sei das Tuch zerschnitten, auf immer und ewig.

Erst kosmisch zusammenkrachen und dann gleich ein paar verantwortungsvolle Aufgaben, Selbstbeherrschung, Vernunft und menschliche Größe angesichts einer irren Großmutter und großer, verunsicherter Kinderaugen: Das ergibt Beziehungsmörtel, der lange hält. Außenfeinde stabilisieren selbst die schlechtesten Beziehungen; unsere Beziehung aber war niemals schlecht, sondern meistens großartig, manchmal war sie schwierig, manchmal ist sie distanzierter, aber sie bleibt das, was ich immer wollte.

Und trotzdem öffnen sich nach so vielen Jahren unversehens Spalten, in die etwas eindringen kann, was man als Frischluft empfindet. Ich weiß bis heute nicht, was es war, das ich an Nelson so anziehend fand, vielleicht war es nur das andere. Das Verbotene. Denn eigentlich hatte er viel mit Mor gemeinsam, dass er älter war als ich, dass er mich mit amüsiertem Röntgenblick zu durchschauen schien und mich dennoch mochte. Dass ich mich ausgeliefert und aufgehoben zugleich fühlte, genau wie mit Mor, damals, am Anfang.

Was ist es bei Krystyna? Fehlt ihr etwas? Ist sie in ihrer Ehe unglücklich? Vielleicht ist sie nur nicht glücklich genug. Sie beteuert, dass alles wie immer sei, beziehungsweise besser, vor zwei Jahren war es eine Zeitlang schwierig, als eins der Kinder Probleme machte, während Richards Mutter so unerträglich langsam vor sich hin starb. Aber seither, nein, eigentlich alles gut, vertraut, du weißt ja, eingespielt, aber darum geht es nicht. Sie will jetzt offensichtlich nicht darüber nachdenken. Ihre Lider flackern, sie seufzt, sie ist wirklich nicht bei Sinnen. Sie gesteht, dass dieser andere Mann eine schöne Stimme hat, unbeschreiblich schön, wie oft hat sie ihn unter Vorwänden angerufen, noch eine letzte Nachfrage zu diesem

Auftrag, vielleicht hat sie sich nur in die Stimme verliebt, und weil er so witzig schreiben kann.

Witziger als Richard, frage ich. Ich kenne Richard, wie gesagt, länger als Krystyna ihn kennt, er gehört zu meinen alten Freunden, und sein Humor ist so staubtrocken wie der Weißwein, der mir am besten schmeckt. Als wir Mitte zwanzig waren, Richard und ich, gingen wir zusammen auf Reisen. Ich machte Fotos und Filme, er schrieb Reportagen als freier Autor. Ich erinnere mich an einen Marktplatz in Afrika, an einen Tag, an dem alles schiefging, wir kamen weder an Bargeld noch an Batterien, beides war essenziell, wir hatten viel zu wenig gegessen, und ein Gefährt, das uns von dort, wo wir waren, weggebracht hätte, schien innerhalb der nächsten Woche nicht wahrscheinlich. Da machte Richard eine Bemerkung, die ich vergessen habe, aber er machte sie in dem komischen Englisch der Einheimischen, dieser Mischung aus Singen und Kauen, und dazu hob er auf unnachahmliche Weise nur eine Augenbraue. Da setzte ich mich vor Lachen in den Staub, weil ich mich sonst angepinkelt hätte. Buchstäblich. Da war Übermüdung dabei, Hunger, aufsteigende Panik, aber trotzdem. Die festlich gekleideten Einheimischen ringsum lachten auch, sie schütteten sich geradezu aus über uns, so wie wir uns über sie.

Das erzähle ich Krystyna, obwohl sie die Geschichte so lange kennt wie mich. Ich erzähle es, als würde ich für ihren Mann werben. Seit er die Firma seiner Eltern sowie die Planung der Tenniskarriere seiner Tochter übernommen hat, sind seine genial-trockenen Bemerkungen wohl spärlicher geworden.

Wart ihr wirklich nie ineinander verliebt, du und Richard, fragt Krystyna und wickelt sich eine Haarsträhne um den Finger.

Das hättest du jetzt gern, als völlig asynchrone Entlastung, necke ich sie, aber sie schüttelt den Kopf. Nein, alle eure Reisen und frühen Heldentaten, sagt sie, da habe ich mich immer gefragt, ob nicht …

Erstens ist das bald fünfundzwanzig Jahre her, sage ich streng, und wir waren einfach immer nur Kumpels, Richard, Henry und ich, vielleicht auch Florian.

Während ich das sage, fällt mir auf, dass ich später keine neuen Kumpels mehr akquiriert habe. Alle Kumpels, die ich habe, stammen von damals, aus meinen frühen Zwanzigern. So, als ob der schiere Überschuss an potenziellen Sexualpartnern, den man in der Jugend vorfindet, dafür sorgt, dass man einige der besten Exemplare sogleich in den viel haltbareren Zustand von Lebensfreunden überführt. Oder liegt es daran, dass man sich schon kurze Zeit später ausschließlich paarweise befreundet?

Krystyna ist inzwischen bei den Unterschieden im Witz angelangt. Sie führt aus, dass der neue Mann – mein Gott, Xane, wie das klingt! – auf eine völlig andere Weise witzig sei als Richard. Kreativer, meinetwegen oberflächlicher, mehr auf der Wort- als auf der Inhaltsebene. Sein Humor ist irgendwie – jünger. Es schwingt nicht immer die humanistische Bildung mit oder die komplette Frankfurter Schule, wenn du verstehst, was ich meine.

Ich verstehe, was sie meint, finde Richard damit aber ungerecht beschrieben. Die anderen, inklusive Mor, machen manchmal diese High-Brow-Witze. Aber Richard doch nicht. Vielleicht verlangt es Krystyna einfach nach einem jüngeren Richard? Vielleicht ist es so banal, mit Anfang vierzig, halbwüchsigen Kindern und einem ersten erstaunten Blick auf die vor einem liegenden, noch unverplanten Jahre?

Sie nimmt ihr Handy heraus und fingert nach einer bestimmten SMS. Sie weiß, dass das, was sie gleich tun wird, sich kaum mehr von ›Sex and the City‹ unterscheidet, trotzdem kann sie nicht anders, als mir etwas vorzulesen, über das ich tatsächlich lachen muss, obwohl ich weder die Zusammenhänge noch den Absender kenne. So weit also schwankt die Niveau-Amplitude einer intelligenten Frau: erst hochpräzise Humorunterschiede herausmeißeln, dann, wie ein Girlie, zutiefst private Kurznachrichten vorlesen.

Aber ich verstehe es ja. Sie muss irgendjemanden einweihen, teilhaben lassen, weil es den Genuss erst richtig aufschließt. Ein kleines Verbrechen ohne Mitwisser ist keines. Und dieser Jemand bin ich, der Resonanzkörper ihrer amour fou, und ich werde meine Rolle so gut spielen, wie ich kann. Niemals gelangweilt, bloß nicht zu kritisch. Ich muss sie ernstnehmen in ihrem entgrenzten Zustand. Ich nehme sie ernst. Das, was ich vor mir sehe, ist bitterernst, obwohl sie dauernd lacht. Und wer weiß, ob ich diesen Freundschaftsdienst nicht eines Tages von ihr brauchen werde.

Verliebtheit ist eine Droge. Erstaunlich genug, dass wir so lange darauf verzichten konnten. Natürlich, die Nestbaujahre. Solange die Kinder klein sind, lebt man in einem anderen Universum, Lichtjahre entfernt von Spiel, Spaß und Egozentrik. Da gibt es nur Angst und diese schmerzliche, erschrockene Liebe zu den eigenen Kindern, wenn sie im Fieber krampfen oder von Husten geschüttelt um Luft ringen. Die spontane Assoziation zum Begriff ›Baby‹ lautet bei Kinderlosen vielleicht: Glück. Wenn Eltern ehrlich wären, müssten sie sagen: panische Angst um das Glück.

An meine postnatale Depression erinnere ich mich folgendermaßen: Ich stand, gebeugt von vielstimmigen Unterleibsschmerzen, vor dem Wickeltisch, darauf dieses rote Ding, das für seine Kleinheit viel zu schwer und laut schien. Von seiner Körpermitte stand der Rest der Nabelschnur ab, eine Art gelber Plastikschlauch. Ich versuchte, die Windel zuzukleben, ich versuchte, den Body zuzuknöpfen, das Wesen, das mein Sohn war und erst noch richtig werden sollte, strampelte und schrie. Da spürte ich es wie eine Welle kommen, es stieg an mir hoch wie eisiges, verseuchtes Wasser. Dann hat es mich geschluckt. Es dauerte höchstens eine Minute, in der ich, von dieser schwarzen Chimäre umstanden, wie gebannt auf mein Kind starrte und zu wissen glaubte, dass alles falsch war, dass der Anfang missglückt war, dass aus mir keine gute Mutter werden konnte, dass aber dieses winzige Kind eine wunderbare Mutter haben musste, die beste der Welt, entweder mich oder keine. Trauer und Verzweiflung packten mich am Genick. Es war der Moment, in dem andere zugedrückt haben. Und wahrscheinlich habe ich von der Welle, wie sie wirklich sein kann, nur einen momenthaften Sprühregen abbekommen. Aber seither weiß ich es, spüre ich es in meinen Knochen, warum Frauen ihre Babys töten. Im Grunde aus Liebe.

Von der kaltschwarzen Welle blieben Angst und Albträume, ein, zwei Wochen lang. Ich wagte nicht, das Kind an die frische Luft zu bringen, weil innere Bilder mir erzählten, wie ich stolperte und mit ihm die Treppe hinunterfiel. Weil die Bilder davon sprachen, dass ich den Kinderwagen vor ein Auto schob, ich hörte es knirschen und spürte, selbst unverletzt, die Motorhaube unter meinen Handflächen. Ich betrat mit dem Kind nicht den Balkon, ich ging nicht einmal ans offene Fenster. Am liebsten lag ich mit ihm zwischen Schutzwällen aus Kissen im Bett und schaute es an, wie es schlief, wie es trank, wie es meinen Finger umklammerte. Die einzige Besessenheit, die fehlte, war jene, die sich auf Messer bezog. Jahre später erfuhr ich, dass auch die Angst vor Messern und Scheren, Rasierklingen und Bratspießen zum klassischen Bild gehört. Davon abgesehen war es das klassische Bild. Gesagt hat es mir keiner. Es hat ja auch keiner gewusst. Ich tat alles, um das Geheimnis zu wahren: dass mir mein Kind fremd schien, dass ich nachts träumte, in Blut zu waten. Es kamen Blumen und Glückwünsche, am Telefon weinten meine Freundinnen vor Freude, dass es auch bei mir endlich geklappt hatte. Ich sagte ja, gut, müde natürlich, aber er nimmt schön zu, und wurde dank Internet zur Expertin für plötzlichen Kindstod.

In dieser Zeit gibt es keine Leichtigkeit. Genauso wenig gibt es Sexualität, die den Namen verdient. Mit dem eigenen Mann zu schlafen, wenn die Brust tropft und die Dammnähte gerade verheilt sind, oder nachdem einer der beiden den Windeleimer hinuntergetragen hat – das ist eher ein ritueller Stempel, die körperliche Bestätigung des Familienvertrags, wie ein warmer Händedruck. Gibt klarerweise keine zu. Man gaukelt dem Mann Normalität vor, diese Frauen, von denen man gelegentlich hört, die sich ein Jahr und länger verweigern, die müssen doch andere Probleme haben. Auch die Männer gaukeln. Sie sind meistens genauso müde, und ihre Frauen sind in jeder Hinsicht aus der Form. Sie weinen, riechen nach Milch, und ihre Brüste sehen aus wie Landkarten, mit hormonell geweiteten Adern als Flussläufen. Doch der Mann wird männlich zeigen, dass sich nichts verändert hat, dass man sie auch nach der Geburt begehrt wie vorher und nicht auf die Mutterrolle reduziert.

Alles hat sich verändert, und keiner gibt es zu. Das ist rührend, und die Bedingung dafür, dass alle durchhalten. Die Monate vergehen, und man gewöhnt sich. Die Ängste ziehen sich zögernd zurück, verändern sich, stoßen ihre Spitzen ab. Ein Einjähriger, der Kopf voran auf die Rutsche kippt und unten mit dem Gesicht zuerst ankommt, hat vielleicht eine blutende Lippe, ist aber vom Sterben weit entfernt.

Es gibt Stufen zurück in die Wiedermenschwerdung. Wenn sich das Kind zum ersten Mal abstellen lässt. Da steht es, verdattert, und klammert sich an deinen Unterschenkel. Man kann es und sich selbst in Ruhe ausziehen, die Sachen aufhängen, muss nicht in nassen Stiefeln zu sicheren Ablageplätzen eilen oder es ungeübten Personen in den Arm drücken.

Wenn die Stillzeit vorbei ist. Inzwischen wird das unter Müttern mit Cocktail- und Zigarettenpartys gefeiert, was zwar albern, aber verständlich ist. Nie ist man so glücklich beschickert wie nach dem ersten Glas irgendwas, nach anderthalb Jahren Abstinenz.

Wenn man nach zwei Tagen Abwesenheit plötzlich bemerkt, dass man das Kind noch gar nicht vermisst hat, weder seinen Geruch, noch seine Stimme. Da ist ein kleines Schuldgefühl, aber auch eine große Freiheit. Irgendwo steckt es, das Kind, fern von einem selbst, aber auch dort, wo es ist, wird es beschützt und genährt.

Und so vergehen die Jahre. Die Windelzeit ist zu Ende, bald muss man keine Sandburgen mehr bauen. Der Impfplan ist erfüllt. Die Milchzähne fallen aus. Die Schule beginnt. Und eines Tages steht man irgendwo, und der Blick verklinkt sich mit dem eines fremden Mannes. Es brennt so scharf wie Meerwasser, das einem beim Tauchen in die Stirnhöhle gedrungen ist. Man schnäuzt sich und wendet sich ab. Aber man wird misstrauisch, sich selbst gegenüber, und die Annahmen über das eigene Leben geraten ins Wanken. Irgendwann wird der Verdacht unabweisbar, dass es zwischen damals und heute, zwischen der taumelnden Ungebundenheit und dem vollkommen geerdeten Familienwesen, doch noch Verbindungen gibt. Dass in dem sprunghaften, schnell ver- und entliebten Mädchen von früher wohl schon die verlässliche Mutter, in der Mutter aber immer noch ein Teil jenes Mädchens steckt.

Ich umarme Krystyna zum Abschied. Sie riecht gut. Das wird auch dieser Mann bald bemerken. Nun gibt es beinahe eine körperliche Brücke von mir zu ihm, dem Unbekannten. Ich lasse sie los, er wird sie sich holen. Wie sie früher aussah, wird er zwar im Gegensatz zu mir nie wissen. Aber vielleicht stimmt sie gar nicht, die Schichten-Theorie, die besagt, dass alles, was einem widerfahren ist, verborgen vorhanden bleibt. Dass sich das Leben um einen anlagert wie die Ringe um den Baum. Vielleicht ist die Krystyna von damals nur eine Erinnerung, wie eine Fotografie. All ihre Zellen sind längst erneuert. Dann wäre ein Seitensprung kein Körperstempel, der an ihr bleibt und Gift verströmt, sondern nur ein winziger Splitter Zeit, den der fremde Mann Richard gestohlen hat. Vermutlich stehlen wird.

Ich nehme ein Taxi zum Flughafen. Ich werde Mor nichts davon erzählen. Die Geschichte bleibt mit Krystyna in Wien. Sie wird auch zu meinem Geheimnis.

Am Tag, an dem Krystyna auf ihre Konferenz fährt und ich versprochen habe, an sie zu denken, ruft vormittags Emmys Schule an, weil Emmy ohnmächtig geworden ist.

Ich verbringe den Vormittag mit dem in sich gekehrten Kind in der Ambulanz des Kinderkrankenhauses, weil der Schularzt den Verdacht geäußert hat, es könnte eine Art epileptischer Anfall gewesen sein. Das fehlte noch. Mor ist verständigt, aber unabkömmlich. Der Arzt, der mir schließlich erklärt, dass die Untersuchungsergebnisse unauffällig waren, zieht mich, bereits an der Tür, noch einmal in den Raum zurück und bittet Emmy, draußen zu warten. Derart ungeschlacht, im Stehen, fragt er mich, ob das Kind depressiv sein könnte.

Ich bin befremdet und versuche, den Ärger wegzudrücken. Es ist Mors Credo, dass heutzutage an Kindern viel weniger Normabweichung toleriert werde als früher. Wir hingegen wollen Eltern sein, die nicht bei jedem Problem nach dem Therapeuten rufen.

Emmy war immer seltsam. Als Kleinkind frisierte sie stundenlang die pinke Mähne eines Plastikpferds. Als dieses furchtbare Tier eines Tages unauffindbar war, sprach sie so lange nicht, bis wir ein neues kauften.

Sie weinte gelegentlich tonlos. Wenn sie wütend war, stieß sie, die sich an ihre Mutter kaum erinnern konnte, schrille Mama-Schreie aus, die Mor und mich quälten wie nichts sonst. Eine Zeitlang malte sie nur mit Grün, Hellgrün, Mittelgrün, Dunkelgrün, gelegentlich Türkis. Als Viola ihr einen roten Punkt mitten in ein solches Bild kleckste, goss sie ihr den Wasserbecher über den Schoß, zerbrach zwei Pinsel und fieberte in der folgenden Nacht.

Aber das alles ist lange her. Sie ist zweifellos immer noch zu ruhig, aber intelligent, sie hat Freundinnen, und jene Lehrer, die schüchterne Kinder ertragen, mögen sie. Nur das sage ich dem Arzt, kühl, und gehe.

Am Abend findet Mor eine E-Mail vor, die ihn am folgenden Tag zu Violas Klassenlehrerin bittet. Viola, dieses pubertäre Monster, hat angeblich nicht die geringste Ahnung, warum. Vielleicht findet sie dich geil, Papa, sagt sie und wirft mir einen Blick unter den violett getuschten Wimpern zu. Ich stehe auf, gehe in unser Schlafzimmer, lege mich auf das Bett und versuche, meine Aggressionen wegzuatmen. Ich denke daran, wie ich ihr zum Geburtstag die Käthe-Kruse-Puppe schenkte. Da war sie fünf, und charmant wie ein Kinderstar. Sie küsste mich zum Dank auf beide Ohren. Warum auf die Ohren, fragte ich sie. Damit du hörst, wie sehr ich mich freue.

Ich habe mir diese Szene wahrscheinlich zu oft vorgestellt, denn sie ist abgenutzt. Zwischen damals und heute scheint ein großes Verbindungsstück zu fehlen. Die transitorischen Jahre. Heute spricht sie mich kaum noch direkt an, sondern wendet sich an Mor und sagt *die da*. Fehlt nur, dass sie mit dem Finger zeigt. Und ich kann sie ohnehin kaum anschauen, mit diesen Metallteilen in Nase und Zunge und den zugeschminkten Augen.

Am nächsten Tag erscheinen wir, das aufgeschlossene, kooperative Elternpaar, gemeinsam bei der Lehrerin. Alle Lehrer unserer Töchter verströmen seit jeher ein wortloses, klebriges Mitleid. Kinder, die von der Mutter verlassen wurden, sind einfach schwer beschädigt, lautet der Subtext. Da kann man nichts machen. Da muss man mit allem rechnen. Dass diese Kinder seit vielen Jahren völlig andere Erfahrungen machen, fällt ihnen gar nicht auf. Monokausales Denken.

Es gebe Hinweise darauf, dass die Clique, mit der Viola

unterwegs sei, Haschisch konsumiere. Aus Mor platzt ein *Haha* wie ein Schuss, er entschuldigt sich sogleich.

Die Lehrerin legt ein auf Papier ausgedrucktes, sehr verschwommenes Foto auf den Tisch. Mor und ich begreifen nicht, was es ist. Könnte das ihre Tochter sein, fragt sie.

Vielleicht, sagt Mor.

Sie hat so einen gelben Schal, sage ich.

Alle haben gelbe Schals, sagt Mor.

Senfgelb ist gerade modern, sage ich und versuche ein Lächeln, eine scheußliche Farbe.

Das Gelbe im Hintergrund ist die Rückseite einer U-Bahn, sagt die Lehrerin. Sie nennen das U-Bahn-Running. Sie springen in die Gleisbetten und fotografieren einander. Es gibt immer wieder Tote.

Auf dem Rückweg schweigen wir. Zu Hause machen wir uns Tee und beginnen ohne Einleitung zu streiten, ja, es scheint mir, als öffneten wir nur die Münder und brüllten sofort aufeinander ein. Es ist das alte Lied. Ich bin der Meinung, dass Viola von klein auf um Grenzen gebettelt hat und Mor immer zu weich mit ihr war. Ich weiß auch, warum: weil er erpressbar war. Weil er Angst hatte vor Oma Anke, die alles versuchte, um die Kinder ganz zu bekommen, die ihnen ungeniert eine Reise nach Indien, zur Mama, versprochen hat, für die man natürlich ein bisschen Zeit brauchte. Die euer Papa mir einfach nicht geben will, vielleicht könnt ihr ihn noch einmal lieb darum bitten. Und ähnliche Sauereien mehr. Diese Erpressbarkeit haben die Kinder natürlich gespürt. Zumindest Viola hat sie gespürt, die hat ein Sensorium für alles, was ihr nützt. Bei Emmy weiß man nie so genau, was zu ihr durchdringt.

Mor hingegen wird sofort persönlich, wie immer, wenn er wütend ist. Wenn er richtig wütend ist, habe ich Angst vor ihm. Er kennt mich so gut, er verletzt mich, wo er nur kann. Er entwirft ein so schreckliches Bild von mir, dass ich momentelang überzeugt bin, unsere Beziehung ist zu Ende, hier und jetzt, und mir bleibt, wegen meiner moralischen Verkommenheit, nur der Weg in den Selbstmord. Bis mir wieder, gleichsam beim nächsten Atemzug, einfällt, dass er mich strategisch plattwalzen will und niemand so über den Menschen denken könnte, mit dem er freiwillig zusammenlebt. Bis mich die Empörung über die ziselierten Abwertungen meines Charakters in die nächste Attacke auf seine Kindererziehungsdefizite treibt.

Beim Streiten wird Mor eiskalt und leise. Seine Sätze beginnen mit *Du solltest einmal darüber nachdenken, dass du immer ...*. Ich versuche das Gleiche, wir kreuzen die Klingen. Wenn man uns ohne Ton filmte, sähe das anfangs bestimmt gelassen aus: Hier diskutieren zwei vernünftige Menschen hart, aber fair. Doch nach einer Weile kann ich nicht mehr. Erst höre ich ihm länger und länger zu und lasse seine Worte wie Stiche in mich eindringen. Dann beginne ich zu schreien und zu weinen, ich schlage mit den Fäusten auf den Tisch oder gegen Wände, ich springe auf, stampfe mit dem Fuß und schüttle die Faust wie eine Erinnye. Zum Schluss verlasse ich heulend und türenknallend den Raum, um mich irgendwo einzusperren. Er läuft mir hinterher und hat plötzlich wieder seine normale Stimme, die warme, werbende. So endet es jedes Mal: damit, dass ich völlig aus der Fassung gerate. Mein Schreien und Weinen ist das, was bei Hunden das Darbieten der eigenen Kehle ist. Wie ein fairer, die Regeln beachtender Hund sieht Mor das ein und bietet den Frieden an (Hunde bringen einander fast nie um), aber da beginnt mein stundenlanges Verweigerungstheater, weil ich mich ja nicht aus dieser demütigenden Verlierer-Rückenlage hochrappeln und tun kann, als wäre nichts gewesen.

Die schematisierte Abfolge ist mir von dem Moment an klar, da Mor dieses bestimmte Gesicht macht und dazu die Stimme herunterkühlt. Manchmal habe ich sofort um Gnade gebeten, darum, dass wir es diesmal nicht so entgleisen lassen mögen. Aber es nützt nichts: Er kann erst aufhören, wenn er mich so weit hat.

Er würde entgegnen: Erst wenn du in Stücken bist, gibst du Ruhe.

Vielleicht stimmt das.

In den Tagen nach so einem Endzeitstreit sind wir miteinander vorsichtiger, in den Tagen nach den vorsichtigen sind wir glücklicher. Das Bild vom Gewitter und seiner Entladung scheint bei uns zuzutreffen. Ich finde nur, der energetische Preis ist zu hoch.

Manchmal bin ich einfach aufgestanden und gegangen, als wir noch in der vermeintlich zivilisierten Phase waren. Ja, renn du nur weg, höhnte er und war danach so lange verstockt, bis der Streit wieder aufgenommen und zu seinem natürlichen Ende geführt wurde.

Aber jetzt stellt Mor seine Teetasse hin und sagt: Wir haben doch beide nur Angst.

Mir kommen die Tränen. Der Gedanke, dass sie uns einen Schal zurückbringen könnten, nur den Schal, der gelb ist, aber schmutziger als die U-Bahn. Ich kämpfe dagegen an. Viola ist am Leben, überaus platzgreifend am Leben, mit ihren Nasenringen und ihrer miesen Laune. Hier ließe sich eine Verbindungslinie ziehen, vom Neugeborenen zum Jugendlichen: Beide haben für die würgenden Ängste, die man ihretwegen aussteht, keinerlei Empfindung. Doch dem Baby wirft man es nicht vor.

Ich lehne mich an Mors Schulter, er nimmt meine Hand und verschränkt unsere Finger. Und er erzählt mir, dass Viola neuerdings von der Idee besessen sei, ich würde ihn betrügen.

Der Mann, von dem ich manchmal träume, hat kein Gesicht. Ich sehe ihn nur von hinten und möchte ihn für Mor oder, im äußersten Fall, für Nelson halten. Beides stimmt nicht. Denn er ist größer als die beiden, viel größer als ich, manchmal beugt er sich zu mir herunter, das sind meine Lieblingsmomente. Ich weiß nicht, ob ich ihn kenne oder kennenlernen will. Manchmal geht er vor mir, in verschwommenen, unbekannten Welten, und wie Eurydike folge ich ihm in genau bemessenem Abstand. Manchmal liege ich in seinen Armen, dann bin ich ihm zu nahe, um ihm ins Gesicht zu sehen. Ich halte meine Augen geschlossen und drücke die Nase an seinen Hals. Wir bewegen uns dabei nicht. Wenn er in meinen Träumen erscheint, bin ich gelassen und sicher, geborgen wie ein krankes Kind. Ich bin für nichts verantwortlich und nie mehr allein.

Ich kann über Einsamkeit eigentlich nicht klagen. Dauernd bin ich umgeben von einer lauten und anstrengenden Familie oder von den vielen Menschen, mit denen ich beruflich zu tun habe. Trotzdem fühle ich mich in letzter Zeit abgeschieden, als trüge ich eine Tarnkappe, die die Geräusche, vielleicht nur die Gefühle dämpft. Richtig weh ums Herz ist mir nur, wenn ich aus dem Traum mit dem unbekannten Mann erwache. Das geht zwar schnell vorbei; ich strecke den Arm aus, fühle, ob Mor da ist oder zumindest seine Kuhle noch warm. Aber ich frage mich, wie es jemandem geht, der ein lebendiges Ziel seiner Sehnsüchte hat und kein Glücksphantom.

Wie geht es Krystyna? Sie schreitet über den Teppich aus winzigen kostbaren Details, aus denen sich der Beginn jeder Liebesgeschichte webt. Sätze. Unerwartete Gesten. Ein kleines Geschenk. Eine Besonderheit in der Körperhaltung, eine Schrulligkeit, ein seltsames Hobby. Ein leichter Sprachfehler. Wir suchen nach dem Unverwechselbaren und knüpfen daraus den ersten gemeinsamen Grund. Zwar erinnere ich mich nur mit Mühe daran, aber ich weiß, am Anfang sind es unzählige solcher kleiner Knoten. Mor hat mir einmal in einem Hotel die Haare gewaschen. In einem anderen Hotel hat er mir in der Badewanne Rilke vorgelesen, wir haben Champagner getrunken und Rilke um Häuser kitschiger gefunden als uns selbst. Ich habe den Zettel mit Mors Telefonnummer noch jahrelang in meinem Portemonnaie aufbewahrt, genau wie später das blaue Namensbändchen, das mein Sohn im Kreißsaal bekam.

So etwas verbietet sich bei den geheimen Geschichten von selbst. Kein Klammern an physische Fetische. Als Geschenke nur Bücher und Postkarten, Mails sofort löschen, Kinokarten, Fahrkarten im öffentlichen Abfall deponieren, bloß nicht zu Hause. Hotelrechnungen in Fetzen reißen und im Klo runterspülen, am besten noch im Hotel. Jeden Hinweis entsorgen, einmal passt dieses neumodische Verb. Aber das alles ist mühevoll, würdelos.

Und selbst abseits vom Erwischtwerden fallen mir nur Verwicklungen ein, Befürchtungen, Komplikationen. Ein fremder Mann macht fremde Geräusche, trägt andere Unterhosen und ist im schlimmsten Fall genauso nervös wie man selbst. Erster Sex ist, bei Licht betrachtet, kompliziert und peinlich. Aber genau dieses Verstandeslicht wird vermieden, siehe Krystyna, ausgeknipst. Hotelzimmer sind peinlich. In einem burgenländischen Thermenhotel stehen womöglich Entenfamilien aus gebranntem Ton im Eingangsbereich. Die Zimmer strotzen vor geöltem Nussbaumholz. Zirbelstube. Ein herzliches Grüß Gott. Zum Frühstück gibt es Kellnerinnen im Dirndl und Gute-Laune-Müsli. Und da will Krystyna mit den Zähnen am Hosenbund eines fremden Mannes zerren?

Ich fühle mich alt und missgünstig. Ich fülle meine Rolle perfekt aus: Ich giere nach Krystynas Geschichte, nach jedem kitschigen oder erotischen Detail, aber nur als Konsumentin, nicht als Darstellerin. Zur Darstellerin fehlt mir nicht nur die Gelegenheit, sondern vor allem der Mut. Wie Comicfiguren winken meine Schuldgefühle von ihrer überfüllten Kopftribüne aus.

Mor und ich verachten Leute, die freudig Dinge sagen wie: In acht Jahren gehe ich in Rente. Jetzt bin ich schon selbst irgendwie so. Alles ist auf anstrengende Weise langweilig und auf langweilige Weise anstrengend. Doch ich bleibe still und trete weiter. Jeder Gedanke an Veränderung, jedes Schweifenlassen des Blickes scheint Lawinenpotenzial zu haben. Das Leben ist gleichzeitig festgefahren und fragil, ein Fahrzeug, das in einer steilen Kurve hängengeblieben ist.

Schuld ist unter anderem die Baby-Grenze, die ich fast unbemerkt überschritten habe. Irgendwann ist es binnenlogisch vorbei mit der Reproduktion, und zwar lange, bevor der Wechsel einsetzt. Sobald das einer Frau klar wird, packt sie eine zähe Traurigkeit, egal, ob sie ihr subjektives Kindersoll erfüllt, nicht erfüllt oder die Familiengründung komplett verpasst hat. Vorher war es so lange Zeit ein undeutliches, am Horizont schwebendes Zukunftsprojekt, für die allermeisten Frauen. Auch was man vor sich herschiebt, ist ja da, ist eine tier- und nebelhafte Programmierung, dieselbe, mit der man vom Wechsel der Jahreszeiten weiß. Wer ein Kind hat, ist auf das nächste eingestellt, wer zwei oder drei hat, versucht, durch das Chaos der Kleinkindjahre zu tauchen. Manche bekommen im letzten Moment noch ein weiteres, den Nachzügler, aber irgendwann wird auch dieser eingeschult. Wie in Zeitlupe bricht ein gewaltiges Sinngerüst zusammen. Man könnte sich jetzt freier fühlen, beinahe neugeboren, doch man erblickt sich im Spiegel. Man fasst es nicht. Man ist endlich wieder schlank, aber zu welchem Preis. Die nächsten Jahre liegen blank vor einem, anheimelnd wie eine Mondlandschaft.

Meine Stieftochter Viola bezichtigt mich also des Seitensprungs. Das tut sie, um mir zu schaden. So bestimmt sie präzise das Schlachtfeld, das gleichzeitig Trophäe ist: Es geht um Mor, den Mann oder Vater. Und trotzdem kommt es bei mir als Kompliment an. Sie traut mir mehr zu als ich mir selbst. Mor behandelt die Sache scheinbar gelassen, als weitere Spielart ihrer altersbedingten Verrücktheiten. Von ihm aus, sagt er zu mir, könne sie jede Woche mit neuen Anklagen bei ihm auftauchen, wenn sie das bloß davon abhalten würde, in U-Bahn-Schächte zu springen.

Ich frage mich, ob ein U-Bahn-Runner sein krauses Hobby regelmäßig betreibt, oder ob es sich um eine Mutprobe handelt, die, einmal für Facebook dokumentiert, nicht unbedingt wiederholt werden muss. In letzterem Fall würde ich mir wünschen, dass sich das prachtvolle Kind für seine Seelenhygiene auch noch etwas anderes als Denunziation sucht.

Ich erfahre, dass Viola in meinen Handtaschen kramt. Sie hat in meinem Kalender nachgeschaut, um ihre Anschuldigung zu untermauern. Ich brause auf, aber Mor schränkt ein, dass sie das nur getan hat, weil sie etwas beobachtet hat, das sie sich nicht erklären konnte. Sie schwört, mich gesehen zu haben, vor ein paar Wochen. Der Tag, an dem du laut Kalender in Hamburg warst, sagt Mor, ich habe ihr gesagt, sie muss sich irren. Vor einem Hotel, mit einem Mann, den du geküsst und umarmt haben sollst. Er lächelt, etwas hilflos. Misstraut er mir oder schämt er sich für seine Tochter?

Ich schüttle den Kopf. Mein Gesichtsausdruck ist überaus passend, so sprach- und fassungslos. Leider ist es mir verwehrt, nach der Uhrzeit zu fragen, zu der sie mich gesehen haben will. Ich war ja in Hamburg. Das war ich auch, aber erst später.

Viola, das Luder, schwänzt also die Schule, treibt sich stattdessen mit viel Älteren am Ku'damm herum, ich erinnere mich dunkel an eine lärmige Gruppe, die direkt vor uns aus dem Bus stieg. Zwei oder drei haben sich gierig Zigaretten angezündet, als wäre die rauchfreie Zeit im Bus kaum überlebbar gewesen. Als ich mich von Nelson vor dem Hotel verabschiedet habe, war es maximal halb zwei, eine Zeit also, zu der Viola noch Schule hat, zumal in einem anderen Teil der Stadt.

Vergiss es, sagt Mor, wahrscheinlich war das zu erwarten, jetzt, da ihre Mutter zurück ist. Das ist bestimmt sehr verwirrend für sie. Wahrscheinlich muss sie dich schlechtmachen, damit sie Platz für die andere hat.

Ich nicke langsam, ich schaue bedeutungsvoll. Ich habe fast nichts getan und hasse mich trotzdem. Oder deswegen. Mein schlechtes Gewissen, das Gefühl, von einer Vierzehnjährigen bloßgestellt worden zu sein, wäre nicht größer, wenn ich mit Nelson geschlafen hätte. Vielleicht wäre es sogar kleiner.

Ich bin über Viola empört. Was für eine Kröte. Aber auf die Bilder, die sie mir als Kind gezeichnet hat, hat sie Wolken aus Watte geklebt.

Trotzdem wohnt dieser Sache auch Komik inne. Viola verschiebt den Zeitpunkt, an dem sie mich gesehen hat, nach hinten – wo ich tatsächlich in Hamburg oder auf dem Weg dorthin war –, ich dagegen könnte ihr das Schwänzen nur beweisen, indem ich mich selbst ausliefere. Ich bin ihr Spießgeselle, aber sie ist nicht meiner. Nur gut, dass sie das nicht weiß.

Heißt das, dass Mor hier der einzig Aufrechte ist? Wenn jeder von uns Geheimnisse hat, Zeitlöcher produziert, Spuren verwischt, dann gewiss doch auch er?

Nur ein Mal, soviel ich weiß, hat sich Mor vom Reiz des Verbotenen hinreißen lassen. Denn wir führen keine offene Ehe und haben das auch nie erwogen. So gesehen sind wir Spießer. Um uns herum existieren die verschiedensten Konzepte, offen, halboffen, orthodox treu. Halboffen sind Beziehungen, wo durchaus mal nach außen gevögelt wird, was aber weder platt eingestanden noch vom stochernden Misstrauen des anderen zutage gefördert wird. Genauso wenig belastet man einander mit selbstverliebten Wünschen nach Absolution. Man geht davon aus, dass ein bisschen außerehelicher Sex hie und da nicht mehr schadet, als einen über den Durst zu trinken. Wenn es nicht zur Gewohnheit wird.

Darüber schütteln Mor und ich die Köpfe im Takt. Wir sind, weltanschaulich und sexuell, auf eine Weise ineinander verklammert, die mir inzwischen nicht nur altmodisch, sondern bedrohlich starr vorkommt. Aber ich vermute, dass wir da nicht mehr herauskommen. Dafür genügt mein eigenes Beispiel. Als Mor mir eines Abends gestand, dass er sich mit einer gewissen kastanienbraunen Schnitzler-Dissertantin aus München mehrfach getroffen, es mir aber bislang verschwiegen hatte, brach ich tatsächlich zusammen, über Tage, bis ich von mir selbst nur noch feucht-zerknüllte Reste erkennen konnte, die abstoßend aussahen.

Nur Kaffee getrunken, stammelte er, überwältigt von dem furienhaften Wahnsinn, der ihm nach den ersten Sätzen entgegenschlug, okay, ein paar Mails geschrieben. Aber hauptsächlich: Fachgespräche. Nein, diese Mails würde er mir nicht zu lesen geben, warum auch? Und er erzähle das nur als Nachtrag, weil er es bisher irgendwie vergessen habe – er, der mir doch sonst immer alles erzählt!

Nur daher sein schlechtes Gewissen. Aber das habe er doch hiermit in Ordnung gebracht, sagte er verunsichert, während mir Sturzbäche übers Gesicht liefen, weil ich zuerst nur an das Kleinkind denken konnte, das, mit inzwischen acht schimmernden Milchzähnen, vier oben, vier unten, im Nebenzimmer schlief und es unmöglich machte, dass ich aufstand, hinauslief und den nächsten Zug nach irgendwo nahm.

Allerdings geht jeder von sich selbst aus. Wenn mich ein unbezwingbares Bedürfnis packen würde, Kaffeehaus- oder Restaurantbesuche mit einem anderen Mann zu gestehen, dann nur deshalb, weil ich längst mit ihm im Bett gewesen wäre. Nur deshalb würde ich, gebeugt von Schuldgefühlen, zumindest verheimlichte Kaffees zugeben wollen. Um mir Verzeihung für die ersten fünf Zentimeter des Irrwegs zu erbitten, die ich unerlaubt auf den Restkilometer ausdehnen würde.

Stellte ich mir damals vor. Mir war unbegreiflich, warum man bloße Kaffeehaustreffen einerseits verheimlichen, andererseits pompös gestehen wollte, während man gleichzeitig abstritt, dass es dabei um mehr gegangen war.

Im Rückblick ist das alles niedlich. Denn wenn ich Mor glaube – und das tue ich! –, hat er damals wirklich nicht mehr getan und ist da bereits, irritiert über die eigene, ihm spontan unterlaufene Geheimniskrämerei, zurückgezuckt. Ich dagegen habe diese kleine Unterschlagung für den ganzen Betrug genommen und mich dementsprechend aufgeführt, Beruhigungstropfen inklusive, als ich, nur eine Woche später, auf einem Symposion als Professorengattin auftreten und ebenjener aseptisch hübschen, unerträglich jungen Doktorandin die Hand schütteln musste. Als sie unserem Amos, der zwischen den Teilnehmern herumstolperte, über den Kopf strich, hätte ich sie am liebsten in die schneeweiße Hand gebissen.

Was habe ich denn geglaubt? Dass für Mor die weibliche Hälfte der Welt hinter dem Horizont versinkt, nachdem er mich getroffen und geheiratet hat? Natürlich nicht. Aber damals, in der Schnitzler-Krise, wurde mir zum ersten Mal bewusst, dass auch ich nicht ewig jung, schön und phantastisch interessant bleiben würde. Ich habe den Fluch des Alters gespürt, mit Mitte dreißig, um die Hüften noch etwas ausgeleiert von der Schwangerschaft, nur weil die kleine Schnitzler-Expertin, die übrigens ein grauenvoll geschertes Bayrisch sprach, wiederum fast zehn Jahre jünger war als ich. Ein Madonnengesicht und bestimmt ein reines, strebendes Forscherinnenherz. In dem vermutlich doch eine hässliche Eitelkeit erblühte, als sich Herr Professor Braun gelegentlich mit ihr zum Kaffee traf und ihr ein paar seiner kristallinen E-Mails verehrte.

Meine Eifersucht, die meistens tief unten in der Erde schläft, ist, wenn sie einmal hochkommt, vulkanisch. Ich brach in Mors Computer ein, ich fand diese E-Mails, ich schämte mich nicht einmal dafür. Keine meiner überspannten Befürchtungen traf ein; aus seinen Briefen blickte mir ein völlig fremder Mor entgegen, einer, den ich gar nicht hätte haben wollen. Onkelig war er da, ein Mentor, der joviale Kummerkasten für die vielfach gestresste, an sich zweifelnde Studentin. Trotzdem glaubte ich allen Ernstes, ich hätte eine tiefe Wunde empfangen und die Narbe würde von nun an unsere einzigartige, heilige Beziehung verunstalten.

Das Theater war lächerlich und dennoch wichtig wie eine Brandschutzübung. Alle Gefühle wurden nach Plan ausgelöst, es war laut, grell und ziemlich realistisch. Ich frage mich inzwischen, wo der Unterschied gelegen hätte, für den Fall, dass Mor mich wirklich betrogen hätte. Wir erschraken, wir löschten und wir liebten uns, verzweifelt, aufs Neue völlig aufeinander bezogen, als hätten wir eine echte Katastrophe überstanden.

Mein Doktorandinnen-Nerv blieb lange Zeit empfindlich. Inzwischen ist auch diese Dame nicht mehr blutjung und hat Karriere in einem Verlagshaus gemacht. Wenn die Rede auf sie kommt – irgendwo, in Gesellschaft, denn unter uns erwähnen wir sie kaum –, trifft mich ein schmaler Blick von Mor. Und trotzdem sage ich mit der immergleichen, etwas gelangweilten Attitüde: Sehr intelligent, durchaus hübsch, aber v-ö-l-l-i-g humorlos.

Einigen engen Freunden habe ich diese Geschichte als Beweis für meinen immanenten Wahnsinn erzählt; in zweiter Linie, knusprig durchironisiert, auch als Anekdote meiner Affenliebe zu meinem Mann. Damit habe ich aufgehört. Die Leichtigkeit, die ich durch den zeitlichen Abstand gewonnen hatte, ist aufs Neue verloren gegangen. Ich verstehe heute viel genauer, worum es damals gegangen ist und warum ich, scheinbar ohne Grund, dermaßen die Nerven verloren habe.

Frauen haben ein Ablaufdatum, Männer nicht. Das lässt sich beweisen. Zum Beispiel damit, dass Männer auf Kontaktanzeigen mindestens zehn Mal so viele Zuschriften bekommen. Mor will das nicht verstehen; es gebe ungefähr gleich viele Männer wie Frauen. Ja, schon: Aber dem siebzigjährigen Witwer schreiben auch fünfzigjährige Damen, umgekehrt aber leider nicht. Männer bleiben nicht allein, nicht einmal, wenn sie Sadisten sind oder an der Stinknase leiden.

Während wir gebildeten, sogenannten starken Frauen mit jedem Jahr, das wir älter werden, unvermittelbarer werden. Durch ganz Europa ziehen Grüppchen von eisgrauen Frauen in freundlich bunten Stoffen, sie aquarellieren vor der Akropolis, sie diskutieren über Alice Munro, sie pflegen ihr philharmonisches Abonnement. Sie sind stark und unabhängig, klug und lebenstüchtig, und sie haben in Therapien viel über sich gelernt. Sie hätten noch so vieles zu geben, bis auf ihre Würde eigentlich das meiste. Trotzdem finden sie nie mehr einen Mann, wenn sie den einen oder anderen dummerweise verlassen haben oder ihnen einer vor der Zeit weggestorben ist.

Das ist die Wahrheit, so sieht es aus. Ich will bestimmt nicht die Vergangenheit verklären. Früher hat man mit Sicherheit den Falschen, weil den Allerersten, geheiratet, aber man musste zusammenbleiben. Dafür sorgte eisern die Konvention. Heute kann man wählen und sich immer wieder trennen, doch für das Alter ist nicht mehr vorgesorgt. Das ist eine Erkenntnis, die einem mit den Jahren bedrohlich zuwächst. Wenn man umgeben ist von Freundinnen, die entweder verzweifelt suchen, bei unterdurchschnittlichen Langweilern geblieben sind oder, wie Krystyna, sich plötzlich gierig ihr Stück vom Abenteuer holen, weil vielleicht bald alles vorbei ist.

Eine Wahnsinnsfrau – das sagen wir über diese in sich ruhenden, beißend witzigen Älteren, diese bewunderten Großmutter-Ikonen unserer Gesellschaft, die gut sind für Matineen und Interviews in den Wochenendbeilagen. Grobkörnige Schwarz-Weiß-Porträts. Sie sprechen und denken von einem Olymp innerer Freiheit hinab, aber sie sind ausnahmslos allein. Da gibt es die würdige alte Verlegerin, deren Ex-Mann, was seine aktuellen Gefährtinnen betrifft, inzwischen in der Enkelgeneration wildert. Es gibt die berühmte Malerin, die ihren kongenialen Bildhauer vor Jahren bis zum Ende gepflegt und danach keinen mehr gefunden hat. Den einen oder anderen hätte sie durchaus gewollt, aber es hat sich keiner getraut. Man will weder der Nachfolger des großen X noch der Mann in der zweiten Reihe sein. Wo junge Frauen so viel weniger Arbeit sind, unkomplizierter, formbar.

Und es gibt die Schauspielerin mit der rauchigen Stimme, der die Silberfäden in der ehemals kohlschwarzen Mähne eine noch dramatischere Ausstrahlung verleihen als je zuvor. Sie, so hört man, habe neuerdings einen weiblichen Partner. Das ist ein komplizenhaft beschwiegener Ausweg, der dennoch ein wenig nach Niederlage schmeckt.

Bemannte Frauen schaffen es selten in die Liga der Wahnsinnsfrauen. Sie wissen, dass sie es nicht verdienen, und sie wünschen es gar nicht. Eine zertifizierte Wahnsinnsfrau zu sein ist nur der Trostpreis. Es nützt nicht einmal den eigenen Kindern, so man welche hat (*nicht leicht, eine solche Mutter zu haben*), es nützt maximal dem Nachruhm. Und deshalb fürchtet, wer ein respektables Ehemann-Exemplar gefunden, sich mit diesem zusammengerauft und sich an sein Schnarchen oder an seine herumliegenden Mokkalöffel gewöhnt hat, nichts so sehr wie die *junge Frau*. Sobald wir über vierzig sind, hegen wir jungen Frauen gegenüber Mordgedanken. Selbst wenn sie als heißverliebte Ehefrauen in unseren Freundeskreis eintreten, beobachten wir argwöhnisch, wie lange unser eigener Mann das Frischfleisch bei der allgemeinen Begrüßung küsst und an sich drückt. Da gibt es nämlich einiges zu sehen.

Und da fragen sie in den Magazinen allen Ernstes, warum Frauen stutenbissig sind?! Warum sie nicht, wie die Männer, diese unsichtbaren Netzwerke bilden und sich gegenseitig zum Aufstieg verhelfen?! Es liegt schlicht daran, dass ältere Männer immer Frauen haben, meistens viel repräsentativere als die jungen, unsicheren Männer. Da kann man leicht fördern und großzügig sein. Erfolgreiche, mittelalte Frauen dagegen wollen die begabten jüngeren nicht so einfach zu ihren Assistentinnen machen, weil sie sie eines Tages ihrem Mann vorstellen müssten. Oder weil die jungen einen engagierten Beischläfer haben, sie selbst aber schon lange nicht mehr.

Während Männer mit dem Alter berufliches und sexuelles Renommee sammeln, gibt es für Frauen, sofern es sich nicht um Models handelt, das eine erst nach dem anderen. Auch deshalb verstehen sie sich so gut mit Schwulen.

Die Redakteurinnen in diesen Magazinen sind übrigens nie älter als Anfang dreißig, denn sobald sie Kinder haben, steigen sie aus oder arbeiten von zu Hause. Automatisch schreiben sie nicht mehr über Stutenbissigkeit, sondern über die Probleme der Teilzeit. Man könnte sagen, ein Frauenleben besteht aus einer Folge von unverbundenen Zellen, in denen man je nach Alter einsitzt. Das Wissen fließt, wenn überhaupt, nur in eine Richtung. Solange man jung ist, weiß man nicht, was man als Ältere begreift. Aber dann nützt es einem, anders als den Männern, nichts mehr.

Wenn ich es also recht bedenke, werde ich meine Zimperlichkeit eines Tages noch bereuen. Krystyna macht es besser, sie greift jetzt mit beiden Händen zu. In unserem Alter kann man nicht auf später warten, nicht, wenn es um Sex und Abenteuer geht. Da zählen beinahe Wochen. In unserem Alter müsste man endlich abgeklärt genug sein, um die Sphären sauber zu trennen. Kein schuldbewusstes Gesicht, kein Kondom in der Manteltasche. Hier das schöne, volle Leben mit Richard und den Kindern, dort ein kleines, gut abgeschirmtes Frischluftschnuppern. Als Nächstes wird sie mir wahrscheinlich erzählen, dass Richard und sie wieder mehr Sex haben. Das kenne ich von anderen Freundinnen.

Ich hoffe bloß, sie macht keinen Fehler. Ich hoffe, sie verliebt sich nicht rettungslos, und der samtstimmige Mann ist nicht allzu gut im Bett. Ich muss sie anrufen. Seit gestern ist sie von der Tagung zurück. Bisher habe ich nur eine SMS von ihr bekommen, kein Text, sondern drei Smileys mit kugelrund aufgerissenem Mund. Ich weiß nicht genau, ob das Schock oder Glück bedeutet, oder beides. In Emmys Zimmer klebt ein Sticker, der alle Smileys samt Bedeutung auflistet. Dort könnte ich nachschauen … Wenn jetzt nicht gerade Mor mit Amos vom Kinderarzt zurückkäme. Dazu habe ich ihn gezwungen, da ich wegen seiner Töchter fast zwei Arbeitstage verloren habe.

Aha, hier ist ein zerknitterter Lampion aus dem Kindergarten, hier ein Paar nasser Sportschuhe. Hier ist ein Medikament, das man erst mischen muss, Beschreibung anbei, Mor drückt mir alles in die Hand. Klar, er mischt keine Medikamente, er liest keine Packungsbeilage, er ist ein Mann. Schon ist er wieder zur Tür hinaus, Termine, Verpflichtungen, Sprechstunde, spätestens zum Abendessen zurück, denk daran, dass morgen die Storteckis kommen, wir aber noch immer keinen Wein bestellt haben. Wartet in Wahrheit irgendwo eine Nachfolgerin der Schnitzler-Tante hinter einem Latte macchiato? Oder hinter einer Hotelzimmertür?

Amos hockt auf dem Boden und zieht sich die Schuhe aus. Ein Schwall Sand auf dem Parkett, vor zwei Stunden erst ist die Putzfrau gegangen. Ich will ihn anschreien, aber ich kann nicht. Die gütige Abdeckhaube schützt uns, dieser Teewärmer über den allzu heißen Gefühlen, der sich oft im richtigen Moment überstülpt. Amos geht in sein Zimmer und schaltet den CD-Player ein. Benjamin Blümchen singt, Amos trommelt dazu. Mit der Handkante schiebe ich den Sand zu einem Häufchen zusammen. Die Packung mit dem Antibiotikum bohre ich mitten hinein. Ich kichere. Falls Viola jetzt zur Tür hereinkäme, könnte ich versuchen, wie ein Tier den Sand aufzulecken, auf Bauch oder Knien langsam um das Medikament herum. Das wäre dem U-Bahn-Running adäquat, sie spielt mit ihrem verantwortungslosen Leben, ich werde an meinem Mutterdasein verrückt. Vielleicht würde sie wenigstens das erschrecken.

Ja, Krystyna ist zu beneiden. Sie würde den Dreck zusammenkehren, den Lampion glattstreichen, die Turnschuhe föhnen und dabei an etwas ganz anderes denken. Sie erweitert ihr inneres Fluchtpotenzial. Sie schafft Räume, die nur ihr gehören. Das Verliebtheitsgefühl selbst kann man nicht aufbewahren, es ist ein flüchtiges Edelgas. Manchmal genügen ein Blick oder ein Missverständnis, um es abzustechen wie einen Ballon. Jedenfalls in unserer Situation, wenn man eigentlich nicht berechtigt ist. Wenn die Sache nicht auf Paarbildung, sondern auf Betrug ausgerichtet ist. Siehe Nelson, von dem ich, wie ich ohne großes Bedauern annehme, nie wieder hören werde. Aber zu wissen, dass man sich nicht immerzu bigott beschnitten hat, dass man im Gegenteil einiges Schöne davon gehabt, dass man manchmal geschwelgt und im prickelnden Luxus gelebt hat; daran zu denken, wenn sie einem später den künstlichen Darmausgang legen – das müsste irgendwie tröstlich sein.

Wir leiden darunter und beklagen uns darüber, wir flüstern argwöhnische Fragen, obwohl wir doch nur zu genau wissen, wie die lange Kette der menschlichen Beziehungen abläuft, die lange notwendige Parabel, der ganze lange Weg, den wir zurücklegen müssen, um so weit zu kommen, dass wir ein wenig Erbarmen haben.

– Natalia Ginzburg –

8

Die Mutter sagte, sie kenne keine Cafés mehr in der Stadt, und außerdem sei es ihr fast überall zu laut. Sie schlug den Park bei der Uni vor, eine bestimmte Parkbank, deren genaue Lage sie Viola beschrieb. Die Zeit, die sie nannte, war zu früh, doch Viola widersprach nicht. Sie bemühte sich, klar und deutlich zu antworten – *den Mund wie normale Menschen beim Sprechen einfach zu öffnen* –, etwas, das ihre Stiefmutter ständig von ihr forderte, aber deshalb nie bekam.

Viola ging nach der fünften Stunde und entschuldigte sich bei dem Arsch von Biologielehrer so höflich, dass er den Rest des Tages darüber rätseln würde. Selbstverständlich werde sie die schriftliche Bestätigung nachreichen. Ihr Vater habe sie bereits geschrieben, nur habe sie sie zu Hause liegen lassen, versicherte sie, sorry, echt, mein Fehler. Das war beinahe zu dick aufgetragen.

Sie war gut im Unterschriften-Fälschen. Die ausgeglichene Kinderschrift ihres Vaters war besonders leicht nachzumachen. Gegen Bezahlung stellte sie auch fremde

Krakel her, zumindest für Freundinnen. Zu Hause unter dem Bett verwahrte sie einen würfelförmigen Scheinwerfer. Auf der beleuchteten Fläche pauste sie die Vorlagen ab, erst vorsichtig und präzise, dann schwungvoller. So lernte sie die Schriftzüge, mit denen sie ihre Freundinnen beeindruckte.

Die Uni könne sie sich ja schon einmal anschauen, hatte die Mutter am Telefon vorgeschlagen, für den Fall, dass sie sich verspäte. Ich bin diese Reisen mit den U-Bahnen nicht mehr gewöhnt, klagte sie, dauernd nehme ich die falsche Richtung oder steige zu früh aus. Viola fand, dass sie eine angenehme Stimme hatte, jung, spöttisch.

Doch als Viola in den Park kam, war sie schon da. Aus der Ferne wirkte sie wie ein Mädchen, lange Haare, im Schneidersitz auf der Bank.

Hi, sagte sie, ich bin Lisa. Ich gehe davon aus, dass du nicht Mama zu mir sagen willst.

Sie lachte, ohne dass Viola verstand, warum.

Sie war braungebrannt und dünn, dünner und kleiner als Viola selbst, und das Einzige, was ihr an dem Gesicht dieser Frau bekannt vorkam, waren die Augen, die aussahen wie die ihrer jüngeren Schwester.

Sie gingen spazieren und unterhielten sich. Die Mutter, Lisa, bot ihr eine Zigarette an, das war so überraschend, dass Viola erst ablehnte. Ob ihre Mutter überhaupt wusste, wie alt sie war? Aber wahrscheinlich war sie aus Indien einfach anderes gewöhnt.

Ach, gib mir doch eine … Lisa, sagte Viola.

Sie stellte keine der Fragen, die sie als Kind beschäftigt hatten. Das kann dir nur deine Mutter beantworten, hatte ihr Vater meistens gesagt und dabei hilflos ausgesehen.

Es war Lisa, die fragte, nach der Schwester, nach der

Schule, nach dem Leben, früher, bei der Oma. Ob das regelmäßige Wechseln zwischen Papa und Oma anstrengend gewesen sei.

Schon okay, murmelte Viola.

Verstehe, sagte Lisa.

Viola sah sie an.

Na wenn man nichts anderes kennt, sagte Lisa und lachte wieder.

Später saßen sie auf der Wiese. Lisa streifte die Schuhe ab. Viola sollte das Feuerzeug hochhalten, und Lisa schnappte es ihr mit den Zehen weg. Sie hatte große Abstände dazwischen, offenbar konnte sie deshalb damit greifen wie mit einer Hand. Wie ein Schimpanse, sagte Viola.

Im Vergleich dazu wirkten ihre eigenen Füße tot. Lisa lehnte sich quer über ihre Beine und zog ihr die Schuhe aus. Das war ihr unangenehm, sie versuchte, sich nichts anmerken zu lassen. Xane nörgelte in letzter Zeit, sie sei eine schreckliche Erbsenprinzessin geworden; Lisa gegenüber, nach der sie sich so lange gesehnt hatte, wollte sie auf keinen Fall so wirken.

Du hast die Füße deines Vaters, stellte Lisa fest, geeignet nur zum normalen Gebrauch. Aber sei froh, das Ungewöhnliche macht meistens nur Probleme. Schau mich an.

Hast du einen Freund, fragte sie und streckte ihr wieder die Zigarettenschachtel hin. Viola schüttelte den Kopf.

Aber verliebt bist du? Du bist bestimmt verliebt, gib es zu!

Also gab sie es zu. Den Blick auf ihre unflexiblen Zehen gerichtet, erzählte sie von diesem Alex, den sie seit einer Weile aus der Ferne beobachtete, und es war überraschend leicht, fast als säße bloß ihre Freundin Siri neben ihr. Lisa hörte zu und gab ihr Tipps, das war irgendwie cool. Sie behauptete mit Nachdruck, dass die Jungs genauso viel Angst hätten wie die Mädchen, wenn nicht noch viel mehr. Überrasch ihn, zeig dich, das macht dir keine nach, feuerte sie sie an, die Mädchen, und nicht nur in deinem Alter, sind alle zu feige, immer auf ihre lächerliche Frauenwürde bedacht. Da hielt Viola es für möglich, einfach hinzugehen und den Typen anzusprechen.

Und das klappte, nur ein paar Tage später. Hi, sagte sie und blieb auf dem Schulhof wie zufällig vor ihm stehen, was hörst du da?

Er zog langsam den weißen Knopf aus seinem Ohr und hielt ihn ihr hin. Jetzt musste sie ziemlich nahe an ihn ran, das Kabel war nicht lang und verschwand unter seiner Jeansjacke. Er roch nach Rauch und Wollpullover. Sie fürchtete, dass sie zu seiner Musik nichts Angemessenes sagen könnte, doch dann hörte sie die Stimme und diese kratzigen Gitarrenakkorde, und ihr Gesicht veränderte sich von selbst, genau beobachtet von diesem Alex.

Waaahn-sinn, sagte sie, mit Betonung auf der zweiten Silbe, das muss ich haben.

Kannst du jederzeit kriegen von mir, gebrannt oder vom Stick, wie du willst, sagte er. Und schon waren sie verabredet.

Kim, Siri und Teresa flippten fast aus vor Bewunderung. Wie sie das gemacht hatte, verriet Viola nicht. Stattdessen ließ sie wie nebenbei fallen, dass sie ihre echte Mutter wiedergetroffen hatte. Kim fand das krass. Sie wollte genau wissen, wie Lisa aussah, ob Viola irgendetwas wiedererkannt hatte, ob sie sich umarmt hatten. Teresa reagierte kühler. Sie fand, dass Violas Mutter sich erst einmal hätte entschuldigen müssen. Ich meine, wie lang war die weg? Über zehn Jahre?

Aber das war eigentlich logisch, denn Teresa, die hatte so eine schlimme Gluckenmutter und schien das noch zu genießen. Witze von anderen darüber prallten an ihr ab. Wieso, wir verstehen uns eben gut, sagte sie, ihr streitet mit euren Müttern doch aus Prinzip. Viola fand das nicht normal, aber zumindest war es das Einzige, was an Teresa komisch war. Einmal gingen sie ins Kaufhaus klauen, da blieb Teresa am coolsten. Sie machte nichts mit ihren Taschen oder schaute sich ängstlich um, sie versuchte nicht, wie die hysterische Siri, die toten Winkel der Überwachungskameras zu erraten, nein, sie nahm eine scheußliche pinke Kosmetiktasche, trug sie gut sichtbar in Richtung Kasse, und dann einfach daran vorbei, ins Freie. Total selbstsicher, als ob sie sie bezahlt hätte. *Nein danke, wir haben wirklich schon genug Tüten zu Hause.* Das war Xane im O-Ton, dieser Ökonazi von Stiefmutter. Viola, die Taschen voller Gummischlangen, kam hinter Teresa aus dem Kaufhaus, dachte an diesen Satz und hätte sich fast totgelacht.

Als sie dahinkam, ins Europacenter, war Alex noch nicht da, dafür ein paar der anderen, die meistens auf dem Schulhof mit ihm abhingen. Damit hatte sie nicht gerechnet, aber klar, welchen Grund hätte er haben sollen, sich mit ihr allein zu treffen? Die anderen redeten sie schräg an, nicht unfreundlich, aber trotzdem, einer fragte, ob sie Zoes Nachfolgerin sei? Sie verstand die Anspielung nicht, sie focht flapsig zurück, aber es war anstrengend, sich zu behaupten. Sie war das einzige Mädchen. Sie wusste nicht, ob das ein Vorteil war. Besser wahrscheinlich, als wenn eine um Jahre Ältere aus dem Jahrgang dieser Jungs dabei gewesen wäre. Die hätte auf sie herabgeschaut. Hätte sie eine Freundin mitbringen sollen? Und wenn ja, welche? Nun war sie da und konnte nicht mehr weg. Aber da kam schon Alex. Als er sie sah, grinste er. Er nahm sie kurz in den Arm, er war diesen anderen so überlegen. Er hatte ihr die Musik gebrannt, sie schob die CD behutsam in ihre Tasche. Sie streunten durch das Center. Einer, Theo, probierte in einem Laden alle Schals an, die im Eingangsbereich in einer Holzkiste lagen; mal wickelte er sie sich um den Kopf wie einen Turban, mal spielte er einen Bankräuber oder Grippekranken. In einen rosa Schal hustete er affektiert hinein. Ein anderer fotografierte ihn dabei. Ursprünglich hatten die Schals aufgerollt gelegen und wie dicke Klopapierrollen ihr Muster gezeigt; Streifen, Tupfen, Norwegerstil, aber jeden, den er anprobiert hatte, warf Theo einfach wieder so hin. Viola hätte es genauso gemacht. Die Verkäuferin war kaum älter als die Jungs und sah mit leerem Gesicht hinter der Kasse hervor. Andere Kunden gab es nicht. Viola lachte.

Alex zog sie weg, zum Heißen Wolf. Er kaufte eine Currywurst und teilte sie mit ihr.

Lust, mal ins Kino zu gehen, fragte er.

Klar, sagte sie.

Okay, sagte er, nächste Woche. Da kommt die neue Fassung von dem Sergio-Leone-Film ins Kino, über vier Stunden, uraltes, geiles Teil, und so was von nicht jugendfrei. Die Frage ist, ob wir dich mit reinkriegen. Vielleicht kann ich einen Perso ausleihen. Wie alt bist du eigentlich?

Fast sechzehn, log Viola. Ach, fragte Alex, später eingeschult? Äh…hm, antwortete sie und sah auf seinen Kehlkopf, bis zu dem hinunter er offensichtlich rasieren musste.

Plötzlich wollte Alex gehen. Sie mochte nicht allein bleiben oder mit diesen anderen, die sie nicht kannte, also lief sie ihm hinterher, bis sie wieder unten auf der Straße standen. Gerade als er ihr Feuer gegeben hatte, kam ein Bus. Tschüss, Kleine, sagte er, steckte seine Zigarette wieder ein und war weg.

Am Sonntagnachmittag mussten sie zur Oma.

Ich bitte dich, einmal im halben Jahr, stöhnte Papa als Antwort auf Violas Gestöhne. Sie weiß gar nicht mehr, wer wir sind, maulte Viola, und Emmy, mit ihrer Lehrerinnenstimme, erwiderte, das stimmt überhaupt nicht, sie vergisst nur manchmal unsere Namen.

Mongo supersensibel, flüsterte Viola, rollte mit den Augen und streckte die Zunge heraus. Emmy holte aus und hieb ihr die Faust auf den Oberarm. Viola hatte es nicht kommen sehen und stieß heftig Luft aus. Sie schlägt schon wieder, schrie sie empört, rieb sich den Arm, und Papa fragte, Emmy, was soll das?

Sie hat mich schon wieder Mongo genannt, sagte Emmy, und Papas Blick wurde hart. Sie hat Halluzinationen, kreischte Viola, sie hört und sieht Dinge, die es nicht gibt. Beinahe wie die Oma, setzte sie mit schmeichelndem Ton hinzu, und Papa sagte scharf: Viola, das reicht jetzt.

Mir auch, sagte Viola halblaut, mir reicht es schon lange, aber von da an ignorierte Papa sie.

Schweigende Autofahrt. Papa setzte sie vor dem Eingang ab und ging im Garten spazieren. Er kam nie mit hinein. Oma und er hatten sich nie vertragen, aber jetzt wusste Oma wahrscheinlich nicht mal mehr, wer er war. In dieser Hinsicht hatte sie es leichter.

Im Grunde hätte man Oma nicht besuchen müssen, man hätte sich im Foyer oder in den Korridoren herumtreiben können, es gab Kaffeeautomaten, wo der Cappuccino nur einen Euro kostete, und es gab andere Irre, die irgendwie interessanter waren. Aber mit Emmy war das nicht zu machen. Emmy kaufte Blumen, Emmy begrüßte Oma so, als wäre alles wie früher, sie setzte sich hin und versuchte allen Ernstes, mit ihr Würfelpoker zu spielen. Das habe ich lange nicht mehr gemacht, sagte Oma, und Emmy schleimte, siehst du, dann wird es ja Zeit.

Als Viola die Tür öffnete und Emmy den Vortritt ließ, rief Oma von drinnen, Lisa, endlich, ich habe schon gewartet, komm herein, Lisa. Lisa, Lisa. Das war neu. Emmy zögerte, behielt ihre Taktik aber bei. Hallo Oma, sagte sie, hier kommen Viola und Emmy, deine Enkel, wie geht es dir?

Lisa, Lisa, stammelte Oma und versuchte, Emmy zu umarmen. Emmy streichelte mit ihren Handflächen Omas Schulterblätter und hielt sich dabei gerade. Oma benahm sich wie ein liebestolles Kälbchen. Ihre Haare waren verlegt, hinten klaffte Kopfhaut. Viola verdrehte die Augen. Sie hielt weiterhin die Tür offen. Sie überlegte, ob sie sie zufallen lassen, Emmy den Job hier machen lassen und draußen warten sollte. Dann sah sie das Bild. Bisher hatte Robert Redford über dem kleinen Tisch gehangen, Oma war glühender Robert-Redford-Fan. Musste man sagen: Gewesen? Als sie noch halbwegs bei Verstand war, hatten Emmy und sie diese signierte Autogrammkarte im Internet besorgt, zum Geburtstag oder zu Weihnachten: *For Anke, best, Robert*. Ob die echt war, konnte kein Mensch sagen. Aber die Oma hatte sich so gefreut! Deshalb bat Emmy Papa um einen Rahmen und hängte sie an zentraler Stelle auf. Und als Oma ins Heim zog, kam Redford mit.

Jetzt war er weg, nein, nur umgehängt, näher am Fenster. Über dem Tisch hing ein größeres Bild, das Viola noch nie gesehen hatte. Zweifellos zeigte es Emmy und sie als kleine Kinder, zusammen mit – ihrer Mutter. In Großaufnahme strahlten sie in die Kamera, das heißt, das fette Baby, das Emmy sein musste, hatte, passend zu seiner unfassbaren Glatze, einen Schnuller im Mund und strahlte daher am wenigsten, aber Lisa und Viola strahlten, Wange an Wange, um die Wette. Leicht auszurechnen, wer das Bild gemacht hatte, wer ihnen von der anderen Seite entgegenlächelte. So war das also einmal gewesen. Ihr Brustkorb fühlte sich hohl an, und dieses neue Begreifen rollte darin hin und her wie ein Basston bei einem Konzert.

Emmy ließ Oma los und sah in dieselbe Richtung. Wo kommt das Bild her, Oma, fragte sie, und Oma gurrte, aber das hast du mir doch gebracht, mein kleiner süßer Liebling.

Ich habe ja ihre Nummer, soll ich sie anrufen, sagte Viola zu Emmy, als sie durch die Korridore hinausgingen. Emmy schaute vor sich hin und zuckte die Schultern. Mir egal, sagte sie.

Willst du nicht doch, fragte Viola, sie ist sehr … Ich will nicht, unterbrach Emmy, lass mich in Ruhe. Sie ging schneller, Viola ließ sie ziehen, sie fand es seit einiger Zeit uncool, sich allzu schnell zu bewegen. *Heb die Füße beim Gehen, du schlurfst wie ein Penner*. Da saßen die Alten bei offenen Türen vor ihren fleischigen Topfpflanzen und wussten nicht mehr, wer sie waren. Ein fast zahnloser Mann winkte ihr zu. Viola wandte den Kopf ab. Ein gruseliger Ort.

Draußen schien die Sonne. Hinter der Glasscheibe kam ihnen Papa entgegen, verlässlich zur Stelle in seinem Trenchcoat, und zu Hause hatte Xane endlich wieder Zeit gefunden, Rinderrouladen zu machen, mit Kartoffelpüree, das konnte sie wirklich ziemlich gut.

Lisa war nicht zu erreichen, da war immer nur ihre Mailbox, nicht personalisiert, Computerstimme. Viola hinterließ keine Nachricht, wer weiß, ob die Nummer stimmte. Nach dem Besuch bei Oma war sie ein, zwei Tage lang aufgeregt und versuchte es immer wieder, dann wurde sie trotzig und hörte auf. Um ein Haar hätte sie die Mathearbeit vergessen, doch um richtig zu lernen, war es trotzdem zu spät. Da sie glatt auf Vier stand und selbst mit Lernen wohl keine Zwei geschrieben hätte, war es so gut wie egal. Die Klassenlehrerin machte Stress wegen der Entschuldigung von letzter Woche, Viola zuckte die Schultern und murmelte etwas von morgen, bestimmt.

Auf dem Hof stand sie jetzt immer bei Alex und den anderen. Ihre Freundinnen drückten sich in der Nähe herum und waren auf eine unterwürfige Weise verstimmt. Manchmal brummte der verrückte Theo, und jetzt, Kameraden, Zigarette marsch, und alle taten so, als würden sie aus der hohlen Hand rauchen, von den Lehrern abgewandte Blicke, kichern, etwas auf den Boden werfen und mit der Schuhspitze austreten. Leider war nicht Winter, wegen des Atemhauchs. Die Lehrer ignorierten das Getue. Aber wenn wirklich einer geraucht hätte, wären sie bestimmt ganz schnell zur Stelle gewesen.

Das mit dem Kino war für Freitagnachmittag geplant; Alex fragte, ob sie sich schon mittags treffen wollten, allein. Klar, sagte Viola, scheiß auf die Schule, und Alex lachte. Das eine Lied von seiner CD konnte Viola inzwischen auswendig, sie hatte ihm noch nicht gesagt, wie sehr sie es mochte. Das nahm sie sich für das erste richtige Treffen vor. Dass sie es hundertmal am Tag hörte, dass sie mit dem iPod einschlief. Dass es nicht Alex' Stimme war, war ihr egal, die Stimme klang genau so, wie Alex aussah, blass, traurig, schön: *We might die from medication, but we sure killed all the pain. But what was normal in the evening by the morning seems insane.*

Zu Hause sagte sie am Vorabend, sie hätte erst zur dritten Stunde Schule. Morgens um acht wäre sonst nur die S-Bahn geblieben, einmal den Ring herum oder so. Hatte sie alles schon gemacht, war auch echt nicht uninteressant. Die meisten Geschäfte und Cafés öffneten erst ab zehn. Habt ihr überhaupt noch Unterricht, musste Xane sie natürlich wieder anmotzen, als ob sie etwas dafür könnte, dass dauernd Unterricht ausfiel. Unterrichtsausfall am Morgen hatte selbst Xane noch nie bezweifelt. Viola zuckte mit den Schultern. Sie schlief halbwegs aus, dann legte sie sich in die Badewanne, bis Xane mit den Fäusten gegen die Tür trommelte. Als Viola aufsperrte, drängte sie sich fauchend an ihr vorbei und schnappte ihren Kulturbeutel. Fährst du weg, fragte Viola.

Nach Hamburg, bis übermorgen, gab Xane zurück, das haben wir aber eh erst drei Mal besprochen. Sie trug ein Kleid und war im Vergleich zu sonst ziemlich aufwendig angepinselt. Viel Spaß, wünschte Viola, fast von Herzen, als ihr klar wurde, dass sie gar nichts mehr wegen Kino und länger ausbleiben verhandeln musste. Dem Papa brauchte man nur eine SMS zu schicken, dass man bei irgendwem zum Lernen war, wo es anschließend Abendessen gab. Kontrollanrufe, so etwas fiel nur Xane ein, und leider immer dann, wenn es berechtigt war.

Hallo Kleine, sagte Alex, als sie sich im Viktoriapark trafen, und hielt den Personalausweis eines dunkelhaarigen Mädchens hoch, ähnlicher hab ich nicht gekriegt. Viola lachte und las: Stefanie Heinitz.

Wirst du jetzt Stefanie zu mir sagen?

Sicher nicht. Ist eine Streberin. Aber hilfsbereit.

Wahrscheinlich ist sie in dich verliebt.

Oh Gott, wir geben das sofort zurück!

Sie gingen spazieren, und nach einer Weile nahm er tatsächlich ihre Hand. Die Hintergrundmusik zu diesem romantischen Film, den traurigen Sänger, hatte sie auf Dauerschleife sowieso im Kopf. *I got a flask inside my pocket we can share it on the train. If you promise to stay conscious I will try and do the same.*

Später hob er sie auf eine Parkbank und küsste sie. Viola konzentrierte sich. Sie wollte alles richtig machen. Da war auf Zähne, Zungen und Nasen zu achten, und darauf, dass es kein Geräusch gab. Weil sie auf der Parkbank stand, war sie die Größere. Sie sah nicht auf ihn hinunter, sie hielt die Augen geschlossen. Während sie küsste, war sie stolz darauf, dass sie es unwiderruflich getan haben würde. Mit Alex. Es fühlte sich nicht peinlich an. Es war eine Etappe. Er hatte seine Hände in den Taschen ihrer Jacke. Er ließ sie dort, das war beruhigend und süß. Sie legte ihre Hände an seine Wangen. Dass sie heute Abend, wie jeden Tag, allein in ihrem Bett liegen und über alles nachdenken würde, schien in diesem Moment völlig unwirklich.

Später, als sie die anderen trafen, gingen sie Hand in Hand, die anderen grinsten erst, hörten jedoch bald damit auf. Sie fuhren in einem überfüllten Bus zum Ku'damm, Theo geriet mit einem Rentner in Streit, der meckerte, er habe die Schuhe auf den Sitz gestellt. Nazifresse, sagte Theo, ihr werdet alle sterben. Viola nahm sich vor, dass sie sich Alex' Hand zurückholen würde, falls sie sich im Gedränge verlören.

Als sie ausstiegen, hatte sie, wie auf einer Bühne, Xane vor sich. Automatisch war Violas Blick auf ihre Gestalt gefallen, wahrscheinlich, weil sie Schal und Mantel erkannte. Nur wenige Schritte vor und über ihr, auf den Stufen eines Hotels, umarmte sie einen fremden Mann auf eine Weise, die Viola peinlich berührte. Der Mann war, soviel sie sehen konnte, hässlich und alt und überdies kleiner als Xane, aber er hielt sie in den Armen wie im Film. Xane klammerte sich geradezu an ihn. Als sie sich voneinander lösten, sagte er etwas zu ihr, sie zeigte ihm daraufhin ihre Hand, er nahm sie und küsste vorsichtig die Handfläche.

Das ist ja total widerlich, stieß Viola hervor. Alex neben ihr hatte sich eine Zigarette angezündet und fragte, was ist?

Die da, sagte Viola und zeigte mit dem Finger, was Xane übrigens hasste – *mit nacktem Finger nicht auf angezogene Leute* –, da drüben, das ist meine Mutter, also, Stiefmutter. Bis Alex in der Menschenmenge entdeckte, wen sie meinte, war der faltige Zwerg verschwunden. Sieht ganz okay aus, sagte Alex, als Xane direkt auf sie zukam. Die hat hier gerade so 'nen Greis geknutscht, murmelte Viola. Alex zuckte die Schultern und wollte sie wegziehen, komm lieber, bevor sie dich sieht. Doch Xane sah nichts, die war völlig weggetreten. Sie kam Viola geradewegs entgegen, trug ihre frisch geküsste Hand voran wie ein Tablett, ging an ihr vorbei, der Bus stand noch da, sie stieg ein, die Türen schlossen sich. Viola schüttelte mit zusammengekniffenen Augen den Kopf, schüttelte dieses peinliche Rätsel erst einmal von sich ab, dann gingen sie alle zu McDonald's und machten dort eine Menge Lärm.

Eigentlich hatte sie Lisa mit Verweigerung strafen wollen. Auf eine Mutter, die erst für Jahre verschwunden war und dann ihr Handy tagelang nicht checkte, konnte man ja wohl verzichten. Als sie sich endlich meldete, nahm Viola die Einladung zum Essen trotzdem an, aus Erleichterung, Neugier und um ihre Eltern zu ärgern. Die hatten gerade ein Ausgehverbot von einer Woche verhängt, nachdem der Bio-Arsch angerufen und die fehlende Entschuldigung eingeklagt hatte. Wo warst du, hatte Xane mit verzerrtem Gesicht geschrien, sag wenigstens ein einziges Mal die Wahrheit. Die Wahrheit, die Viola ihr hätte sagen sollen, war, dass sie noch mehr Falten kriegen würde, wenn sie dauernd so schrie, aber sie hatte nur die Schultern gezuckt und irgendetwas von Chillen am Ku'damm gemurmelt. Dass sie auf diese Weise für ein Treffen mit ihrer richtigen Mutter bestraft wurde, ärgerte sie. Sie wusste nicht genau, warum sie es nicht einfach sagte. Allerdings konnte sie sich den Dialog gut vorstellen.

Papa: Warum hast du ihr nicht gesagt, dass du noch Schule hast? Ihr hättet euch doch später treffen können?

Xane: Die hat doch eh nichts zu tun.

Viola: Weiß nicht.

Xane: Mein Gott, sie weiß es nicht. Was weiß sie eigentlich?

Morgen Abend bin ich zum Essen eingeladen, sagte Viola. Sie lächelte Papa an. Ich glaube, wir haben uns klar ausgedrückt, dass du diese Woche, fing Xane an, wieder mit diesem hysterischen Unterton. Sie war dauergeladen, in letzter Zeit. Viola stellte ihr Glas mit einem Knall hin und wandte sich ihr zu, zum ersten Mal seit Wochen. Den eigenen Blick konnte man einsetzen wie eine Waffe, das lernte sie gerade von anderen, zum Beispiel von Theo. Wochenlang hatte sie Xane nur von der Seite angeblinzelt, aber auch ein offener Blick war nicht gleichbedeutend mit Frieden. Jetzt nahm sie Xane voll in ihr kaltes, blaues Licht. Das wirkte; Xane sah überrascht aus.

Meine Mutter hat mich zum Abendessen eingeladen, sagte Viola und betonte dabei jede Silbe, das kannst du mir ja wohl schlecht verbieten.

Na wenn das so ist, flüsterte Xane, wischte mit einer Serviette in ihrem Gesicht herum, sprang auf und lief mitten im Essen hinaus.

Sie saßen auf dem Boden, auf orientalischen Kissen, der Tisch nicht höher als halbe Wade. Viola beobachtete, wie Lisa das Brot zusammenklappte und als Löffel benutzte. Das Essen war scharf. Man konnte Joghurt unterrühren, das machte es leichter.

Lisa freute sich, dass es mit Alex so gut lief. Sie wollte ein Foto sehen, Viola hatte leider keines. Auf seiner Facebook-Seite hatte Alex ein Porträt von Dagobert Duck. Sie alberten herum, wie sie unauffällig eines machen könnten. Ihn fragen war zu peinlich. Lisa verstand das. Lisa phantasierte, dass sie sich mit einem Teleobjektiv an den Schulzaun stellte; vielleicht könnte man ein schönes Bild von ihnen beiden machen?

Und ob Viola ihr diese tolle Musik überspielen könnte? Viola nickte. Sie erzählte Lisa, dass Oma Emmy mit ihr verwechselt hatte.

Sieht sie mir so ähnlich, fragte Lisa. Ich finde, eigentlich nicht, sagte Viola. – Lisa, wieso hast du dich so lange nicht gemeldet?

Ja, sagte Lisa und lehnte sich zurück. Sie sah Viola an. Die Wahrheit war, Lisa war sehr lange krank gewesen. Psychisch krank, verstehst du. Das ist im Grunde auch nur eine Krankheit wie Lungenentzündung oder Scharlach, falsche chemische Prozesse im Gehirn, dagegen gibt es Medizin.

Das hatte Papa nie erwähnt.

Aus dem, was sie erzählte, gewann Viola den Eindruck, dass Papa nie verstanden hatte, wie schlecht es ihrer Mutter gegangen war. Hatte er überhaupt begriffen, dass sie krank war? Ob er damals schon so geistesabwesend gewesen war, in Gedanken immer in der nächsten Vorlesung oder bei der kommenden Tagung? Lisa erzählte von der Parkbank, bei der sie sich neulich getroffen hatten. Auf genau dieser Bank habe sie einmal auf Papa gewartet, im Winter. Er habe sich verspätet, und sie sei eingeschlafen. Als Passanten sie fanden, war sie fast erfroren, sie beide, denn damals hatte sie Emmy in ihrem Bauch.

Krass, sagte Viola.

Wahrscheinlich wollte dein Vater vor allem euch beide schützen, sagte Lisa und lächelte munter, man darf ihm da auf keinen Fall Vorwürfe machen.

Moment mal, widersprach Viola, er muss doch wissen, dass er damals Mist gebaut hat!

Viola, Schätzchen, sagte Lisa und trommelte ihr mit den Fingerspitzen aufs Knie, wir sollten diese alten Sachen nicht aufwärmen.

Aber wenn er sich besser um dich gekümmert hätte, sagte Viola und fühlte überrascht, dass ihr die Tränen kamen, hättest du bestimmt nicht weglaufen müssen.

Ich geh jetzt erst einmal eine rauchen, sagte Lisa, rappelte sich auf und ging hinaus.

Als sie zurückkam, begann sie Xane zu loben. Sie sprach so anerkennend über sie – nicht jeder würde sich so engagiert um zwei fremde Kinder kümmern, sie beinahe wie die eigenen annehmen, das habe ihr, Lisa, später einiges erleichtert, denn die Oma allein hätte das bestimmt nicht geschafft –, dass Viola einfach widersprechen musste.

Lisa sollte schon wissen, was für eine intolerante Zicke Xane sein konnte! Wie sie Stress machte wegen jeder Kleinigkeit, wegen jedes stehengelassenen Tellers und wegen der benutzten Kaffeelöffel, die Papa allerdings wirklich überall hinlegte – Lisa lachte und nickte. Wie Xane immer meckerte, weil Viola angeblich mit Schuhen ins Bad ging, angeblich zu viel Shampoo benutzte und so weiter. Wie sie jedes Mal wie bekloppt hinter einem herrannte, wenn eine Tür etwas fester zufiel. Das war meistens gar keine Absicht! Sie regte sich auf, wenn der Radiosender in der Küche verstellt war, dabei konnte man umgekehrt genauso gut sagen, dass StarFM die Grundeinstellung war, die sie mit ihrem blöden Nachrichtensender dauernd verstellte.

Nur weil sie ab und zu kocht, hat sie mehr Rechte, hä?

Sie kontrollierte mit einer Küchenuhr, wie lange man am Computer saß, dabei saß sie selbst dauernd davor. Papa auch, doch der war weniger zu Hause. Mit einer Küchenuhr, Lisa! Wie krank ist das denn?! Wenn es klingelte, musste man aufhören oder sie legte den Router lahm. Dauernd beklagte sie sich, dass sie die Einzige sei, die etwas im Haushalt mache, die Wäsche, das Einkaufen und Kochen und Putzen, dabei hatten sie eine Putzfrau, und zu kochen schaffte sie sowieso nur noch am Wochenende. Der Einzige, der, außer ihr, nie etwas falsch machte, war Amos. *Viola, bitte, er ist doch erst fünf!*

Du wirst erwachsen, sagte Lisa lächelnd, da reibt man sich, das ist normal. Hauptsache, Moritz ist mit ihr glücklich.

Sie betrügt ihn, rief Viola.

Was, fragte Lisa und beugte sich vor, als hätte sie sich verhört.

Es war der Tag, an dem Frau Liefers sie zum Gespräch dabehielt, in der großen Pause. Was sie ihr sagte, war ernst, aber sie vergaß es sofort. Alles, was danach kam, überlagerte Frau Liefers' Worte, die so verständnisvoll waren, dass man schon deshalb hätte kotzen können. Hätten sie gebrüllt und gemeckert, diese Lehrer, das wäre ehrlicher gewesen. Immer so kuschelweich, und trotzdem warnen und drohen, mit dem Verweis, mit der Elternvorladung, mit der Disziplinarkommission. Viola rannte die Treppen hinunter, Richtung Schulhof, sie sah Alex doch nur in diesen zwanzig Minuten, die die Liefers gerade lässig halbiert hatte. Sie unternahmen nicht täglich etwas, höchstens einmal in der Woche. Er sagte es ihr meistens auf dem Hof. Sie waren noch einmal im Park gewesen, mit Küssen, ein weiteres Mal im Kino und an einem Samstag mit der Clique in einem großen Einkaufszentrum im Süden. Letzteres ohne Küssen. Viola hoffte von einem Tag zum nächsten. Dabei war es schwierig für sie, sich spontan zu verabreden. Papa und Xane wollten das nicht. Verabredungen sollten geplant sein und nicht am selben Tag erfolgen; das war eine der beliebten Regeln. Deshalb kündigte Viola dauernd Besuche bei Freundinnen an, die sehr häufig mit vagen Begründungen wieder abgesagt wurden. Kim war heute nicht in der Schule, angeblich hat sie die Darmgrippe, iih. Siri muss heute Nachmittag zum Orthopäden, sie hat sich im Tag geirrt, wahrscheinlich gehe ich stattdessen morgen oder übermorgen zu ihr. Zum Glück waren Xane und Papa sehr beschäftigt und daher unaufmerksam. Denn Violas Angaben passten oft hinten und vorne nicht zusammen. Einmal, als Xane bemerkte, wie sie sich verhedderte, sagte sie nur: Teilamnesie. Pubertätsdemenz. Diese armen Kinder. Mor, waren wir wirklich genauso?

Mit dem Geld war Viola inzwischen knapp. Die Kinokarten, das Essen. Einmal eine Packung Zigaretten, sie konnte ja nicht nur mitrauchen. Normalerweise bekam sie für Kino Zuschuss, aber die Filme, die sie mit Alex gesehen hatte, hatte sie verheimlicht. Die Vergewaltigung war eklig gewesen. Auf einem Tisch. Und die Kamera von der anderen Seite, auf Robert De Niros Po, wie der damit wackelte, während er … Sie hatte für eine Weile aufgehört, Alex' Finger zu streicheln.

Von Emmy konnte sie kein Geld mehr klauen, die hatte es so gut versteckt, dass sie es meistens selbst nicht fand. Von Xane traute sie sich nicht, die wusste bestimmt immer genau, wieviel sie im Portemonnaie hatte. Papa hatte immer Münzen und kleine Scheine im Sakko, das er irgendwo hinwarf, wenn er nach Hause kam. Sie tat das nicht gern, doch hatte sie eine Wahl? Sie nahm nur Münzen. Das aber regelmäßig. Sie brauchte eine Taschengelderhöhung. Die Xane gewiss an Schulnoten würde koppeln wollen, *ohne Fleiß kein Preis*.

Sie stieß die Tür zum Schulhof auf. Rechts am Zaun stand wie immer Alex' Gruppe herum, sie wirkten, als sähen sie zufällig alle zu ihr her. Als sie näherkam, merkte sie, dass sie sich getäuscht hatte.

Wo ist Alex, fragte sie Theo, der sie erst zu erkennen schien, als sie direkt vor ihm stand. Er zuckte die Schultern. Sie runzelte die Stirn. Ist er krank? War er heute nicht da? Sie stellte all die Fragen, für die sie sich später hätte umbringen können, so peinlich war sie, so naiv und ahnungslos.

Danach schien alles gleichzeitig zu geschehen, Teresa kam herüber, um sie zu holen, das hatte es noch nie gegeben; ohne etwas zu sagen, packte sie sie am Ärmel und zog; und Viola folgte zugleich einem vielsagenden Blick von Theo oder einem der anderen, einem Blick hinüber ans andere Ende des Schulhofs, zu der halbtoten Kastanie, unter der Alex stand und sich von einem Mädchen mit langen blonden Tussihaaren an seinem Schal herumspielen ließ.

But me I'm not a gamble you can count on me to split. The love I sell you in the evening by the morning won't exist.

So ein Arschloch, sagte sie zu Teresa, so ein megabeschissenes Arschloch, das wird er büßen, und ihre Freundinnen nickten ernst und zufrieden.

Sie blieb ein paar Tage zu Hause. Sie kotzte, und wenn sie nicht kotzte, machte sie dementsprechende Geräusche im Bad. Das laute Würgen war irgendwie befriedigend, selbst wenn nichts mehr kam. Sie aß nicht oder kaum, sie nippte gelegentlich an der Grappaflasche. Davon wurde einem warm und schummrig, obwohl es schmeckte wie Putzmittel. Einmal schnupperte Xane, als sie an ihr vorbeiging. *Die Arme, mir scheint, man riecht ihn beinahe, den übersäuerten Magen.* Viola glaubte selbst fest an die Darmgrippe, von der ihre Eltern sprachen. Eines Vormittags, als sie dachte, längst allein zu Hause zu sein, öffnete Xane die Tür und sah sie im Bett weinen. Xane wollte etwas sagen oder fragen, ließ es dann aber. Sie ging weg und kam wieder, mit der Puppe, die sie ihr einmal geschenkt hatte, als sie noch klein war. Viola hatte nicht einmal gewusst, dass das Teil noch existierte. Sie hatte sich inzwischen zur Wand gedreht. Xane schlich heran und legte ihr die Puppe auf das Kissen. Später, als sie die Wohnungstür ins Schloss fallen hörte, schob Viola sie unter das Bett. Denn die Puppe hatte auch hellblonde Tussihaare. Immerhin hatte Viola sie damals Gretchen genannt, nicht Zoe.

Am ersten Tag, als sie wieder zur Schule hätte gehen sollen, entschied sie sich für die S-Bahn. Sie fuhr den Ring rund, stieg irgendwo aus und kaufte sich ein Croissant. Als sie es aß, sah sie ein Portemonnaie neben der Rolltreppe liegen. Sie schaute sich um, schlenderte hin und hob es auf. Sie ging auf die grauenvoll stinkende Toilette, nahm das Bargeld heraus – es waren fast siebzig Euro! – und warf den Rest in den Behälter für die Damenbinden. Jetzt war sie reich. Sie überlegte nicht lange, sondern fuhr zum Kleistpark, in den Afrika-Shop, wo Xane ihr vor den letzten Sommerferien Braids spendiert hatte. Nun ließ sie sich die Haare kurz schneiden und schwarz färben. Sie suchte einen süßen versilberten Totenkopf aus und ersetzte damit den Glitzerstein in ihrem Nasenflügel. Sie kaufte violette Wimperntusche und schwarzen Nagellack. Und sie hatte immer noch Geld übrig. Sie würde sagen, dass Lisa ihr etwas zugesteckt hatte. Die ihr übrigens nie etwas gab. Warum eigentlich nicht?

Als sie sich im Spiegel sah, war sie zufrieden. Sie steckte sich die Stöpsel ins Ohr – *when everything is lonely I can be my own best friend* –, fuhr zur Schule und kam gerade rechtzeitig zu einer Doppelstunde Latein, in der sie so lange störte, bis sie ins Klassenbuch eingetragen wurde.

Am Abend kam Papa und setzte sich zu ihr aufs Bett. Scheinbar genervt zog sie einen der beiden Ohrstöpsel heraus. In Wahrheit freute sie sich, dass er da war, aber irgendwie brachte sie es nicht so gut rüber. Liest du mir heute mal wieder ein Märchen vor?

Viola, was ist los, fragte Papa, wenn dir etwas Sorgen macht, könnten wir versuchen, darüber zu reden, oder? Viola verdrehte die Augen.

Ich kann sehr gut verstehen, dass das alles verwirrend

für dich ist, fing er an, plötzlich ist deine Mutter wieder da, du willst sie kennenlernen, was ich gut verstehe, aber vielleicht sollte ich dir etwas mehr über damals erzählen, als sie …

Xane betrügt dich, unterbrach Viola, die sich irgendwelchen Mist über Lisa keine Sekunde länger anhören wollte. Das ging Papa nämlich gar nichts an; ihre Beziehung zu Lisa war ihre eigene Entscheidung, so wie Emmy sich dagegen entschieden hatte, Lisa kennenzulernen. Das würde sie später bestimmt bereuen. Mit fast fünfzehn ist man erwachsen, in anderen Kulturen ist man das längst, das hatte Lisa gesagt, und die musste es wissen. Man sollte tun, was zu einem passt, womit man sich gut fühlt, und oft ist das etwas ganz anderes als das, was diese Elternmemmen für einen ausgesucht haben. Lisa glaubte an die Wahrheit und an die Ehrlichkeit, sie fand, dass zu viel Wert auf Takt und Höflichkeit gelegt werde, das gehe dann eben oft auf Kosten der Wahrheit. Je früher man mit dem Sichverbiegen aufhört, desto besser, hatte Lisa gesagt und Ringe aus Rauch geblasen, und Viola war entschlossen, auf der Stelle damit aufzuhören. Papa sollte wissen, woran er war, so wie sie selbst hatte herausfinden wollen, ob sie ihre sogenannte leibliche Mutter mochte oder nicht. Lisa fand das ja total mutig, nach so langer Zeit. Und sie fand Lisa eben gut, und manchmal dachte sie darüber nach, wie Lisa wohl reagieren würde, wenn sie sie bitten würde, sie mit nach Indien zu nehmen. In den ersten Tagen nach der Sache mit Alex hatte sie ständig daran gedacht, hatte sich Szenen ihrer Abreise ausgemalt, zusammen mit Lisa an Bord eines riesigen Schiffes, und sich vorgestellt, was sie in der Schule dazu sagen würden. Was für ein Abschiedsgeschenk sie kriegen würde. Durch Indien reisen: Das wäre mal etwas anderes als Zoe mit der Seidenmähne, die bestimmt täglich Klavier übte. Das würde Alex dann erkennen, aber es wäre zu spät … .

Sie beschrieb Papa den Mann in Einzelheiten, schmückte hier und da etwas aus, aber er schüttelte immer nur den Kopf. Doch, Papa, sie hat ihn aber geküsst, sie haben sich umarmt, und er hat ihre Hand geküsst, so in die Mitte hinein, rief sie und bohrte sich mit angeekeltem Ausdruck den Zeigefinger in die Handfläche. Sie schwor, dass es vor einem Hotel gewesen war, obwohl sie da gar nicht mehr sicher war. Vielleicht war es ein anderes Haus gewesen. Jedenfalls Treppen, davor ist eine Treppe, Papa, wenn ich wieder dort vorbeifahre, sage ich dir genau, wie das Hotel heißt.

Papa wechselte das Thema, fragte nach der Schule, nach Noten und wie sie in letzter Zeit mit den Lehrern zurechtkam. Interessiert es dich nicht, dass dich deine Frau betrügt, fragte Viola.

Viola, sei mir nicht böse, aber das geht dich nichts an.

Es geht mich nichts an, fragte Viola, wenn demnächst die dritte sogenannte Mutter hier aufschlägt?

Viola, sagte Papa, bitte, du übertreibst dermaßen, das muss dir doch klar sein, dass das alles vollkommen irrsinniges Zeug ist, was du da redest. Lass uns damit aufhören, bitte. Sag mir lieber, was dich so bedrückt.

Das habe ich dir gerade gesagt, zischte Viola und drehte sich zur Wand. Irgendwie hoffte sie, dass Papa sich zu ihr legen würde, wie früher, sie in den Nacken beißen und dazu schnauben. Sie war am Hals so kitzlig gewesen, als Kind, und sie liebte es, wenn er nicht rasiert war. Daran, dass die Matratze sich hob, spürte sie, dass er aufstand.

Wir haben dich alle sehr lieb, Emmy und Xane und ich, sagte er leise, ich hoffe, dass du das weißt.

Oma und Lisa ließ er weg, ja, klar, aber das war Viola alles seit Langem gewöhnt. *The mask I polish in the evening by the morning looks like shit.*

Theo schlich um sie herum. Sie war ja nicht blöd. Statt zu bleiben, wo er hingehörte und wo sie keinen Blick mehr hinwandte, schlenderte er dauernd heran, besprach sich mit Lehrern, nur weil sie in ihrer Nähe standen, ging zur Toilette oder zum Mülleimer. Alles nur Schein, er zog Kreise um sie und glaubte, sie merkte es nicht. Kim und Siri, ihre Spione, berichteten, dass Alex nie mehr drüben am Zaun war, sondern so gut wie immer an der Kastanie, bei dieser Zoe und ihrer Clique. So lässt er einfach seine Freunde stehen, unglaublich, es wird ihm noch leidtun.

Eines Tages verfolgte Theo sie fast bis nach Hause, sie hatte es gar nicht gemerkt. Er stand am U-Bahn-Ausgang und hielt ihr seine Zigaretten hin.

Wie geht's, fragte er, und sie sagte, danke, gut.

Sie standen und rauchten ihre Schuhspitzen an.

Ich hab das nicht okay gefunden, sagte er schließlich, von Alex, das wollte ich dir sagen.

Nett von dir, sagte sie, danke.

Mal wieder Lust auf Kino, fragte er. Sie schaute auf.

Da muss ich nachdenken, sagte sie, trat die Kippe aus und ging.

Vio, rief er ihr nach, Vio-mio, und ich hab geglaubt, du bist mutig. Sie blieb stehen und drehte sich um.

Was hat das mit Mut zu tun?

Alles hat mit Mut zu tun, rief er und lachte sein irres Lachen, das gleiche Lachen, mit dem er damals in dem Laden die Schals durcheinandergeworfen hatte, das gleiche, mit dem er den Alten im Bus ›Nazifresse‹ genannt hatte. Er stand da und lachte, und irgendwie konnte sie nicht, wie sie es vorgehabt hatte, einfach gehen. Er war nicht ganz normal, er hatte irgendeinen Schaden, aber er war unterhaltsam, und anders. Einen Moment lang verglich sie ihn mit Alex, und es schien ihr, als könnte Alex eventuell auch ein bisschen langweilig sein, mit seinen schönen Augen und der tragischen Melancholie. Komm mit, lockte Theo, komm mit mir, ich zeig dir was. Viola fragte sich, ob er bekifft war. Bei ihm konnte man das schlecht sagen. Sie folgte ihm langsam zurück, in den U-Bahnhof. Dann saßen sie auf der Bank und redeten, die U-Bahnen kamen und fuhren wieder, sie sah den freundlichen roten Rücklichtern nach, wie sie im Tunnel verschwanden. Henriette Bimmelbahn. Er erklärte ihr, wie man es machte, wo man auf keinen Fall hintreten durfte. Es ist nicht hoch, sagte er, man kommt schnell wieder raus, und sie nickte und sagte, das sehe ich, außer, man ist körperbehindert. Irgendwann wurde ihr kalt, und dann beschlossen sie, es zu machen. Viola gab ihm ihr Handy, denn sie wollte einen Beweis, auch für sich. Sie stellten sich im richtigen Abstand zueinander auf, Theo überprüfte das Bild sozusagen trocken, auf dem Bahnsteig, sie warteten auf die Bahn. Gegenüber fast keine Leute, es lief perfekt. Die U-Bahn kam, die U-Bahn fuhr wieder, sie sprangen direkt dahinter auf die Gleise, Viola schwenkte ihren Schal und machte das Victoryzeichen. Theo beugte professionell das Knie und fotografierte total gelassen, mit ihrem Handy und mit seinem. Er gab das Zeichen für ›raus‹. Beim ersten Versuch rutschte sie ab, da wurde sie einen Moment lang panisch. Ein Schwimmbeckenrand, stell dir vor, es ist einfach ein etwas höherer Schwimmbeckenrand, hatte er gesagt. Aber er war schon bei ihr und zog sie das letzte Stück zu sich herauf, mit seinen großen Händen. Dann rannten sie davon, kichernd wie die Irren.

Den ganzen Weg, bis vor Violas Haustür, diskutierten sie, wer von ihnen das Foto an Alex schicken sollte. Sie entschieden sich für Viola, obwohl es, von Theo kommend, auch cool gewesen wäre. Theo hätte es genossen, von Alex zur Rede gestellt zu werden, aber Viola fand es besser, wenn das Ganze möglichst rätselhaft war. Alex sollte grübeln, wer der andere im Schacht gewesen war, auf unverkennbar gleicher Höhe.

Gerade als sie sich verabschieden wollten, ging das Tor auf und Xane kam heraus, eilig und zerzaust wie immer. Hallo, sagte sie und hielt Theo ihre Hand so gestreckt hin, als wäre er eventuell nicht ganz sauber: Du bist also Alex.

Ich bin Theo, sagte er und sah drein wie ein Teddybär. Viola kicherte, verdrehte die Augen und dachte, das glaubt einem ja keiner.

Papas Geburtstag feierten sie in einem Restaurant, wo ein japanischer Koch auf einer heißen Platte kochte. Man saß an einem Tresen um den Koch herum. Er schwang riesige Messer durch die Luft, er hackte blitzschnell Gemüse und raspelte Fleisch. Emmy liebte es, dabei zuzuschauen, und vermutlich hatte Papa sich deshalb dafür entschieden. Zum Nachtisch aß Amos fünf gebackene Bananenspalten, kletterte danach auf Xanes Schoß und begann, ihr ein Handyspiel zu erklären, das der große Bruder seines Kindergartenfreundes einmal gespielt hatte. Die komplizierte Erzählung endete mit den bekümmerten Worten: Kuck, und dann hat Niklas Regenbogen gekauft, aber Regenbogen war richtig schlecht, damit kann man nicht mal die Wissenschaftler töten. Die Wissenschaftler sind nur umgefallen.

Papa, Xane und Viola lachten, Emmy beobachtete den Koch. Er panierte immer noch Bananen. Emmys Mund stand ein wenig offen, die Zunge beulte die linke Wange aus. Nur deshalb sagte Viola manchmal Mongo zu ihr, das war nicht böse gemeint. Aber Papa wurde immer wild.

Papa sagte, dass er, als Wissenschaftler, jetzt auch bald umfallen werde, mit Regenbogen oder ohne, und verlangte die Rechnung. Zu Hause setzten sie sich in die Küche, Viola und Papa, während Xane Amos und Emmy ins Bett brachte. Das schien Viola der geeignete Zeitpunkt zu sein. Sie holte das flache Ding aus ihrem Zimmer, schob es über den Tisch und murmelte, das schickt dir Lisa zum Geburtstag, und herzlichen Glückwunsch.

Papa schaute komisch. Lisa schickt mir ein Geschenk? Über dich? Was ist es denn?

Ich weiß es nicht, sagte Viola. Und das war die Wahrheit. Sie hatte Lisa zwar gefragt, aber die hatte nur gesagt, etwas Besonderes, Altes, ich habe es von drüben mitgebracht.

Papa sah kurz zur Tür und riss das Papier auf. Dabei warf er ihr Blicke zu, als könnte sie etwas dafür, als führte sie etwas im Schilde. Ein Holzkästchen kam zum Vorschein, das Papa erst nicht öffnen konnte. Viola entdeckte winzige Scharniere an der Längsseite, so war wenigstens klar, wie herum man es aufmachen musste. Papa holte ein Messer und stocherte im Spalt, bis es aufging. Darin lagen zierliche Löffel in kleinen Buchten aus dunkelblauem Papier, sechs Stück, die Griffe irgendwie orientalisch verschnörkelt, so wie das Besteck in dem Lokal, wo man auf dem Fußboden aß. Na, ist doch ganz hübsch, sagte Papa mit aufgeräumter Stimme und schob das Kästchen beiseitc.

Was ist das, fragte Xane, als sie hereinkam. Sie holte eine Weinflasche aus dem Kühlschrank.

Löffel, wie es scheint, antwortete Papa.

Viola saß da und fühlte, dass ihr Gesicht heiß wurde.

Löffel, wiederholte Xane, schenkte zwei Gläser ein und ließ sich seufzend nieder.

Viola, ist alles in Ordnung? Du bist ganz rot im Gesicht, sagte Xane und schaute sie an. Viola starrte auf das Weinglas in Xanes Hand.

Meine Mutter erlaubt mir zu rauchen, sagte sie. Das Weinglas zuckte nur ein kleines bisschen, dann hob Xane es an den Mund.

Und du würdest jetzt gerne rauchen, fragte Papa.

Viola nickte.

Na, dann würde ich vorschlagen, du machst das einfach, sagte Xane, wenn deine Mutter es dir erlaubt.

Xanes Stimme klang völlig normal.

Möchtest du noch einen Schluck, mein Schatz, fragte Papa.

Ohne jeden Zweifel, mein Liebling, danke, sagte Xane.

Und Papa schenkte nach.

Was glaubst du, ist dem Geist gefährlicher:
Träume oder Ölfelder?

– Robert Musil –

9

An manchen Tagen schien es Martin Kummer, als wären er selbst und der Mann, mit dem seine Frau Sabina seit fast fünf Jahren glücklich verheiratet war, nicht genau dieselbe Person. Der Martin, den Sabina kannte, war gleichzeitig größer und kleiner als der, der er selbst vermeinte zu sein. Als wäre Sabinas Martin eine harte und manchmal schmerzhafte Klammer um den eigentlichen Martin-Kern, der sich, von Sabina unbemerkt, in so konvulsivisch-gurgelnder Bewegung befand wie die dunkelorangen Lavaströme des Erdinneren, die man früher gelegentlich in Filmen gesehen hatte.

Es war Samstagmorgen; Martin hatte schnell irgendetwas übergezogen und Annalena über die Straße zu der jesusbewegten Nachbarsfamilie gebracht. Einer der Vorteile eines Wohnortes wie Lankwitz: die dörfliche Struktur. Martin träumte gelegentlich noch von einem Loft am Landwehrkanal, aber sobald man Kinder hatte, war das ja wirklich nicht mehr als berufsjugendliche Spinnerei.

Jetzt streifte er das Irgendetwas wieder ab und kroch zurück ins Bett. Auf dem Nachttisch erwarteten ihn ein Glas Wasser und zwei Aspirin, sehr aufmerksam von Sabina, die ihre eigene Portion ausgetrunken hatte und mit laszivem Zeigefinger die letzten weißen Krümel aus dem Glas fischte.

Langsam und stockend entrollte sich die Erinnerung, die bisher nur als glatter Schmerzknoten in seinem Kopf gesteckt hatte. Martin hatte auf der Party der Storteckis viel mehr getrunken als sonst. Er sah sich immer wieder in die Küche gehen, wo das Buffet aufgebaut war. Er hatte hier ein asiatisches Hühnerspießchen, dort ein Garnelenspießchen genascht, vor allem hatte er mit einer der Kellnerinnen geflirtet, die so perlend lachte, als täte man ihr, indem man nachschenken ließ, einen immensen persönlichen Gefallen. Danach fehlte ein Stück des Abends. Aber am Ende, so fiel ihm erschrocken ein, hatte er sich vor dem Gartentor mit Wolfgang Stortecki einen heftigen Wortwechsel geliefert. Schwache, peinigende Erinnerungen an Sabina, die an seinem Arm zog, an Suse Stortecki, die an Wolfgangs Arm zog, undeutliche Wortfetzen, das wird ihnen morgen alles furchtbar leidtun (Suse), na, das kann man nur hoffen (Sabina).

Es liegt an den Österreichern, sagte Martin unvermittelt, die sind allesamt Alkoholiker. Nirgends trinkt man so viel wie bei denen. Und darauf sind sie auch noch stolz.

Ich fand dich schon angespannt, als du von der Arbeit kamst, bemerkte Sabina, die neben ihm auf dem Rücken lag und ihre Knie knapp vor dem Kinn umarmte. Die morgendlichen Dehnungsübungen.

Aber du wolltest mir ja nicht sagen, was los war.

Martin zerrte das Kissen unter seinem Kopf hervor und legte es sich aufs Gesicht. Dumpf, dunkel, wenig Sauerstoff. Angemessen, angenehm. Und da war er wieder, der katastrophale gestrige Tag, die Chefin, wie sie erst mütterlich besorgt zu ihm sprach und ihm dann, die Augen beharrlich auf ihren schlanksilbernen Damenbildschirm gerichtet, vorschlug, gern ein paar Tage freizunehmen. Oder auch Wochen, wie es sich für Sie gut anfühlt, Herr Kummer. Die ihn abrupt und ohne noch einmal aufzublicken hinauswinkte wie etwas Erlegtes oder Ausrangiertes, weil offenbar das Gesicht eines Anrufers vor ihr erschienen war.

Er selbst, wie er an seinem Schreibtisch saß und alles, was da lag, auf einen Haufen zusammenschob. Den Haufen hin- und herschob. Alles auf den Boden wischte, mit dem Unterarm. Sich wie ein schlechter Schauspieler vorkam. Das Zeug also schnell wieder aufhob, Folien glattstrich, Mappen abpustete. Dann der Impuls, alles anzuzünden. Er war überzeugter Nichtraucher, er hatte nie Feuer zur Hand. Dass seine Hand zitterte. Dass er, als er zufällig den Kopf hob und aus dem Fenster schaute, vor Wut alle Muskeln anspannte, weil Oskar Topic aus dem Haus trat und in Richtung Hasenheide schlurfte. Dass er sich vorstellte, ihm dieses lächerliche, billige Holzfällerhemd aufzureißen, sich den Anblick des massigen Oberkörpers vorstellte, bestimmt alles voller Haare wie ein verdammter viriler Macho-Büffel, dazwischen winzige, blassrosa Brustwarzen, versteckt in ihrem wolligen Nest. Und dann? Mit einem Messer? Das wusste seine Phantasie nicht zu entscheiden. Mindestens ihm das Knie in die Geschlechtsteile rammen, die er sich klein und nussartig vorstellte, rammen, dass er zu Boden ging, und treten, spucken, treten. Fernsehbilder in seinem Kopf, unscharfe Aufzeichnungen von den Kameras in den U-Bahnhöfen, diese vermummten schwarzledernen Irren, die einen Unschuldigen zusammentraten, aber ein Mal so treten, ja, das würde ihm gefallen, das stellte er sich ein paar Minuten lang lüstern vor, denn – und er sagte das zu sich mit dem Ausdruck äußersten Bedauerns – es gibt Menschen, die haben einfach nichts anderes verdient.

Schönes Wochenende, Martin, wünschte ihm Verena, als sie ging. Er fuhr zusammen. Verena lachte. Habe ich dich erschreckt, Martin? Entspann dich! Verena, die ein wenig an Sabina erinnerte, an Sabina vor ein paar Jahren. Sabina hat aber ein ganz anderes Auftreten. Verena bleibt das Mädchen vom niedersächsischen Dorf. Hingegen Sabina … Sabina. Dehnt sich noch. Für wen, wenn nicht für mich?

Martin schob das Kissen weg und drehte sich hinüber, zog sich im Drehen die Unterhose herunter und brachte Sabina in Folge zu einigem Schreien und Stöhnen und kullerndem Glücksgelächter. Als er gerade mit sich zufrieden sein und die letzten paar entspannten, von weiteren ehefraulichen Erwartungen völlig ungestörten Meter zum Ziel weiterschaukeln wollte, drangen Erinnerungsstörfeuer auf ihn ein. Zufrieden mit sich selbst? Stolz auf seine Leistung? *No way*, mit einer Lieblingswendung der anglophilen Chefin. Alles stürzte zusammen. Entschuldige, sagte er und zog sich brüsk zurück. Nichts zu entschuldigen, seufzte Sabina, für dich war es ein bisschen viel gestern, nicht?

Dabei hatte sie gar keine Ahnung, wovon sie sprach.

Es wäre ja die Frage, woher die persönlichen Vorlieben kamen. Gene, Prägung, Peergroup? Warum man schon in der Jugend bestimmte Bands, ja sogar Plattenlabels, anderen zweifelsfrei vorzog; in Martins Schulklasse hatte es einen gegeben, der kaufte prinzipiell alles von *Saddle Creek*. Oder warum so viele voller Begeisterung auf E-Books umgestiegen waren, es aber noch immer welche gab, die unbeirrt mit Papierbüchern in den Bussen saßen.

Mit einem Buch kann ich wenigstens Mücken erschlagen, hatte Martins Mutter einmal gesagt, was typisch für seine Mutter war. Gut, bei technischen Neuerungen konnte man mit dem individuellen Konservativitätsfaktor argumentieren. Es gab Menschen, die wollten immer das Neueste, und andere waren prinzipiell skeptisch. Lieber etwas Altes, das dafür bestimmt funktioniert! Die Chefin, die als junge Frau an einer Doku über diesen Widerstandskämpfer Rozmburk mitgearbeitet hatte – war Martin damals schon geboren? –, hatte einmal erzählt, dass der bis zu seinem Tod stur auf einer Schreibmaschine geschrieben habe, obwohl es längst Computer gab.

Martin jedenfalls hatte seit jeher für ROX arbeiten wollen, schon damals, als er das, was diese Xane Molin machte, bloß für eine Anarcho-Nummer im Internet hielt. Er erinnerte sich genau an den bierseligen Abend mit Benno und Cem, als sie alle drei noch in den Praktikumsschleifen festhingen. Beim Absacker nach der Arbeit sahen sie sich auf Martins iPad die ersten zwei Folgen des ›Rabattkönigs‹ an, jene kleinen Filmchen, mit denen ROX die Debatte um diesen Bundespräsidenten begleitete, der sich von Hinz und Kunz hatte einladen lassen. Feridun Shekri spielte in verschiedenen schrillen Kostümen die Verführer, Kreditexperten, Filmmogule, Finanzhaie, und Nico Bach den Präsidenten, zum Verwechseln ähnlich im taubengrauen Anzug, mit der Ausstrahlung eines Vertreters für Zimmerspringbrunnen. Allerdings lugten unter dem Vertreterhaarschnitt spitze Wolfsohren hervor. Shekri, in einer Folge sogar mit Hai-Mütze, flirtete und warb, lockte und bettelte, während Bach sich zierte und von Transparenz predigte, von ethischen Maßstäben, unersetzlichem Vertrauen und den Erwartungen der Menschen da draußen. Schließlich wandte er sich kopfschüttelnd ab, deutete dabei ein Kreuzzeichen an, die Kamera zoomte auf seinen Rücken, es erklang eine fiese Rap-Version der Nationalhymne, und dann kam, anatomisch unmöglich, unter dem Jackett, ungefähr an der Stelle seines Steißbeins, eine kleine gelbe Hand heraus, in die Shekri etwas legte, wobei der Rücken aufbrummte und zitterte, wie eine Maschine, die zur Ruhe kommt. Es war wahnsinnig komisch, zweieinhalb, drei Minuten, länger nicht, aber von Mitte Dezember bis zum Rücktritt im Februar jede Woche eine neue Folge, immer auf Basis der neuesten Vorwürfe und Entwicklungen.

Und damals sagte Martin, für die möchte ich arbeiten. Benno entgegnete, er wolle Geld verdienen, richtiges Geld, und das könne man bestimmt nicht mit so einer Laienspieltruppe. Martin gab zurück, dass eine Laienspieltruppe wohl nicht Bach und Shekri engagieren würde, die richtig berühmt seien, der eine Bundesfilmpreisträger, der andere – das erfand Martin – habe vor Jahren mal eine Oscarnominierung gehabt. Die Chefin von ROX ist gut vernetzt, warf Cem ein, dabei ist das eine eher kleine Agentur. Eine kleine Agentur, fragte Benno zurück, mit Betonung auf ›kleine‹. Eben. Nichts für mich.

Du bist so ein Angeber, schimpfte Martin, träumst du wirklich von deiner eigenen weltweiten Nescafé-Kampagne?

Ey, Alter, sagte Benno, du nimmst es aber ernst. Da ist ROX vielleicht tatsächlich das Richtige für dich.

Es dauerte Jahre, bis dieser Satz voll bei Martin ankam. Damals hielt er es einfach für eine coole Sache, er glaubte, dass schräge Low-Budget-Kampagnen wie die von ROX eine Art spielerischen Widerstand aufrechterhielten, gegen den Mainstream, gegen den undurchdringlich-kalten

Uniformitätszwang der Weltmarken. Gegen das ausdruckslose Lächeln der Models, die einmal in hautengen Blumentapeten posierten, dann wieder mit entstellenden Riesenbrillen in grauleinernen Säcken, je nachdem, was die Modepäpste befahlen.

Martin war davon überzeugt, dass alle, die sich bei spartenübergreifenden Projekten wie ROX, bei Protestbands wie *MäuseMelken*, bei Hinterhof-Poetry-Slams und halblegalen Elektropartys in Abbruchhäusern den Arsch aufrissen, diejenigen waren, die echte Kreativität und Humor in ein neues, besseres Zeitalter hinüberretten würden.

Aber erst fünf Jahre später, nachdem er durch glückliche Zufälle tatsächlich zu ROX gestoßen war, nachdem er peinigend hart hatte verhandeln müssen, weil er der hochschwangeren Sabina zum zeitlich ungünstigen Jobwechsel unmöglich noch eine Gehaltsminderung hatte verkaufen können, erkannte er, wie anders andere die Sache sahen. Als er durch das Colloredo-Building ging, um sich von seinen bisherigen Kollegen zu verabschieden, gab es merkwürdige Kommentare.

Unser Kummer geht zu den Idealisten, sagte ein Witzbold in der Grafik, dort soll er bleiben, dort gehört er hin.

Wie meinst'n das, fragte Martin.

Nur ein Wortspiel, lachte der Grafiker, bald bewerbe ich mich als Texter. Und machen sich die Idealisten nicht wirklich mehr Sorgen als andere?

ROX, fragte eines der durchscheinenden Mädchen in der Produktion, die mit ernsten Gesichtern den ganzen Tag Bücher voller Stoffmuster wälzten: Das wäre mir zu eng.

Zu eng, fragte Martin zurück, während du hier Jahr für Jahr unsere Lampenschirme den neuen Schnitten und Farben anpasst?

Die Kleine, die einer intelligenten Maus ähnelte, sah ihn nachdenklich an.

Ich meine, sagte sie, weltanschaulich zu eng. Wenn ich Lust habe, entwerfe ich morgen Saftpäckchen, ohne jedes schlechte Gewissen.

Martin gab ihr die Hand und wünschte ihr viel Erfolg, ob mit Lampenschirmen oder Saftpäckchen. Das konnte er sich nicht verkneifen. Als er hinausging, sagte sie hinter ihm, wahrscheinlich eher zu sich selbst: Ich fand es schwer genug, mich von meinen Eltern zu lösen.

Und damals hatte er im Flur noch blöd gegrinst, weil ihm nicht in den Kopf wollte, was das damit zu tun haben sollte.

Martin verstand sich selbst nicht als Teil dieser, nun ja, Protestkultur. Er war ja kein stoppelbärtiger Oskar Topic, zu dessen Machtinsignien eine allzeit kräftige Alkoholfahne gehörte, weil ihn das, jedenfalls unter Österreichern, als Kreativgenie beglaubigte. Topic erschien in der Agentur, oder er erschien tagelang nicht. Das war so ungewiss wie das Wetter. Wenn man ihn brauchte, war er bestimmt nicht da, aber wenn er abends den Flur entlanglief, alle Türen aufriss und *Konfereeenz* schrie, konnte man sicher sein, dass er etwas ausgeheckt hatte.

Martin hatte Topics Kreativexplosionen von Anfang an nicht so genial gefunden wie die anderen, allen voran Frau Molin. Aber in den Jahren bei Colloredo hatte er vieles gelernt. Man preschte nicht vor, schon gar nicht als Neuer. Man ließ sich Zeit. Eventuell tauchten später, bei der Umsetzung, ohnehin Details auf, die den Sachzwängen angepasst werden mussten. Man konnte beim nächsten Mal, darauf Bezug nehmend, ein wenig gegensteuern. Der schlichte Satz *Ich gebe nur zu bedenken* war diplomatisch und defensiv. Dass diese Österreicher andere, gröbere Sitten hatten, hatte Martin gleich beim ersten Versuch erlebt.

Jöö, ein Bedenkenträger, grölte Topic, die anderen lachten, aber Martin lächelte nur höflich, hob entschuldigend die Schultern und wartete ab.

Nein, Martin hatte beileibe nicht nur deshalb für ROX arbeiten wollen, weil ihm deren Arbeit weltanschaulich näherstand. Überhaupt, was hieß schon Weltanschauung. Er war schließlich kein Idealist! War das inzwischen ein Schimpfwort? Vielleicht hatte es diese Grundsympathie gegeben, eine gewisse innere Neigung, so wie er bis heute Independent-Bands hörte, und ein bisschen Klassik, bevorzugt des frühen zwanzigsten Jahrhunderts, auf jeden Fall keinen Charts-Schrott. Aber das war nicht alles gewesen. Martin war vielmehr zu der Überzeugung gelangt, dass die frischen Potenziale seiner Branche genau hier steckten, bei den Widerständlern, den Verrückten und Verweigerern. Hier lag das Gold der Zukunft, und jemand musste es behutsam heben.

Klar, diese Leute hatten mächtige Gegner, die optisch und dynamisch gleichgeschalteten Player, die den Ton angaben, Konzerne, Marken, Banken. Aber das machte die kleinen Kläffer interessanterweise nicht eng. Im Gegenteil: Gerade weil der Gegner unbesiegbar schien, konnten sie alles denken und für möglich halten. Die jüngere Vergangenheit gab in Wahrheit ihnen recht; die vernichteten Banken, die gesundgeschrumpfte EU, die beiden großen Währungen, die es nicht mehr gab. Nichts davon hatte man für möglich gehalten, und es war trotzdem geschehen. Und genau deshalb hatte so ein Suffkopp von Topic mehr Selbstbewusstsein als drei Gucci-Art-Directors zusammen, die jederzeit fürchten mussten, gefeuert zu werden, bloß weil sich die Ehefrau mit einer Sonnenbrille aus der letzten Saison hatte sehen lassen.

Martin hielt es für wichtig, die eigenen Schwächen zu kennen. Er wusste, dass er selbst kein waschechter Kreativer war, obwohl er bei Colloredo an der Schnittstelle zwischen Produktion und Marketing gearbeitet hatte. Das, worüber er in hohem Maß verfügte, nannte er sekundäre Phantasie. Sie war seine Stärke. Wenn man ihm gute Produkte oder Ideen für Kampagnen gab, konnte er sie nicht nur nach den üblichen Schemata präsentieren oder lancieren, nein, er wusste, dass er sie weiterentwickeln konnte. Schärfen, in unerwartete Richtungen drehen. Wenn es ideal lief, konnte er etwas ganz Neues, Besonderes machen, abseits ausgetretener Pfade.

Heutzutage wusste zwar jeder Junior Assistant, dass, nur zum Beispiel, diese riesigen Handtaschen, die eine Zeitlang modern gewesen waren, viel mehr als Handtaschen waren, nämlich eine Art mobile Heimat, in der Frauen alles herumschleppten, was ihnen wichtig war. Diese Taschen waren die Freunde der Frauen. Aber war den Kollegen dabei eigentlich klar, wie viele unterschiedliche Bedeutungen allein der Begriff ›Freund‹ barg? Freunde mussten verlässlich sein, doch sie sollten auch spannend bleiben. Nur zum Beispiel. Also sollte man während des kreativen Prozesses irgendwann einmal daran gedacht haben, dass Taschen wahrscheinlich zu den ersten Gebrauchsgegenständen des Menschen gehört hatten. Weil Menschen keine Taschen eingebaut hatten, im Vergleich etwa zu Kängurus. Schon daraus ließe sich etwas machen. Ein Känguruh war ein sehnig-attraktives und gleichzeitig, für seine Kinder, überaus kuscheliges Tier. Mächtig und warm, ein wahrer Freund. Entwerfen Sie mir eine Kampagne, die Känguruh-Gefühle weckt. Kommen Sie dabei, natürlich, ohne Känguruh aus – und trotzdem. Der ideelle Abdruck des Känguruhs, erzeugen Sie dieses Gefühl, strengen Sie sich an. So sprach der innere Martin manchmal zu den engagierten Assistenten, die er einmal haben würde.

Bislang missverstanden Kollegen ihn oft. Denn das, worauf er mit seinen Überlegungen abzielte, ging in eine fundamental andere Richtung als all die *consumer insights*, für deren fragwürdige Beschaffung die Unternehmen Unsummen bezahlten und die sie umtanzten wie das Goldene Kalb.

Consumer insights, das war doch nur die Fortsetzung der brancheneigenen Nabelschau. Martin wollte die Rückseiten in Betracht ziehen. Die Welt war auseinandergebrochen in einen giftig glitzernden und einen unerträglich armseligen, brutalen Teil. Aber dazwischen gab es noch Verbindungen, wenngleich schwache, wie einzelne Bretter oder handgeflochtene Hängebrücken. Wenn man das so sagte, klang man wie ein Weltverbesserer. Doch so meinte er das nicht. Er interessierte sich ästhetisch für diese Verbindungen, wann inszenierte Schönheit wieder hässlich wurde. Und umgekehrt: worin die manchmal atemberaubende Schönheit des Defekten oder Kranken lag, oder dieses Anrührende, das wütende Slumbewohner oder verfallene Industriestädte haben konnten. Aus diesen überlappenden Rändern etwas Neues schaffen, das war es, da wollte er hin.

Und deshalb war er eines Tages auf ROX gekommen. Mit seinen Ideen und dem Kreativpotenzial dieser kleinen, aber höchst originellen Firma müsste es möglich sein, sich Schritt für Schritt seinen Traumjob zu erschaffen. Er würde diese Leute aus ihren ungelüfteten Anti-, Sponti- und Correctness-Ecken ein Stück weit herausholen, um ihre Talente für Größeres zu nutzen.

Selbst Sabina konnte ihm darin nicht ganz folgen; das enttäuschte ihn manchmal. Trotzdem bewunderte sie ihn. Solange sie in der Kanzlei gearbeitet hatte, hatte sie mehr verdient als er. Du bist halt ein Intellektueller, sagte sie nach seinen engagierten Vorträgen, und er wedelte dann ungeduldig mit der Hand. Es gibt in allen Sparten die Denker und die Praktiker, beharrte Sabina, ich war immer eine Praktikerin. Das stimmt, dachte Martin, aber eine verdammt gute.

Er fragte sich manchmal, ob Bewunderung, die auf Unverständnis gründete, als solche gelten konnte. Aber da er bald beweisen würde, wieviel in ihm steckte, war das egal.

Für den Umgang mit Xane Molin hatte ihm von Anfang an das rechte Talent gefehlt. Früher war sie eine schöne Frau gewesen, doch war sie längst viel älter als auf den Fotos, die die Agentur bei Bedarf herausgab. Ihr schlampiges Vogelnest von Hochsteckfrisur war von grauen Strähnen durchzogen, und ihre klassischen Züge zerliefen sacht. Zu beobachten war die Teigigkeit mancher Frauen, bevor sie richtig alt werden.

Zuerst war Martin, wie beinahe jeder, von ihr fasziniert. Nicht nur in der Agentur wandten sich alle, wenn sie sprachen, nach kurzer Zeit hauptsächlich an sie. Als wäre sie die Sonne. Als müsste alles erst vor ihr bestehen, als trüge sie einen Zaubermantel, der sie als höherrangig auswies. Dabei gab sie sich nicht besonders dominant, jedenfalls nicht auf diese Weise, die sich manche Frauen eindeutig von Männern abschauen, wenn sie mit tiefergelegter Stimme laut werden oder via Schulterklopfen und zweiarmigem Händedruck Körperkontakt suchen.

Ihre Waffe war ihr loses Maul. Anders als die meisten nahm sich Frau Molin das Recht, alles zu beurteilen und zu kommentieren. Darin fühlte sie sich völlig frei von Konventionen oder Höflichkeit. Ihr innerer Kompass war beneidenswert. Während andere schwankten, wie dies oder jenes zu bewerten sei, hatte sie Urteil und Begründung schon stichfest zur Hand. Ob das seriös war, war eine andere Frage. Vielleicht war es typisch österreichisch. Sie war flink mit Worten, sie war originell, und das konnte unangenehm sein, beinahe gefährlich. Meinungsstark ist ja nur, wer von Meinungsschwachen umgeben ist. Sie brachte die Mehrheit auf Kosten von ein oder zwei Bedauernswerten zum Lachen. Und die Menschen lachen gerne, da sind sie korrumpierbar. Aber während sie lachen, geben sie sich auf. Denn wer nicht erträgt, im selben Ausmaß verspottet zu werden wie der, über den er gerade selbst so lacht, muckt nie wieder auf.

Martin hatte gelernt, auf der Hut zu sein. Dem Gruppenwitzeldruck zu widerstehen. Die Chefin und Topic wetzten ihre Mäuler an allem und jedem oder grinsten vielsagend, als gehörten sie einem Geheimbund an. Eine Wiener Humormafia. Man durfte nichts allzu ernst klingen lassen, denn eine andere Ernsthaftigkeit als ihre eigene hassten sie. Manchmal war es zum Verrücktwerden. Wie konnte man so arbeiten? Und was bedeutete dann eigentlich Kommunikation? Zwar hörte Frau Molin aufmerksam zu und erfasste die wesentlichen Fragen blitzschnell. Langweilte sie sich allerdings, wurde ihr Blick milchig, und irgendeine verbale Spitze drohte.

Wie sie mit ihrem geliebten Topic wohl über ihn sprach? Er versuchte sich damit zu beruhigen, dass er zu unwichtig war, um kommentiert zu werden, zu unauffällig, loyal und diskret, um mit gnadenlosen Spitznamen belegt zu werden. Doch es funktionierte schlecht, und so richtig gefiel ihm seine Begründung nicht.

Meistens fühlte er sich ihr gegenüber wie ein Schüler, gewogen und für zu leicht befunden. Vor allem, wenn sie ihn lobte. Kummer, das haben Sie gut gemacht, professionell und verlässlich – in seinen Ohren hatte ihr Lob einen pfeifenden Oberton, so als sollte er eventuell weniger verlässlich, weniger professionell sein. Martin fürchtete, dass er überempfindlich wurde. Dass er, wovor in all den Meet-your-expectations- und Self-improvement-Artikeln regelmäßig gewarnt wurde, sein Selbstwertgefühl ausschließlich aus der Response seiner Kollegen und Vorgesetzten bezog. Oder überhaupt nur aus dem, was er für deren Response hielt. Anstatt aus der Arbeit an sich, was sie ihm bedeutete, wie er selbst sie und sich bewertete. Und aus dem überwältigenden Rest seines Lebens, aus all dem, was er, Martin Kummer, alles geschafft hatte, seit er vor fünfunddreißig Jahren in beengten Emdener Verhältnissen zur Welt gekommen war. Deshalb erzählte er Sabina nur von Frau Molins Lob, nie von seinen Zweifeln daran.

So war es zu dem Paradox gekommen, dass Martin sich am sichersten fühlte, wenn Topic dabei war. Zwar krachten sie oft mit den Geweihen gegeneinander und am Ende gewann der feiste Wiener, weil er ihm irgendein unvorhersehbares Schmäh-Bein stellte. Aber wenigstens war Martin seine Rolle klar. Als Anti-Topic, unzweideutig, auf den Punkt, mit nachvollziehbaren Argumenten und überprüfbaren Kriterien, gewaschen, rasiert, dezent deodoriert und sehr viel jünger. So hatte er von Anfang an seine Rolle bei ROX angelegt. Die anderen Kollegen waren ihm dafür dankbar; unter vier Augen beteuerten sie das. Öffentlich lehnte sich gegen Topic natürlich keiner auf.

In Martins Bewerbungsgespräch hatte Frau Molin zwar gesagt, dass sie einen Professionalisierungsschub wahrlich gebrauchen könnten. Hatte sie ihn also nicht genau deshalb eingestellt? Um Topic zu entmachten? Hatte er da etwas falsch verstanden? Oder nur überbewertet? Wenn Martin ehrlich war, hatte sie ihm von Anfang an misstraut. Sie frage sich, ob er, Martin, sich mit seiner Bewerbung hier glücklich mache. In Wahrheit fragte sie natürlich ihn. Verstehen Sie, sagte sie zweifelnd, da, woher Sie kommen, haben Sie ganz andere Möglichkeiten.

Wenn Sie damit große Budgets meinen, die innerhalb der immergleichen Denkstrukturen ausgegeben werden, dann hätten Sie recht, parierte Martin so lässig, wie er sich bis dahin meistens gefühlt hatte, aber wenn es um echte Möglichkeiten geht, neue Wege, andere Zugänge, dann bin ich bei Ihnen sicher am richtigen Platz.

Und so hatte er angefangen, hochmotiviert, das wusste Sabina doch genau. Klaglos übernahm er den Marketingrelaunch einer Ökobäckerei in Mecklenburg-Vorpommern: einer von allzu vielen Kunden, wie sie ROX mitschleppte, viel Aufwand für wenig Ertrag. Das war in knapp zwei Jahren sein einziger unleugbarer Erfolg gewesen: dass er mit dem sturen, ewig jammernden Besitzer, einem abgehalfterten Baron, so oft durch dessen zugige Hallen gestapft war, bis sich dieser zu dem neuen Verpackungsdesign hatte überreden lassen, das ihm seither erstaunliche Wachstumsraten bescherte.

Nur ein Mal war er mit der Chefin mittagessen gewesen, am Anfang. Sie hatte den Kopf zur Tür hereingesteckt und gerufen, lieber Kummer, begleiten Sie mich schnell auf ein Häppchen? Damals hatte er nicht genug gewusst, er hatte die Zusammenhänge in der Firma noch nicht ausreichend studiert, alle ihre Entwicklungsmöglichkeiten noch nicht abschätzen können. Noch keinen Schimmer von Topics krakenhaftem Einfluss. Seine einzige Chance hatte er nicht nutzen können. Er hatte sich mit dem Landbaron und seinen Vollkornbrötchen herumgeschlagen, womit er die Chefin zwar erst zum Lachen brachte – ausgerechnet den hat Topic Ihnen vermacht? Er ist ein alter Verbrecher!

Aber dann hat Martin etwas zu lange extemporiert. Dass man aus solchen Jobs etwas richtig Überraschendes machen könne, dass auch ein mittelständischer Bäckereibetrieb erkennen könne, ob er engagiert oder nur geduldig betreut werde, dass seiner Meinung nach ein neues Design der Brötchentüten beinahe Wunder bewirken könne …

Sie sollte sehen, dass sie auch bei langweiligen Kunden auf seine Einsatzbereitschaft zählen konnte! Frau Molins Blick wurde milchig. Sie stocherte in ihrer Pasta und fragte unvermittelt: Haben Sie Kinder?

Daraufhin gab sie Neugeborenentipps (wenn sie sich beim Trinken verschlucken, bloß nicht hochnehmen, sondern das Gesicht von der Brust in Richtung Boden drehen), bestellte unbekannterweise die herzlichsten Grüße an Sabina, sprang plötzlich auf und zahlte, obwohl Martin sein Essen kaum angerührt hatte.

Bleiben Sie ruhig sitzen, mein Lieber, essen Sie gemütlich auf, beteuerte sie, während sie ihre Sachen zusammenraffte, ich muss nur schnell …, ich glaube wirklich, ich habe einen Termin vergessen.

So war das gewesen, ein bisschen unglücklich, schade. Monatelang hatte er, besser vorbereitet, auf eine Wiederholung gehofft. Manchmal ging sie mit Topic, aber meistens ging sie gar nicht essen. Als die Sache mit dem Brötchenbäcker unter Dach und Fach war, ertappte sich Martin dabei, dass er viele Wochen eine seiner Knistertüten mit dem grüngoldenen ›Ährenwort!‹ zusammengefaltet in der Brusttasche trug. Dass er öfter zur Toilette und zum Kaffeeautomaten ging als sonst. Es ergab sich keine Gelegenheit. Ihre Tür blieb geschlossen, ab und zu sah er Topic hineingehen oder herauskommen, es war manchmal nicht einmal klar, ob sie da war oder auf einer ihrer Vortragsreisen.

Sabina brachte Kaffee und Orangensaft und setzte sich an den Bettrand. Sie legte ihm die Hand erst auf den Bauch, rutschte dann tiefer und wuschelte verträumt in seinen Schamhaaren herum. Sie sagte, dass sie die neue Terrasse in Angriff nehmen sollten, bevor es zu spät sei.

Zu spät für was, fragte Martin.

Na, für den Sommer, antwortete sie und lachte. Wir wollen ja nicht das ganze Jahr auf einer Baustelle sitzen. Ich habe die Angebote alle beisammen, fuhr sie fort, gestern Abend hast du gesagt, wir könnten das gleich heute Morgen besprechen.

Wieviel, fragte Martin. Sabina schwieg. Sag es mir einfach, schlug Martin vor, ich will nur wissen, wieviel, davon abgesehen, entscheidest alles du.

Das will ich gar nicht, widersprach Sabina, ich hatte eigentlich gehofft, du nimmst dir Zeit für gemeinsame Entscheidungen. Ich glaube zum Beispiel, dass wir über diese marokkanischen Zementfliesen …

Wieviel, fragte Martin noch einmal und schlug die Augen auf.

Zwölftausend, sagte Sabina, oder eher dreizehn. Aber da ist die Drainage schon dabei.

Martin hatte zwar bemerkt, wie ungewöhnlich ruhig Oskar Topic geblieben war. Aber er hatte nicht darüber nachgedacht. Denn endlich galt Frau Molins Aufmerksamkeit einmal ihm. Sie saß ruhig da, kratzte sich gelegentlich mit einem langen Bleistift tief drinnen in ihrem Haarnest und ermunterte ihn mit der anderen Hand, fortzufahren. Martin war sich sicher, dass sie gelächelt hatte. Nur deshalb war er zum ersten Mal deutlich geworden, deutlicher als sonst. Sich auf die eigenen Stärken zu besinnen, wie der überaus geschätzte Kollege Topic gerade gesagt hat, ist natürlich nie falsch, setzte Martin also auf ihr Geheiß fort, die eigenen Stärken sind schließlich unser Kapital. Trotzdem klinge ihm persönlich das ein bisschen sehr nach Beschränkung. Und Beschränkung, er machte eine Kunstpause und sah Verena, Rob und Ömer grinsen, sei seiner Meinung nach nicht gerade das, was ein Auftraggeber erwarte, und schon gar nicht dieser besondere. Martin stand auf und ging ein paar Schritte zum Fenster. Dort drehte er sich um und breitete die Arme aus, auf ungefähr zwanzig nach acht. Das Licht musste ihn jetzt günstig von links oben beleuchten, auch solche Dinge spielen eine nicht zu unterschätzende Rolle.

Seien wir etwas weniger passiv, sagte er, trauen wir uns mehr zu. Ich bin seit Langem der Meinung, wir sollten die alten Stärken von ROX wiederbeleben, das Filmische und Schräge, worin gerade Sie, Frau Molin, damals auf so unvergessliche Weise Pionierin waren. Wir sollten wieder mehr auffallen, uns stärker von der Konkurrenz absetzen, bevor wir vollends in der grünen Weltverbesserer-Ecke versinken. Wir können uns weiterhin auf ureigenem ROX-Terrain bewegen, indem wir uns zum Beispiel mit den lokalen Communitys beschäftigen und schauen, was da so läuft. Und trotzdem können wir zusätzlich neue kreative Routen erfinden.

Mischen wir die Genres, rief Martin, weil niemand etwas sagte, machen wir das Neue mit den alten, schönen

Mitteln. Haben wir nicht noch irgendwo diesen uralten Theatermaler? Auch Virtualität kann haptisch wirken. Holen wir unsere schrägsten Kreativen heraus, ja, Oskar, so hör einmal zu, rief Martin, weil Topic in Zeitlupe den Kopf zu schütteln begann, das meine ich absolut ernst, gerade für einen Kunden wie Fidelion, der sich in seinem Perfektionismus und seiner Marktbeherrscherrolle zu Tode langweilt. Die haben doch schon Models, die alle aussehen wie Linda Skarsgard oder Nelly Abou! Die haben doch schon alle Designer von Rang eingekauft, gestern erst Lionel Ferrer! Die brauchen etwas Dreckiges, Unerwartetes! Machen wir etwas Kultiges, etwas Grobkörnig-Schräges wie damals den ›Rabattkönig‹, machen wir Plakate und Postkarten, und nur irgendwo links im Bild ist etwas von Fidelion. Drehen wir das Bild vom Allgegenwärtigen um. Fidelion ist sowieso überall, zeigen wir die Welt dazu. Machen wir den Kunden kleiner und menschlicher, das ist es, was er in Wahrheit braucht, damit er nicht eines Tages den Boykott riskiert wie damals Facebook. Erinnert ihr euch nicht? Wie die Menschen es plötzlich gehasst haben? Wie schnell der Zusammenbruch kam, noch viel schneller als der Aufstieg? So etwas kann jederzeit wieder passieren!

Verena und Ömer klopften mit ihren Stiften ein paarmal auf die Tischplatte und sahen ihn mit großen Augen an.

Martin streckte, Einhalt gebietend wie ein Dirigent, die gespreizten Finger in ihre Richtung aus. Für Applaus war es noch zu früh. Er sprach schneller. Sein altes Beispiel vom Känguruh kam ihm in den Sinn. Damit würde er sie überzeugen. Das Känguruh als Bild für Doppeldeutigkeit. Nicht Ambivalenz, da wolle er bitte einen großen Unterschied machen. Ambivalenz, das sei Unentschiedenheit,

Hin-und-Hergerissen-Sein. Ihm hingegen gehe es um positive und negative Potenziale, die in allem steckten und die man sich unbedingt bewusst machen müsse. Wie beim Känguruh, das sein Kindchen im Beutel trägt und säugt, und gleichzeitig ausgewachsene Hunde ins tiefe Wasser lockt und ertränkt. Er spürte, dass er sich ein wenig verlor, dass er die Bogen eventuell zu weit spannte, aber er wollte sich endlich verständlich machen. Er würde keine weitere Chance verpassen, er hatte keine Zeit mehr zu verlieren. Er erwähnte die großen Handtaschen, die seelischen Wohnwagen der Frauen, er erwähnte den vermutlich krebserregenden Energydrink aus dem vergangenen Jahrhundert, den ein paar verrückte Liberale bis heute verteidigten wie früher die Raucher ihr Recht auf Zigaretten. Und selbst so etwas finde Anhänger, was sich nur aus dem immanenten Widerspruchsgeist des Menschen erklären lasse. Er gab einen blitzschnellen Abriss über zehn Dinge, die in den letzten Jahren erst vom Himmel gefallen und dann vom Erdboden verschluckt worden waren. Wo sind sie jetzt? Irgendwo unter uns, begraben, vermodert und vergessen, aber nur so lange, bis einer sie in schlau abgeänderter Form wieder hervorholt und tut, als hätte er sie, als immens kreative Leistung, gerade erst erschaffen.

Die Dingwelt verändert sich gar nicht so sehr, beschwor Martin seine Kollegen, es verändern sich nur die Botschaften. Botschaften hat es immer gegeben, und es wird immer Botschaften geben, aber wie verschlagene Lebewesen wechseln sie ständig die Kanäle. Sie haben eine Tendenz, sich aufzublähen und im nächsten Moment zu versickern. An uns liegt es, die Botschaften von den Dingen herzuleiten, anstatt sie ihnen aufzupropfen. In Martins Ohren rauschte es. Er war glücklich und vollkommen bei sich. Er spürte, dass er Menschen fesseln konnte. Sekundenkurz blitzte seine Zukunft vor ihm auf: Hier würde alles begonnen haben, mit seiner ersten großen Rede im düsteren Besprechungsraum der damals noch winzigen Agentur ROX. ROX, der wendige Straßenköter unter den Berliner Agenturen. Wider die Spezialisierung, wir erfinden den Generalisten neu. Wir sind klein, aber wir schöpfen aus dem Vollen. Wir können Internet, aber wir haben auch Theatermaler, Laserkünstler, Komponisten. Brauchen Sie etwas, das aussieht wie früher die Zeichentrickfilme? Brauchen Sie ein Blasmusikorchester für Ihre Werbung? Er bemerkte die überraschten Gesichter seiner Kollegen. Er war sich seiner Sache sicher. Alles fügte sich organisch. All die Jahre hatte er überlegt und nachgedacht, jetzt war er fast am Ziel. Eine Kampagne für Fidelion war genau das, worauf er immer gehofft hatte. Es bedeutete, das Unmögliche möglich zu machen. Die zerbrochenen Hälften zu versöhnen. Jetzt musste er die Kollegen nur noch auf seine Partisanentaktik einschwören. Denn Fidelion, das war ja im Grunde der Feind, die gehörten zu einem Weltkonzern, der so viel Geld hatte, dass er alle nennenswerten Agenturen mit einem steten warmen Pitch-Regen bewässerte, der sich nach langen, kostspieligen Auswahlrunden hier ein bisschen PR und dort ein wenig Webdesign kaufte und dafür sorgte, dass niemand echte Kriegskampagnen gegen ihn führte. Wenn man die knackte, hatte man sie alle. Wer Fidelion ein neues Auftreten zu verpassen imstande war, veränderte letztlich die Welt.

Als er endete, war es still. Dann begann Topic zu klatschen, langsam und laut, mit seinen Affenpranken. Niemand klatschte mit. Die Molin betrachtete ihre Fingernägel und sagte, Ossi, hör sofort damit auf. Topic hörte auf. Martin, der sich fühlte, als wäre er zu tief getaucht, ging zu seinem Platz zurück und bemerkte, dass Topics Kopf noch röter war als sonst, ja, dass es beinahe so aussah, als ob ihm die Augen feucht geworden wären. Das habe ich nicht gewollt, dachte Martin, demütigen wollte ich ihn nicht, ich bin nicht wie er. Aber da sagte die Molin leise, mit einer Stimme, an die sich Martin später als an einen sirrenden Pfeil erinnern würde, Herr Kummer, hier liegt ein Missverständnis vor. Wir pitchen nicht bei Fidelion, unser Thema heute war eigentlich die Vivus-Versicherung.

Aus Topics Ecke ein einzelner Lachbrüller. Wir haben noch nie bei Fidelion gepitcht, und wir werden nie bei Fidelion pitchen, Kummer, röhrte er, obwohl die Chefin abwehrend den Arm hob, denn sogar wenn sie uns einladen würden – was weder du noch ich je erleben werden –, gehen wir aus Prinzip nicht hin, Kummer! Und wenn du das noch immer nicht verstanden hast, dann frage ich mich, was du überhaupt …

Frau Molin schlug mit der flachen Hand auf den Tisch. Topic war still. Dann stand sie auf und sagte, Herr Kummer, kommen Sie bitte mit in mein Zimmer.

Martin nahm Sabinas Hand, hielt sie unterhalb seines Nabels fest und sagte, Liebling, das mit der Terrasse werden wir wohl ein wenig verschieben müssen. Ich werde kündigen.

Aber warum das denn, rief Sabina, ich habe geglaubt, es läuft alles gut für dich bei ROX?

Für mich, mein Schatz, läuft ohnehin alles gut, versicherte Martin strahlend, aber ROX ist leider ein unprofessioneller Drecksladen. Insofern habe ich einen Fehler gemacht.

Na ja, sagte Sabina, von außen kann man es nicht so genau beurteilen. Aber du wolltest immer für die Molin arbeiten, du hast gesagt, die Frau hat wirklich was drauf …

Trotzdem bleibt leider entscheidend, auf wie vielen Ebenen einer was draufhat, erklärte Martin. Und die alte Molin hat zwar mal ein paar echte ästhetische Milestones gesetzt, aber in größeren Zusammenhängen denken, das kann sie leider nicht.

Sabina sah ihn an. Martin, sagte sie langsam, kann es sein, dass du dieser Frau erklären wolltest, wie sie ihre Firma führen soll, sie das aber lieber selbst entscheidet?

Martin lächelte, so hochmütig er konnte. Frau Molin und ich waren uns vor zwei Jahren vollkommen einig, dass sich ROX in eine bestimmte Richtung entwickeln soll, sagte er. Das habe ich dir damals ausführlich berichtet. Sonst hätte es weder für mich Sinn gemacht, von einem großen zu einem so kleinen Laden zu wechseln, noch für ROX, jemanden wie mich abzuwerben.

Damals hast du gesagt, dass einem bei Colloredo jede Kreativität ausgetrieben wird, sagte Sabina, ich höre dich noch, Tapisserien und Lampenbespannungen von Kuala Lumpur bis Mexico City und zurück. Egal. Jetzt hat also die Molin ihre Meinung geändert, über die Entwicklung der Firma?

Wahrscheinlich hat sie Angst, sagte Martin und bemühte sich um einen anteilnehmenden Ton, alle haben sie Angst, mein Haus, mein Auto, mein Boot, unterm Strich zähl ich. Der ständig besoffene Topic beschwört sie, sich auf die eigenen Stärken zu besinnen, was dann heißt, dass sie immer nur dasselbe Fairtrade-Klein-Klein machen, das Kinderhospiz, die Erdwärmeleitungen, den brandenburgischen Wasserbüffelzüchter, …

… den pommerschen Ökobäcker, sagte Sabina.

Den pommerschen Ökobäcker, bestätigte Martin, und sie lachten einander an.

Dann reckte er den Zeigefinger in die Luft, legte sich

mit der anderen Hand Sabinas warme Finger um den Schwanz und fuhr fort: Aber dass Stärken schwächer werden, wenn man sie nicht ständig trainiert, das kommt dort keinem in den Sinn. Ich persönlich glaube ja, die Molin ist längst ausgebrannt. Sie ist nicht mehr die Jüngste. Ich bitte dich, in dieser Branche, wo sich alles rasend schnell verändert.

Sabina schaute ihn prüfend an. Martin hielt dem Blick stand, obwohl es sich anfühlte, als ob sein siegessicheres Lächeln auf Dauer Sprünge bekommen könnte wie eine Gipsmaske.

Außerdem habe ich langsam genug von diesen Österreichern, stieß er hervor und schnitt eine Verschwörergrimasse.

Stimmt, sagte Sabina, worum ging es eigentlich gestern mit Stortecki?

Genau darum, stöhnte Martin. Erklärt er mir zum hundertsten Mal, dass alle Studien belegen, wie innovationsfreudig seine Ösis sind, im Gegensatz zu den ängstlichen und schwerfälligen Deutschen. Darauf sag ich, dann frag ich mich nur, warum deine Freundin Xane Molin ihren Art Director, diesen Klotz am Bein der Agentur, nicht auf eine wirklich innovative Burn-out-Kur schickt? Am besten ein paar Wochen lang, oder so lange, *wie es sich für ihn gut anfühlt,* so reden die, du weißt schon. Darauf wieder Stortecki, Martin, spinnst du, der Topic-Ossi ist der M-o-t-o-r dieser Agentur, er ist ein Genie, und so weiter, und darauf ich, ach so, natürlich, ich vergaß, ihr seid ja alle Genies, nirgends gibt es so viele Genies wie zwischen Boden- und Neusiedlersee, von Hitler über Haider bis Fritzl … Da hat er mir den Finger gezeigt und ›Geh scheißen, Piefke‹ gesagt.

Sabina lächelte. Und dann habe ich dich weggezerrt.

Genau, sagte Martin, dann hast du mich zum Glück weggezerrt.

Ich habe es dir damals schon gesagt, sagte Sabina, in meinen Augen passt du besser zu einer größeren Firma, mit mehr internationalem Flair.

Du hast recht, seufzte Martin und schloss die Augen.

Was ist mit Fidelion, schlug Sabina vor, die haben doch eine riesige *Corporate Communication*.

Warum eigentlich nicht, flüsterte Martin, vielleicht gleich zu Fidelion, und nicht aufhören damit, bitte.

It can never return as it was,
only as a later incarnation.

– Siri Hustvedt –

10

Wie die Zeit vergeht. Als Xane anrief und sagte, sie kämen alle, die ganze Familie aus Berlin, um seinen Geburtstag zu feiern, da war ihm die Wartezeit noch so lange vorgekommen, dass es ihm klang wie Hohn, wie ein vergiftetes Geschenk.

Bis dahin bin ich vielleicht tot, hatte er genörgelt, kannst du nicht früher kommen? Da machte sie ihm wieder Komplimente zu seiner angeblich unverschämten Gesundheit: Ist dir das überhaupt klar, Papilein, wenn sie könnten, würden dich deine Altersgenossen vor Neid tögeln.

Er musste lachen.

Aber sie können halt nicht mehr, sagte er grinsend, und Xanes Stimme an seinem Ohr setzte fort: Die meisten leben ja nicht einmal mehr.

Ja, sagte er, die können nur noch liegen.

Aber das können sie gut, sagte Xane.

So gingen sie miteinander um, im besten Fall, von Herzen herzlos; wenn es gut lief, dann steckten sie einander die Pointen zu wie silbrige Münzen einer privaten Währung. Darin verstanden sie sich blind.

Er sah sie dabei genau vor sich: Sie zog die Augenbrauen hoch und legte die Stirn in Falten und schaute so, wie auch Amos als Kind geschaut hatte. Die Gesichter schoben sich in seinem Kopf manchmal übereinander, ihres und das von Amos. Bei ihren seltenen Wiedersehen war er meistens überrascht, wie alt Xane aussah. Oder geworden war. Er hatte sie inzwischen jünger in Erinnerung. Vielleicht blieben einem die eigenen Kinder irgendwann stehen, in einem Alter, das am besten zu ihnen passte. Es war der Ausdruck, den er klar vor Augen hatte, nicht das Gesicht an sich.

Mach keine Falten, hatte Helga immer gerufen, wenn Xane so dreinschaute, und Xane hatte zurückgeschnappt, ich mache Falten, so viel ich will. Das war zwischen den beiden sowieso ein Reizthema gewesen, diese seltsamen Hilfsmittel, die Helga offenbar in Anspruch genommen hatte, wenn sie von ihren ausgedehnten Aufenthalten auf burgenländischen Schönheitsfarmen zurückkam, woraufhin Xane beiläufig davon sprach, dass *sie* in Würde altern wolle, und dabei woanders hinsah.

Und jetzt war Helga schon so lange tot. Was Xane nicht verstand, war, wie wichtig es Helga gewesen war, bis zuletzt gut auszusehen, ›appetitlich‹, wie sie es damals bei ihrer eigenen Mutter genannt hatte. Selbst als Tote noch. Eine Frage der Selbstachtung. Helgas Mutter war in ihren letzten Jahren immer weniger geworden, sie hörte im Grunde zu altern auf, am Schluss war sie ein winzig-zarter, steinalter Engel mit seidigem Haar, der fast gar keine Falten hatte. Ist es nicht unwahrscheinlich, schluchzte Helga noch lange, dass sie fast gar keine Falten gehabt hat? Und sie zeigte wochenlang Fotos von ihrer Mutter herum, genau wie sie von den Enkeln überall Fotos gezeigt hatte, als sie auf die Welt gekommen waren. Jedes Mal, wenn jemand Helga kondolierte, zog sie das Foto aus der Handtasche und sagte: Schau, hat sie nicht gut ausgeschaut? Bis zum Schluss? So appetitlich!

Als stünde einem, solange man sich keine Falten zuschulden kommen ließ, das Recht auf ewiges Leben zu.

Auch Helga hat es geschafft, eine gutaussehende Tote zu sein. Dafür ist sie allerdings vor der Zeit gestorben. Ob sie lieber länger gelebt hätte, selbst um den Preis, dann nicht mehr ganz so appetitlich auszusehen? Schwer zu sagen. Zwischen ›nicht mehr ganz so appetitlich‹ und einem inkontinenten, total dementen Pflegefall lagen Welten.

Das Verrückte am Sterben war ja, dass man es bis zum letzten Moment für ausgeschlossen hielt, jedenfalls für sich selbst. Er persönlich glaubte den anderen Alten, die dauernd beteuerten, sie wünschten, es wäre endlich vorbei, kein Wort. Die hatten Schmerzen oder Langeweile, doch wenn man sie ihnen linderte, hätten sie aufs Sterben bestimmt keine Lust mehr.

Vor Kurzem hatte er wieder einmal in Eli Rozmburks Buch geblättert, das Xane damals mit herausgegeben hatte. In seinem letzten großen Interview sagte Eli: Der Tod ist mir schon so nah, ich habe keine Angst vor ihm. Aber nicht einmal ihm glaubte er das. Ja, jeder, der Eli nicht so gut gekannt hatte wie er, würde natürlich sagen, mein Gott, Rozmburk, der hat in seinem Leben so viel Tod gesehen, so viel Gewalt und Verbrechen, klar, dass so einer das Sterben nicht fürchtet. Weil die meisten, die damals überlebt haben, nachher Schuldgefühle hatten und daran litten, wie ungerecht es war, durch Zufall davongekommen zu sein. Weil für sie der Tod auch als Metapher für Erlösung von den quälenden Erinnerungen herhalten musste.

Aber er wusste es besser. Er würde Elis Blick nicht vergessen, als er ihn das letzte Mal besucht hatte. Eli war noch bei sich, konnte aber wegen des Schlauchs nicht mehr sprechen. Er, Kurt, saß an seinem Bett, betrübt, unbehaglich, und erzählte ihm irgendetwas, so als wäre alles normal. Doch bald gingen ihm die Worte aus, und er verabschiedete sich.

Bis nächsten Dienstag, sagte er. Denn was sollte man sonst sagen? Schön, dass du mein Freund warst, ich fürchte, diesmal sehen wir uns nicht wieder? Das konnte man nicht sagen. Wenn man davon wirklich überzeugt wäre, müsste man eigentlich sitzen bleiben, so lange, bis der andere gegangen war. Man lässt keinen Sterbenden allein! Aber so dramatisch benimmt sich keiner, es sei denn, es ist ein Angehöriger. Wie gut also, dass man es nie mit Sicherheit sagen kann. Das sagen einem auch die Ärzte und Schwestern: Vielleicht in ein paar Stunden, vielleicht hält er noch ein paar Tage durch. Man kann es nie genau sagen.

Deshalb verabschiedet man sich jedes Mal so, als gäbe es ein nächstes. Das ist doch eigentlich ganz schön.

Aber Eli hatte gewusst, was los war. An seinem Blick hatte er es gesehen. Rückblickend war Kurt froh, dass er nicht mehr sprechen hatte können. Er hätte gar nicht hören wollen, was Eli ihm noch zu sagen gehabt hätte. Eli war ein Mann der klaren Worte gewesen. Ha, das war das Mindeste, was man über ihn sagen konnte. Oft genug, fand Kurt, war er über das Ziel hinausgeschossen. Andererseits wäre er sonst nie zu einer Figur der Zeitgeschichte geworden, mit Einfluss und Strahlkraft. Sein alter Freund Eli. Mit Nachrufen bis in die ›New York Times‹.

Wenn du verstanden und gehört werden willst, kommst du mit dem taktvoll Ausbalancierten nicht weiter! Das war auch Xanes Credo, wie man ihren Arbeiten von Anfang an leider allzu genau ansah. Die Menschen verstünden nur die Übertreibung, predigte sie in ihren wilden

Zwanzigern. Deshalb sei in der Kunst absolut alles Übertreibung, nicht bloß in der Oper. Auch in der kleinsten Kammermusik müsse jedes Crescendo und jedes Diminuendo übertrieben ausgeführt werden, ja, fortissimo und pianissimo seien bereits unnatürliche Zuspitzungen. Die Welt sei nun einmal nicht kongruent mit der Mittellage, die er, Kurt, so schätze.

Das mochte ja sein. Aber dass man, wenn man schon unbedingt ein Kruzifix für seinen Kurzfilm brauchte, es vom eigenen Hausherrn ausborgen musste, fand Kurt – unvernünftig. Das hätte sich sicher anders lösen lassen. Wie peinlich das gewesen war! Eine gemeinsame Bekannte von ihm und diesen Hietzinger Herrschaften hatte ihm wortreich von deren Entsetzen berichtet, als sie ihren wertvollen Jesus im Fernsehen sahen, unterlegt mit Popmusik.

Na und, hatte Xane gewütet, es ist ja nicht dabeigestanden, dass er den Tschochs gehört. Aber du hältst ja immer zu allen anderen, nur nicht zu deinen Kindern!

Ob diese Leute noch lebten? Eli hatte etwas über sie gewusst, Kurt hatte vergessen, was. Vermutlich nichts Ehrenhaftes.

Als er sich bei seinem letzten Besuch erhob, streckte Eli die Hand nach ihm aus. Er trat zurück ans Bett, nahm die Hand und drückte sie. Er machte sein normales, etwas besorgtes Freundesgesicht, in das er sogleich einen Schuss Aufmunterungslächeln mischte. Man konnte auch mit dem Gesichtsausdruck lügen, genauso grell wie mit einer Geschichte. Eli sah ihn an, auf eine Weise, die einfach nur schrecklich war. Er lächelte weiter, unbestimmt, abwaschbar. Er war zu feige. Eli wollte von ihm, dass er aussprach, was Eli dachte. Dass es gesagt sei, im Sinne von Tapferkeit und Aufklärung. Typisch Eli. Kurt drückte Elis Hand, nickte begütigend und wandte sich zur Tür. Dass da noch ein Geräusch gewesen war, in seinem Rücken, bildete er sich wahrscheinlich ein. Aber dass niemand sterben wollte, und am wenigsten diejenigen, denen der Tod bereits an die Gurgel griff, das war ihm seither unumstößlich klar. Von der Sache mit der Angst ganz zu schweigen.

Kurt war froh, dass er vorbereitet war. Dass er sich keine Illusionen machte. Andererseits hatten all die Illusionen natürlich einen Zweck, einen wärmenden, weichen. Er dagegen lebte jetzt weiter mit seinem drückenden Wissen.

Er lebte in seinem gewohnten Rhythmus, tagein, tagaus. Er war wirklich überraschend gesund, von ein paar kleinen Wehwehchen abgesehen. Er erinnerte sich an das meiste, jedenfalls an das Wichtige, Alzheimer war per Gentest ausgeschlossen, die Vignette an seiner Tür war grün, er nannte das im Spaß: Pflegestufe minus eins, nur alt. Er hörte noch recht gut. Er hatte eine Lesebrille, schließlich gab es beinahe niemanden, der keine hatte. Das Haus war professionell verwaltet, es war auch nicht billig. Die Mädchen aus Griechenland und Portugal waren freundlich, es gab keinen Grund zur Beschwerde. Das Essen war anständig, obwohl er immer öfter etwas zurückgehen ließ. Die Portionen wurden ihm zu groß. Man brauchte ja immer weniger.

Aber jedes Mal, wenn der nächste Wochenspeiseplan kam, gab es ihm einen Stich. Die Wochen gingen herum, mehr oder weniger ereignislos, ohne dass er sich je gelangweilt hätte. Er hörte sich viele Bücher an, seit Albert ihm am Computer das Audio-Abo eingerichtet hatte, und er hatte Freunde, die ihn besuchten, mit denen er sich traf. Aber jede Woche, die vorbei war, war von hinten betrachtet eine weniger. Diese Sicht der Dinge, die einen zu allen Zeiten im Leben gelegentlich anfliegt, war nun die bestimmende.

Er hatte nicht mehr ewig Zeit.

Das war Xane nicht begreiflich zu machen.

Auf diesem Ohr war sie vollkommen taub.

Und er wusste nicht, war es Naivität – was zu Xane eigentlich nicht passte – oder Ignoranz.

Zugegeben, in dieser Familie hatten sie über Unangenehmes nur gesprochen, wenn es sich gar nicht mehr vermeiden ließ.

In einem bitteren Gespräch vor vielen Jahren – oder Jahrzehnten? – hatte Xane ihm dafür die Schuld gegeben. Ein Schweigegebot habe er aufgestellt, behauptete sie, den unausgesprochenen Befehl, über Probleme, Misserfolge, Unglück grundsätzlich nicht zu sprechen.

Kurt war entsetzt, sprachlos. Es war einer ihrer typischen, unerklärlichen Ausbrüche, die zum Glück in letzter Zeit seltener vorkamen. Beängstigend blieben sie.

Beide Kinder hatten gelegentlich diese Ausbrüche, die ihn erschreckten, Albert auch. Er wusste nicht, woher sie das hatten. Als wäre zu viel Temperament in ihnen, ein Überdruck, der manchmal abgelassen werden musste.

Was die sich immer aufregen können, hatte Helga in solchen Fällen schnippisch gesagt, dabei, das war sein Verdacht, hatten sie das eher von ihr. Von ihm bestimmt nicht.

Vielleicht begriff er zum ersten Mal, was Xane meinte, mit dem Schweigegebot. Er konnte sich nicht verständlich machen, ohne zu dramatisieren. Dramatisieren war ebenfalls etwas, das innerfamiliär als verachtenswert galt. Wir dramatisieren nicht, wir machen lieber Witze.

Er wollte sie viel öfter sehen, sie und Amos, auch die

beiden großen Mädchen, die er immer gern gehabt hatte. Sie war so weit weg. Die Zeit wurde knapp. Dass sie das nicht selbst sah.

Bis dahin bin ich vielleicht tot, nörgelte er also jedes Mal am Telefon, und sie erwiderte fröhlich: Bevor du stirbst, ruf mich unbedingt an. Ich komm dann sofort, großes Ehrenwort.

Ja, so hatten sie immer miteinander geredet, aber langsam wurde das unstatthaft. Weil es kein Witz mehr war. Ihm wäre lieber, sie käme jetzt, ohne Not, wo er noch etwas davon hatte. Wenn es ans Sterben ging, wenn er aufhörte, appetitlich zu sein, konnten sie seinetwegen ruhig zu Hause bleiben, alle miteinander.

Nicht, dass er Albert sehr viel öfter gesehen hätte. Der wohnte in der Stadt, eine Viertelstunde mit dem Auto, der konnte theoretisch jederzeit kommen, also kam er praktisch nie. Natürlich öfter als Xane. Aber wenn er kam, war seine Anwesenheit vergleichsweise – flüchtiger. Albert schaute ihn nie richtig an. Er ging mit prüfendem Blick durch die kleine Wohnung, fragte, ob er etwas brauche, ob alles funktioniere, ob Birnen durchgebrannt seien. Dann fuhr er mit ihm in ein schönes Kaffeehaus zum Mittagessen und sprach auch mit vollem Mund ununterbrochen von seiner Arbeit. Er ging davon aus, dass Kurt nicht viel zu berichten hatte. Das stimmte, einerseits. Doch wenn es ein paar Pausen gegeben hätte, ein bisschen mehr Geduld von Alberts Seite, dann hätte Kurt von seinen Sorgen anfangen können, darüber, dass ihm nur noch wenig Zeit blieb und dass er sich panisch fragte, ob er diese Zeit nicht anders, besser nutzen könnte.

War er selbst auch so gewesen, als die Kinder klein waren? Wahrscheinlich. Zwar nehmen sich Kinder tyrannisch ihren Redeanteil, aber eigentlich hört man ihrem

Geplapper nie richtig zu. Was haben Kinder und alte Leute schon zu erzählen. Der Erwerbstätige hat die Sorgen, die Verantwortung und damit die Hoheit über das Gespräch.

Nun war es so weit. Wie die Zeit vergeht. Zehn Wochenspeisepläne waren abgegessen, von dem, was er hatte zurückgehen lassen, hätte man vermutlich zwei bis drei hungernde Kinder durchgebracht, in einem weniger glücklichen Teil der Welt. Und gleich kam Xane mit der ganzen Familie, also mit Amos, Mor und zumindest einem der Mädchen, Kurt hatte vergessen, mit welchem.

Fast wünschte er, er könnte es noch ein bisschen hinauszögern, jetzt, da die Erfüllung der Wünsche so nah war. Das klang absurd, das wusste er. Aber sobald sie da waren, riss es ihn jedes Mal in einen Strudel aus Stimmen, Gesichtern und Emotionen, er fühlte sich, als könnte er sich gar nicht adäquat verhalten, nicht ausreichend auf alle eingehen, er kämpfte um einen Rest von Überblick, er vergaß die Hälfte der Fragen, die zu stellen er sich wochenlang vorgenommen hatte, und er kam erst wieder richtig und voller Bedauern zu sich, wenn alles vorbei war. Das war ja alles altbekannt und banal, dass die Zeit schnell vergeht, wenn viel passiert, und langsam, wenn es fad ist. Aber je älter er wurde, desto extremer wurden die Unterschiede. Zeitwüsten gegen Zeitexplosionen. Wenn Xane endlich da war, würde er sich wie dieser moderne Tantalos fühlen, den es früher im Fernsehen gegeben hatte: der fuchtelnd in einer blinkenden Plexiglaszelle stand und von den um ihn herumwirbelnden Geldscheinen nicht einmal einen Bruchteil zu fassen bekam.

Und nun hatte er tatsächlich die Zeit übersehen. Das heißt, er hatte nicht rechtzeitig daran gedacht, ein frisches Hemd anzuziehen. Er beeilte sich. Er wollte nicht im Unterhemd dastehen, wenn Amos zur Tür hereingestürmt kam. Wenn man sich beeilt, geht es meistens langsamer als sonst. Hoffentlich riss ihm nicht wieder ein Knopf ab. Wie alt war Amos jetzt eigentlich? Machte er nicht bald Matura? Kam Albert auch, oder würden sie ihn erst im Lokal treffen? Und wo überhaupt, ›Plachutta‹ oder ›Sacher‹? Hatte man ihm das überhaupt gesagt?

Er schlüpfte in sein dunkelblaues Sakko. Er zupfte vor dem Spiegel gerade den Hemdkragen zurecht, da klopfte es an der Tür. Perfekt. Einen Moment früher wäre er erschrocken und hätte sich vielleicht im Ärmel verheddert, einen Moment später wäre er wahrscheinlich nervös ans Fenster getreten und hätte sich gefragt, wo sie blieben.

Er öffnete die Tür. Da stand nur Xane in einer Jeansjacke, niemand sonst, keine lauten, herausgeputzten Familienherden, wie er sie erwartet hatte. Nachdem sie sich umarmt und geküsst hatten – in den letzten Jahren hatte sich Kurt angewöhnt, entschlossener hinzugreifen, auch ein bisschen zu streicheln, Schultern und Oberarme –, sagte Xane, aber Papa, das schöne Sakko heben wir lieber für morgen auf, oder?

Für morgen, fragte er verständnislos.

Entschuldige, sagte sie, ich misch mich schon wieder ein, vielleicht hast du ja noch ein anderes? Oder was wolltest du morgen Abend ins ›Plachutta‹ anziehen?

Ja, schon das, murmelte Kurt, das hab ich für das ›Plachutta‹ …

Na, also, sagte Xane und half ihm aus dem Sakko, dann nehmen wir für heute ein sportlicheres. Und schon war sie an seinem Kasten, wählte etwas aus und zog es ihm an.

Wo sind die anderen, fragte Kurt vorsichtig.

Papa, Mor kommt erst morgen, das hab ich dir doch

gesagt, es tut ihm leid, aber er hat heute einen wichtigen Termin. Und die Kinder sind in die Stadt gegangen, die waren so lange nicht mehr da, vielleicht stoßen sie später zu uns …

Kurt entschuldigte sich, ging ins Bad, sperrte zu und lehnte sich von innen gegen die Tür. Dann schaute er auf die Uhr. Es war früher Nachmittag, und es war der vierte Mai. Sein Geburtstag war erst morgen. Heute war heute. Xane war gerade angekommen. Jetzt würden sie zum Friedhof fahren und dann ins Café gehen, ein bisschen plaudern. Er schüttelte den Kopf, ärgerlich über sich selbst, dann ließ er zur Tarnung herunter.

Weißt du was, sagte er, als er herauskam, ich habe mir überlegt, den Friedhof können wir uns eigentlich sparen. Die Mama hat eh nichts davon, und wir denken auch so an sie. Wie findest du das?

Xane schaute ihn überrascht an. Dann sah sie kurz zur Seite, strich ihren Gesichtsausdruck glatt und sagte, sicher, gern, wie du willst, du bist der Chef.

In diesem Moment fiel ihm ein, dass das genauso vereinbart gewesen war. Telefonisch. Er erinnerte sich plötzlich an Xanes Sätze, an einiges sogar wörtlich, dass sie gern zum Grab gehe, das aber ebenso allein tun könne. Dass sie gut verstehe, wenn es ihm zu anstrengend und zu traurig sei – Papilein, du bist der Chef. Sollte er schnell sagen, dass es ihm wieder eingefallen war? Machte das irgendetwas besser?

Wo möchtest du jetzt hingehen, fragte Xane, hast du einen Wunsch?

Haben wir uns noch nichts überlegt, fragte Kurt zurück.

Xane schüttelte den Kopf: Du hast gesagt, wir müssen aufhören, alles immer so genau zu planen. Du hast gesagt, du willst in Zukunft spontaner sein.

Kurt lachte. Das hab ich gesagt? In Zukunft? Herrlich. Und weißt du was, Mädel? Dann gehen wir jetzt ins ›Schwarze Kameel‹ und lassen es krachen!

Die wenigen Sitzplätze waren besetzt. Xane zögerte, doch Kurt sagte, so gebrechlich bin ich noch nicht. Sie stellten sich an die Bar und bestellten Prosecco. Das vertrug sich zwar schlecht mit Kurts Magen, aber er wusste, es war die beste Möglichkeit, Xane aufzutauen. Als sie anstießen, fragte er: Und, wann kommst du das nächste Mal?

Xane machte Falten. Papa, ich bin gerade erst angekommen! Und du tust so, als würden wir uns schon wieder verabschieden.

Ja, sagte Kurt, ein wenig verstimmt, aber wenn du erst einmal da bist, dann geht es immer so schnell vorbei.

Der Kommerzialrat Holaubek betrat das Lokal. Blicke huschten zu ihm hin und wieder von ihm weg; sein Bruder war kürzlich bei einem mysteriösen Vorfall auf den Philippinen verhaftet worden. Kurt hatte früher gelegentlich mit dessen Vater Karten gespielt – das hieß, dieser dicke Glatzkopf musste ungefähr in Xanes Alter sein? Unglaublich. Nein, dachte Kurt, der Mensch wird allgemein nicht schöner im Laufe des Lebens, aber bei manchen ist die Verschlechterung stupend.

Gerade, als er Xane zuflüstern wollte, was alles Schreckliches über den jüngeren Bruder in der Zeitung gestanden war, kam Holaubek auf sie zu.

Ja, grüß Sie Gott, rief er, der Herr Molin, fit und jugendlich wie eh und je! Mein lieber Herr Vater hat so oft von Ihnen gesprochen …

Freut mich, sagte Kurt, darf ich Ihnen meine Tochter vorstellen?

Holaubek reichte Xane die Hand. Das Fräulein Tochter,

säuselte er, habe die Ehre, der ganze Stolz des Herrn Papa, nehme ich an, nicht wahr? Kein Wunder. Man hat ja viel gehört von den interessanten Aktivitäten … Wieder einmal auf Besuch in der alten Heimat, ja? Immer wieder herrlich, unser schönes Wien, nicht wahr?

Xane entzog ihm ihre Hand, die er etwas länger festgehalten hatte, und steckte sie in die Jackentasche.

Und, fragte Holaubek, immer noch zufrieden dort draußen, bei den …

…Piefkes, platzte Xane heraus.

Holaubek lachte. Das haben Sie gesagt!

Sehr glücklich und zufrieden, danke der Nachfrage, Herr Kommerzialrat, sagte Xane, diese Piefkes – glauben Sie mir, wenn man sie erst einmal näher kennt, sind sie einfach wunderbar.

Holaubek lächelte, nickte und entschuldigte sich, er hatte noch andere Bekannte zu begrüßen.

Wie du das aushältst, sagte Xane.

Wieso, was denn, fragte Kurt, was hat dir jetzt schon wieder nicht gepasst? Das war doch recht nett …

Recht nett, fragte Xane, das war so nett, wie in Eierlikör zu ertrinken.

Kurt schloss einen Moment die Augen. Jetzt ging das wieder los. An der Sache mit dem Selbsthass war doch etwas dran. Jüdischer Selbsthass, österreichischer Selbsthass, er hatte das nie genau verstanden, aber seine Kinder, beide, immer taten sie, als ob man ihnen dauernd, auf Schritt und Tritt … Woher sie diese Wut hatten. Er verstand es einfach nicht.

Möchtest du gehen, fragte er.

Aber geh, sagte Xane und legte ihm kurz die Hand auf den Arm, ich trink sehr gern noch ein Glas mit dir. Und schau, da drüben wird gerade ein Tischerl frei.

Xane bestellte einen Teller mit Jour-Gebäck für zwei, legte ihr Handy neben sich auf die Bank und musterte es.

Erwartest du einen Anruf, fragte Kurt.

Xane sah ertappt drein. Nein, sagte sie, aber die Kinder, falls sie sich melden, dann könnten sie vorbeikommen ...

Warum rufst du sie nicht an und sagst, wo wir sind, fragte Kurt.

Ach, ich lass sie lieber in Ruhe, sagte Xane, nahm das Telefon und schob es in die Handtasche.

Na, Papa, und wie geht es dir so insgesamt?

Dieser Frage konnte Kurt nicht widerstehen. Wer weiß, wann man wieder, so halbwegs in Ruhe, zusammensitzen würde? Er holte weit aus, er sprach schnell, versuchte, nichts zu vergessen. Das Farbproblem mit dem Touchscreen an der Tür seines Appartements, das offenbar irreparabel war. Ausgerechnet blau und grün waren kaum mehr zu unterscheiden, dabei sollte er aus dem Angebot des Wochenspeiseplans vor allem blaue Speisen wählen, nur wenige grüne, auf ärztlichen Rat. Davon abgesehen konnte es ihm ja egal sein, das Kulturprogramm nahm er kaum in Anspruch, und das suchte er ohnehin nach Inhalt oder Titel aus. Aber der Speiseplan! Oder kann man im Alter noch farbenblind werden? Xane möge außerdem unbedingt sein Konto überprüfen, er habe das Gefühl, er gebe zu viel Geld aus. All diese Abbuchungen, er hatte völlig den Überblick verloren. Es gab nur noch diese Codes, die ihm nichts sagten. Früher war der Firmenname des Abbuchers angegeben gewesen, da hatte man noch gewusst, das ist das Zeitungsabo, das das Essen, das die Stromrechnung, aber inzwischen, eine Katastrophe, muss sich wirklich alles dauernd ändern ...

Die Buchstaben, mit denen die Codes anfangen, warf Xane ein, ich könnte dir eine Liste machen, welche ...

Vergiss es, winkte er ab, ich will nur wissen, ob alles in Ordnung ist und dass mich niemand bestiehlt. Ich will es gar nicht verstehen.

Schließlich und Wichtigstes: sein Arthrosebefund, und warum er Doktor Bartok seit geraumer Zeit misstraute. Bartok rede immer vom Knie, aber sein Knie sei einwandfrei.

Ich muss es doch wissen!

Dass er Schmerzen in der Hüfte habe, täglich, ununterbrochen, besonders nachts, nehme Bartok einfach nicht zur Kenntnis. Als ob er diese Schmerzen erfände. Er glaube, er sollte sich einen jüngeren Arzt suchen, er frage sich, ob Bartok auf dem neuesten Stand sei, mit fast sechzig.

Er ist eine Koryphäe, sagte Xane zweifelnd.

Er *war* eine Koryphäe, widersprach er, ich habe kein gutes Gefühl mehr.

Dann solltest du deinem Gefühl vertrauen, entschied Xane.

Sag das bitte einmal deinem Bruder, schimpfte er, ich bitte dich inständig, mit ihm ist in dieser Hinsicht nicht zu reden.

Na gut, sagte Xane, er als Arzt wird besser wissen als ich …

Papperlapapp, rief Kurt und senkte das Kinn, als sich Menschen an den Nebentischen zu ihm umdrehten, er ist Kardiologe und er …

Papa, ich weiß, dass Albert Kardiologe ist, sagte Xane.

Aber da war er eingeschnappt.

Papa, bitte, sagte Xane, wir werden jetzt nicht über deine Ärzte reden.

Warum nicht, fragte er, in meinem Alter ist das nicht unwichtig.

Warum machst du denn nicht einfach, was du willst, fragte Xane, du musst Albert nicht um Erlaubnis fragen, zu welchem Arzt du …

Aber er bringt mich hin, rief Kurt. Er bringt mich mit dem Auto oder er schickt einen Fahrer, er macht die Termine aus, seit ich einmal, ein einziges Mal, einen Termin vergessen habe, ich meine, das passiert auch Jüngeren, oder etwa nicht, ich habe überhaupt keine Möglichkeit mehr, irgendetwas für mich selbst zu entscheiden, keinen interessiert, was ich sage, auch den Daniel nicht, erst kommt er und fragt mich um Rat bei seinen Geschäften, dann erkundige ich mich extra und sag ihm, was er auf keinen Fall machen soll, nämlich auf den Yen spekulieren, da habe ich Verbindungen, immer noch gute Verbindungen – erinnerst du dich an den Rumpel-Karli?

Ja, sagte Xane.

Der Enkel vom Rumpel-Karli ist ein Riesenfinanzgenie, der hat schon als kleines Kind …, na, jedenfalls, das glaubst du nicht, unwahrscheinlich, ein Guru, und nur, weil sie dankbar sind, weil ich dem Rumpel-Karli damals in Budapest, wahrscheinlich wirst du dich daran nicht erinnern, das war nämlich eine interessante Geschichte …

Xane sagte: Papa, erzähl lieber vom Daniel weiter. Du hast ihm also geraten, nicht auf den Yen zu spekulieren, aber er …

Natürlich, rief Kurt, weil mir der Enkel vom Rumpel …, egal, dreimal darfst du raten! Ich weiß nicht, warum er mich dann überhaupt fragt! Und nur, weil er bis jetzt mit dem Yen Geld verdient hat, glaubt er, er ist so gescheit, aber ich höre, das böse Ende kommt, und es wird schrecklich, und vor allem wird es wieder sehr plötzlich kommen, aber wenn ich etwas sage, verdreht er nur die Augen und sagt, Opa, deine Erfahrungen im vorigen Jahrhundert in Ehren …

Irgendwo begann Musik zu spielen. Als Xane ihre Handtasche öffnete, schien es, als ob die Tasche sänge, aus einem zerknautschten, ledrigen Maul: Ich wünsch dir den Himmel voller Geigen, ein Körberl voller Feigen …

Entschuldige, rief Xane, entschuldige mich bitte einen Moment, und bestell mir eine Melange, bitte, sei so gut, ich bin gleich wieder da. Dann rannte sie mit ihrem Telefon hinaus.

Er bestellte den Kaffee und für sich ein Achtel Rot. Er probierte das Mohnstriezerl mit Bärlauchaufstrich. Er bemerkte, dass er Xane in den Spiegeln beobachten konnte, die im Lokal über der Holzvertäfelung angebracht waren. Sie lehnte draußen an der Hauswand, das Kinn zur Brust gesenkt, eine Haarsträhne fiel ihr ins Gesicht. So, auf die Entfernung, könnte sie dreißig sein. Könnte sie? Wenn sie nur die Haare tönen würde! In ihrem Alter musste man nicht mit grauen Strähnen herumlaufen, da musste er Helga recht geben.

So eindringlich, wie sie sprach, konnte das nicht Amos sein. Vielleicht Mor, aus Berlin, oder ein geschäftliches Telefonat. Ihre Beine waren schlank wie eh und je, gut, an den Unterschenkeln nimmt kaum jemand zu. Schlanke Beine hat man oder hat man nicht, Kurt hatte Stampfer an Frauen immer verabscheut. Xane war, bis auf ein paar Jahre nach Amos' Geburt, halbwegs schlank geblieben, nicht wie Albert, der inzwischen fast so breit war wie Helgas Vater. Nicht direkt dick, jedoch breit, wuchtig, da kann man nichts machen. Aber besser der Sohn als die Tochter.

Als Kinder waren sie beide dünn gewesen wie Spargel,

er sah sie herumspringen in ihren Badehosen, braungebrannt mit roten Hüten, zeternd verfolgt von Helga mit der Sonnencreme.

Beim Eisessen wählte Xane immer die milchigen, Albert die fruchtigen Sorten. Das wusste er genau, das Eis hatte immer er gekauft. Passte das irgendwie zu dem, was sie geworden waren?

Was waren sie eigentlich geworden? Hätte mehr aus ihnen werden können? Was war mit ihren geplatzten Träumen?

Als junges Mädchen hatte Xane eine Zeitlang etwas wie Angstzustände gehabt, die sich niemand erklären konnte. Er hatte sie einmal zu einer Gerichtsverhandlung begleitet, sie war Anfang zwanzig und Unfallzeugin, es war eine harmlose Aussage von ein paar Minuten gewesen.

Sind Sie sicher, fragte der Richter, und in diesem Moment begann Xane zu zittern. Und dann zu weinen, untröstlich, wie ein Kind, er sah ihre Schultern zucken. Trotzdem nickte sie, ja, sie sei sicher, ganz, ganz sicher. Als sie durch die langen Gänge des Gerichtsgebäudes gingen, reichte er ihr sein Taschentuch. Danke, ich habe ein eigenes, sagte Xane, bereits mit einer wieder halbwegs normalen Stimme.

Und von diesen Szenen hatte es einige gegeben, eine Handvoll vielleicht. Einmal im Auto: Als er nach dem Tanken wieder einstieg, lackierte sie tränenüberströmt ihre Zehennägel. Ein andermal mit Helga: Sie wollte ihr einen Hosenanzug schenken, aber Xane ertrug die Enge der Umkleidekabine nicht, oder den Geruch der Verkäuferin, oder beides, jedenfalls sei sie, wie Helga missbilligend berichtete, *fast ausgeflippt*. Helga versteckte ihre Sorgen gern hinter Missbilligung.

Liebeskummer, mutmaßte Helga, oder die Hormone.

Die Hormone, fragte er, sie ist doch nicht mehr in der Pubertät!

Ich meine die Pille, antwortete Helga und zuckte die Schultern.

Hat sie Liebeskummer, fragte er, weißt du etwas?

Wieso ich, entgegnete Helga, mir sagt sie doch nichts! Frag du sie halt.

Doch davon sah er ab. Das wollte er lieber ihr selbst überlassen. Wenn es etwas zu sagen gab, würde sie das gewiss tun, warum denn auch nicht. Er wollte sie nicht ausfragen, das erschien ihm taktlos.

Sein kleines Mädchen, das erste Kind. Große blaue Augen und ein dickes Büschel schwarzer Haare, direkt nach der Geburt. Gewickelt wie ein Striezel, so machte man das damals, in einem Körbchen hinter einer Glasscheibe. Sie lag in der ersten Reihe, die schönsten Äpfel legen sie nach vorne, hatte er seinen Freunden erzählt.

Damals, wegen der Angstzustände, hatte er sogar Eli gefragt, der hat immer einen guten Draht zu ihr gehabt. Aber Eli weigerte sich glatt. Frag sie am besten selbst, Mister Taktvoll, forderte er Kurt auf, denn was sie mir erzählt, ist bestimmt nicht automatisch für dich gedacht.

Was kann sie schon für Geheimnisse haben, murrte er.

Kurt, sie ist ein erwachsener Mensch und kein Fortsatz von dir, über den du verfügen kannst!

Typisch Eli, immer gleich eine Zurechtweisung. Dabei hatte er seine Kinder nie als Fortsatz betrachtet. Im Gegenteil waren sie ihm oft genug fremd erschienen. Aber auch das ist wahrscheinlich normal.

Das Telefonat dauerte relativ lange. Als Xane wieder hereinkam, lächelte sie, irgendwie glücklicher als vorher. Sie erwähnte, dass sie sich in letzter Zeit wieder mehr mit

Musik beschäftige, insbesondere habe sie da einen spannenden jungen Komponisten entdeckt.

Fein, sagte er, sehr interessant, und, Schatzi, weißt du was, wir gehen jetzt und kaufen dir etwas Schönes, ja? Du suchst dir etwas aus. Du brauchst bestimmt eine neue Handtasche.

Xane hob ihre Tasche hoch. Die ist nagelneu, sagte sie, und war sauteuer.

Sieht man ihr gar nicht an, grinste er.

Xane machte Falten.

Dein Vater kennt sich mit so etwas nicht mehr aus, sagte er besänftigend, dann vielleicht etwas anderes, eine Jacke, ein Paar Schuhe?

Nur keine Uhr, sagte Xane.

Nein, keine Uhr. Das war ihr zwanzigster Geburtstag gewesen, oder ihr fünfundzwanzigster? Sie hatten sich zu zweit zum Mittagessen getroffen, im ›Blaubichler‹. Berühmt für seine Schnitzel und den Schweinsbraten. Warum eigentlich? Wo war damals Helga?

Sie hatte ihn danach ein Stück zu seiner Firma begleitet, und am Weg waren sie an einem Juwelier vorbeigekommen. Da lag diese Herrenuhr in der Auslage, ein Schweizer Fabrikat, Xane war wie gebannt stehengeblieben. Er kaufte sie ihr sofort, obwohl sie wegen des Preises protestierte. Es war ein Spaß gewesen, diese riesige runde Herrenuhr mit dem elfenbeinweißen Zifferblatt an ihrem dünnen braunen Arm. Wie ein übergroßer Knopf, denn vom edlen Lederband sah man fast nichts, so eng musste sie es ziehen. Nachher legte er ihr auf der Straße den Arm um dic Schultern, schaute sie verliebt an und machte den alten, hundertfach gebrauchten Witz: Das raffinierte Luder …

… hat sich den alten Millionär geangelt, ergänzte Xane.

Und dann lachten sie ausgelassen. Sein kleines Mäderl und er.

Sie hatte die Uhr lange gehabt, wahrscheinlich länger als zehn Jahre. Sie würde wissen, wie lange. Manchmal sagte sie, schau, auf dem Foto, da hab ich die Uhr noch. Dann war sie ihr bei einer Reise ins Wasser gefallen, in einen See oder ins Meer, sie hatte ihn am selben Tag angerufen, untröstlich.

Ich kauf dir eine neue, hatte er beschwichtigt, die muss es noch geben.

Ach Papilein, hatte sie gejammert, das ist nicht dasselbe.

Amos war aufs Neue eine Enttäuschung. Jedes Mal freute sich Kurt zaghaft auf diesen Enkel, den späten, letzten, die große Überraschung, als man die Hoffnung für Xane fast aufgegeben hatte. Er war so ein besonders süßes Kind gewesen, mit blonden Locken, Kurt hatte ihm Schach beigebracht, und sie hatten sich augenzwinkernd gegen Helga verbündet, die ihn am liebsten jeden Abend in die Badewanne gesteckt hätte.

Er wird Schwimmhäute kriegen, rief Kurt, das fand Amos lustig, so unglaublich lustig, dass er den goldflauschigen Kopf in den Nacken legte und die Augen schloss, vom Lachen überwältigt.

Vor geraumer Zeit war aus diesem vergnügten Engel ein schlaffer, melancholischer Junge mit zu langen Gliedmaßen, unreiner Haut und undefinierbarer Haarfarbe geworden. Natürlich, die Pubertät, aber würde Kurt den Schmetterling überhaupt noch erleben? Er hatte ihn zur Begrüßung nach seinen Hobbys gefragt, nach Interessen und Lieblingsfächern, und ob er noch Schach spiele.

Amos hob die Schultern, als ob er das selbst nicht wüsste, lachte verschämt und schaute zu seiner Mutter.

Wir schlafen derzeit vor allem, sagte Xane im Krankenschwestern-Plural, wir essen, wir schlafen, und wir hören Musik, und in ein, zwei Jahren wachen wir dann hoffentlich wieder einmal richtig auf. Dann gab sie ihm einen Klaps auf den Hinterkopf und entließ ihn, und Amos trollte sich erleichtert zu seinen älteren Cousins.

Im Restaurant weigerte sich Kurt, am Kopfende des Tisches Platz zu nehmen. Auch genau in die Mitte, wo Blumen standen, wollte er nicht.

Kein Theater, bat er, Kinder, bitte, kein Theater, und konnte sich selbst nicht erklären, was ihm in diesem Moment so unangenehm war.

Daher standen erst einmal alle im Weg herum, dahinter mehrere Kellner, höflich wartend mit den Speisekarten.

Xane schüttelte den Kopf und übernahm den Vorsitz. Komm her, Papa, sagte sie, setz dich zu mir, damit etwas weitergeht.

Typisch, sagte Albert und grinste, unsere Frau Präsidentin.

Xane verdrehte die Augen und winkte Alberts Freundin an ihre andere Seite. Man kannte sie noch kaum. Sie war viel jünger und sah aus wie ein Fotomodell, aber Kurt vermisste seine Ex-Schwiegertochter, die so herzlich lachen konnte. Er hatte darauf bestanden, sie ebenfalls einzuladen. Xane hatte ihn darin bestärkt. Es war schließlich sein Geburtstag. Vor einigen Tagen hatte Christiane sich entschuldigt: eine notwendige Reise, unverschiebbar. Ob das stimmte, wusste er nicht. Er hatte darüber nachgedacht, sie am Vormittag probehalber anzurufen. Aber da er nicht wusste, ob seine Nummer unterdrückt war und, falls nicht, wie man das einrichten konnte, hatte er es lieber bleiben lassen.

Er fühlte sich benommen. Der Nachmittag gestern mit Xane war sehr nett gewesen, aber lang. Am Ende suchte sie sich eine völlig meschuggene, buntkarierte Handtasche aus, die ein kleines Vermögen kostete und über die sie sich so ausgelassen freute wie ein Kind: Die besten Geschenke sind die, die man sich selber nie kaufen würde, jubelte sie.

Sie nahmen ein frühes Abendessen beim Kroaten am Eck. Er hatte ein Stück Fisch gegessen und nach einem kleinen Grappa überraschend gut geschlafen. Vielleicht sollte er das öfter tun, einen kleinen Schnaps vor dem Schlafen. Von Hochprozentigem hatte er sich lebenslang ferngehalten, früher hatte es rundum Beispiele gegeben, was der Alkohol aus den Menschen machte. Inzwischen schien es kaum noch Säufer zu geben. Was ihn betraf, war ein bisschen Schnaps auch schon egal.

Heute Vormittag hatten Xane und er Mor vom Flughafen abgeholt, danach lud Albert ins ›Sacher‹ zum Mittagessen ein. Nobel geht die Welt zugrunde. Kurt erzählte, dass er sich erinnern konnte, dass nach dem Krieg ein Menü vier Schilling gekostet hatte – und das sei teuer gewesen! Er fügte hinzu, er wisse genau, dass er das schon x-mal erzählt habe. Es fällt mir halt immer ein, wenn wir hier sind. Das hat nichts mit Senilität zu tun!

Nur mit Nostalgie, neckte Albert.

Danach verordneten sie ihm eine Mittagspause. Leg dich unbedingt ein Stündchen hin, Papa, schärfte Xane ihm ein, du bist heute immerhin …

Nicht die Zahl, rief er, ich will sie nicht hören!

Alle lachten.

Ihr lacht, hatte er halbernst geschimpft, aber werdet

erst selber einmal so alt, dann werdet ihr sehen, dass einem eine solche Zahl völlig unwirklich vorkommt. Man will sie nicht dauernd hören. Man hat das Gefühl, dass sie nichts mit einem zu tun hat. Dass es sich um einen Irrtum handelt. Ich glaube, diese Zahl passt zu niemandem.

Dies war also sein Geburtstag, gewiss sein letzter runder, unwahrscheinlich genug. Damals, als die Soldaten mit den Heugabeln den Schober durchkämmt hatten … Einer war fast auf seinem Oberarm gestanden, ohne es zu merken. Ein paar Zentimeter anders hingestellt, und es wäre aus gewesen. Ein Stück von Kurts Haut war dennoch unter den Stiefel des Unbekannten geraten, ein Gefühl, als würde einem der Ärmel enger gemacht, nur dass das Abgesteckte, Abgeklemmte nicht Stoff, sondern der eigene Körper war.

Und wenn er es doch gemerkt hatte? Dieser Gedanke kam Kurt erstaunlicherweise zum ersten Mal. Wenn es keine wildgewordene SS-Bestie, sondern bloß ein Bauerntölpel in Uniform gewesen war, die es ja auch gegeben haben soll? Der merkte oder ahnte, dass er praktisch auf einem Kind stand, während er mit den Metallzinken im Heu stocherte? Der sich vor dem Finden genauso grauste wie Kurt vor dem Gefundenwerden? So alt hatte er also werden müssen, um den entscheidendsten Moment seines Lebens als Variante denken zu können.

Kurt sah sich um. Ihm war warm, das Essen gut und reichlich, nur die Nebengeräusche waren wie immer ein bisschen zu laut. Stimmen, Besteckgeklapper, Gelächter. Das hier war seine Familie. Zwei Kinder, drei Enkel, dazu ein paar Wasserverwandte. Was ist das Gegenteil von blutsverwandt, hatte Albert einmal als Kind gefragt. Es gibt kein Gegenteil, hatte Helga geantwortet, es gibt nur Entweder-oder. Damit wollte sich Albert nicht zufriedengeben. Nach einigem Hin und Her waren sie bei dem Spruch ›Blut ist dicker als Wasser‹ gelandet. Eh voilà. Familiensprache. Mor, sein Wasser- oder Schwiegersohn, war seit jeher bestrebt, jeden dieser Ausdrücke zu kennen und richtig zu verwenden. Manchmal verdächtigte Kurt ihn, sich Notizen zu machen. Wahrscheinlich ein Minderwertigkeitskomplex, weil er Deutscher war.

Fühlst du dich wohl, fragte Xane.

Alberts neue Freundin schenkte ihm ein strahlendes, die Frage unterstützendes Lächeln.

Pudelwohl, sagte Kurt, am liebsten hätte ich das jede Woche.

Xane, Albert und Mor lachten. Sie nahmen ihn nicht ernst. Sie hielten diese Antwort für Ausdruck seiner eleganten Ironie, für die er zeitlebens berühmt war. Sie hatten nicht bemerkt, dass von dieser Ironie nichts mehr übrig war, sie war verbraucht, ausgegeben, bis zum letzten Körnchen. Ironie bedeutete Distanz. Und die konnte er sich nicht mehr leisten.

Er lächelte und wandte sich Alberts Freundin zu. Er hatte sich ihren Namen noch immer nicht gemerkt, aber wenn er gut aufpasste, würde er bestimmt gleich fallen.

Jetzt erzählen Sie mir einmal, sagte er freundlich, was machen Sie genau dort im Spital?

Sie sah ihn erschrocken an, als hätte er etwas Peinliches gefragt. Auch Albert, der sich gerade eine weitere Scheibe Fleisch aus dem Kupferkessel gefischt hatte, schaute irritiert zu ihm hin. Das Fleisch rutschte zurück in die Suppe. Albert öffnete den Mund, Xane schüttelt fast unmerklich den Kopf. Als ob er das nicht sähe.

Was ist los, fragte Kurt, habe ich etwas Falsches gesagt?

Sie sprach gerade eben davon, sagte Mors ältere Tochter, die im Vergleich zu früher überraschend hübsch geworden war. Wenn sie nicht so einen fürchterlichen deutschen Akzent hätte.

Aber ich glaube, Kurt, du dachtest an etwas anderes.

Das stimmt genau, sagte er dankbar und nickte Viola zu, bei so vielen Leuten ist es nicht immer leicht, zu folgen. Dann drehte er sich wieder zu Alberts Freundin. Erzählen Sie es einem alten Mann noch einmal?

Woran hast du gedacht, unterbrach Xane.

An etwas aus meiner Kindheit, sagte er, das liegt vielleicht nahe, an so einem Tag.

Und an was, fragte Xane.

Ach, sagte er und hob die Hand, dies und das, nichts Besonderes. Nehmt ihr eine Nachspeise?

Beim Kaffee begannen die Kinder mit dem Weißt-du-noch-Spiel. Namen flogen hin und her, von Lehrern, Ereignissen, Schulkameraden, mit den meisten verband er vage etwas. Dünne Mädchenbeine in geringelten Kniestrümpfen, Xane und eine Freundin, die unerlaubt im Prater selbstgemachte Papierblumen verkauften. Ein ausgeschlagener Milchzahn, ein eingeschossenes Fenster, das er gemeinsam mit einem anderen Vater bezahlen hatte müssen, obwohl Albert und der zweite Bub unter Tränen schworen, es nicht gewesen zu sein.

Mehr war da ja nicht. Die kleinen Katastrophen und Unglücke, alle nicht der Rede wert. Alles war gut gegangen. Mit vier Jahren hatte Xane eine schwere Lungenentzündung gehabt, das war damals sehr riskant. Ein Jahr später bekam Albert Meningitis, da war er praktisch ein Baby. Als die Ärzte sagten, dass geistige Schäden nicht auszuschließen seien, war Helga zusammengebrochen. Und heute war Albert Universitätsprofessor.

Als die Kinder größer wurden, lebte man als Eltern in

ständiger Furcht vor Drogensucht. Die Medien taten damals so, als ob in allen Schulklassen die Heroinspritzen kreisten. Ein paar Jahre später war es Aids, das Helga und ihm Angst einjagte. Für die Kinder selbst war es eher der Atomkrieg, der Horror eines dritten Weltkriegs, der sich über ihre Jugend gelegt hatte wie Mehltau.

Die Russen kommen, rief Xane, das haben wir dauernd im Scherz gesagt, weil wir es wirklich befürchtet haben. Das sind die wahren Zäsuren. Dieses Gefühl trennt uns für immer von unseren Kindern. So wie dich die Nazizeit von uns trennt. Für dich, Papa, ist der Kalte Krieg wahrscheinlich nur noch eine Episode, oder?

Na ja, murmelte er, das kann man so eigentlich auch nicht sagen.

Er war müde. Er hatte bestimmt zu viel Fleisch gegessen, das ihm heute Nacht im Magen liegen würde. In seinem Alter konnte man das, was einem am wichtigsten war, nicht mehr bis zur Neige genießen. Wahrscheinlich konnte man das nie, auch als Jüngerer nicht, und nur die Tatsache, dass die Zeit knapp, dass die möglichen Wiederholungen so überschaubar wurden, machte einen so wehmütig.

Sie brachten ihn alle zusammen nach Hause. Ein schnatternder Haufen vor dem Eingangstor, zum Glück waren die meisten seiner Mitbewohner schwerhörig oder mit Schlaftabletten abgefüllt. Der Portier schaute trotzdem unfreundlich aus seinem Glashäuschen.

Und jetzt ist alles schon wieder vorbei, klagte er, so lange habe ich darauf gewartet.

Alberts junge Freundin gähnte verstohlen.

Wir sehen uns bald wieder, tröstete Xane und streichelte seine Hand. Und denk daran: Jetzt beginnt die schönste Freude.

Die schönste Freude, fragte jemand, was soll denn das sein?

Die Vorfreude, sagte Xane, und dann schauten dieser kastenförmige Albert und diese graugesträhnte Xane einander an und sagten, ihn nachäffend, im Duett: Die Vorfreude ist die schönste Freude!

Als er im Bett lag, spürte er seine Hüfte. Da bist du ja, dachte er, dass ich Geburtstag habe, ist dir natürlich egal. Hauptsache, der Bartok sagt, das Knie ist kaputt!

Es war ein herrlicher Abend gewesen. Er hatte insgesamt eine Menge Glück gehabt, so viel mehr als die meisten seiner Altersgenossen, mehr Glück als Helga. Und als er langsam einschlief, da hegte er plötzlich einen neuen, wenn auch ganz und gar vergeblichen Wunsch. Er wünschte sich, die Zukunft wenigstens so weit beeinflussen zu können, dass seine Kinder nicht allein und furchtsam sterben mussten, wenn es dann irgendwann einmal, in fast unvorstellbarer Ferne, auch bei ihnen so weit war. Das schien ihm mit einem Mal wichtiger als alles, was auf ihn selbst zukommen konnte: dass auch nach seinem Fortgehen irgendeine sanfte Macht seine Kinder beschützte.

So verführen gerade die genauesten Erinnerungen
zur Unwahrheit, weil sie sich auf nichts einlassen,
was außerhalb ihrer selbst liegt.

– Ruth Klüger –

11

Sicher, man hat mit Xane meistens einen Riesenspaß gehabt. Wie oft haben sie einander die Geschichte von der sogenannten Gründungsparty erzählt, damals in Hietzing, in Xanes neuer Wohnung, als Henry Haburka nach einer verlorenen Wette vom Balkon in den Garten sprang, Xane die Panik bekam wegen der Rosen ihres Hausherren und drei etwas weniger betrunkene Mädchen als Spähtrupp mit Taschenlampe und Küchenschere ausgeschickt wurden, um abgeknickte Exemplare zu beseitigen. Zur Ablenkung des Vermieters, und damit der Rest der Bande die Rosenbeetaktion nicht vom Balkon aus weiterkommentierte, setzte sich jemand ans Klavier, das muss noch vor Mitternacht gewesen sein, zusammen grölten sie *Es lebe der Zentralfriedhof*, das einzige Lied, das alle konnten, und im Morgengrauen, als die Letzten nach Hause taumelten, hielt Xane sie mit einem flehenden Schmollmund am Ärmel zurück.

Dann waren sie zu zweit, Krystyna und Xane, vor Bergen von Geschirr, Gläsern und leeren Flaschen. An der frisch gekalkten Wohnzimmerwand entdeckten sie in Kniehöhe einen perfekten Schuhabdruck – wie ist der dahingekommen, fragte Xane zwanzigmal, das gibt's nicht, das ist viel zu hoch, morgen mess ich das ab, die Schuhgröße wird den Täter entlarven, und wenn ich ihn gefunden hab, werf ich ihn dem Tschoch zum Fraß vor –, während Krystyna erst den verwüsteten Tisch nach übriggebliebenen Zigaretten und dann die vollen Aschenbecher nach irgendeinem Rest absuchte, den man noch rauchen konnte. Bei diesem Detail verharrten sie bei späteren Erzählungen am liebsten: wie sie tatsächlich Zigarettenstummel glatt gestrichen und bis an den Filter fertig geraucht hatten, ekelhaft, aber der letzte Beweis für die erstrebte totale Enthemmung.

Als sie den Geschirrspüler einräumten, gingen ein paar Gläser kaputt, nach dem dritten tat Xane so, als würde sie ein viertes zur Strafe gegen die Wand werfen. Sie schliefen zusammen in Xanes Bett, Rücken an Rücken, und als Krystyna irgendwann mit gigantischen Kopfschmerzen erwachte, hatten sie beide noch die Schuhe an.

Gute Partys kann man nicht erzählen, man hat sie einfach, wie Sex. Sie hatten damals eine Menge guter, wilder Partys, doch wenn man es genau nahm, fand das in einer vergleichsweise kurzen Spanne statt, zwischen Mitte und Ende zwanzig. Im Grunde waren es zwei Jahre, vielleicht zweieinhalb, gar nicht so viel Zeit, auf die sich aber noch lange alles bezog. In der ein Freundeskreis entstand, der erst nach sehr vielen weiteren Jahren, Hochzeiten, Kindern, Trennungen und einem Todesfall langsam zerfiel. Er zerbröckelte ohne besonderen Grund, vermutlich aus Altersschwäche. Risse mussten viel früher dagewesen sein. Oder die Bindungen waren in Wahrheit weniger stark als die Sentimentalitäten. Aber gerade Xane und sie hatten immer von dem *crazy* Altersheim gesprochen, das sie später für alle zusammen gründen würden (*wenn Henry bis dahin immer noch so viel raucht, muss er in einen*

Seitenflügel); das entsprach ihrer beider Bedürfnis nach Dauer, Verlässlichkeit, Familienersatz.

Richard, den Krystyna gerade ein paar Monate kannte, lebte damals teilweise in New York, und bei Xane steuerte das Drama mit diesem Imre unaufhaltsam seinem Höhe- und Endpunkt zu.

Beide vermissten sie Richard. Spätabends am Telefon neckte Xane ihn, er solle sich mit der Rückkehr lieber beeilen, sonst ziehe sie mit Krystyna zusammen. Dabei zwinkerte sie Krystyna zu, gab ihr den Hörer und verließ den Raum.

Dann machte Xane endgültig mit Imre Schluss, und Richard kam aus Amerika zurück. Das hätte schwierig werden können, die einsame, Zuwendung fordernde Freundin auf dem Sofa von zwei Frischverliebten, aber solchen Härtetests wich Xane dankenswerterweise aus. Sie stürzte sich in ihre Arbeit und in eine Reihe von vornherein aussichtsloser Affären; und wenn man sie abends im ›Blaubichler‹ traf, unterhielt sie mit selbstironischen Anekdoten von missglücktem Sex und völlig unbrauchbaren Männern den ganzen Tisch.

Manchmal stand sie mitten im Satz auf, verkündete, *ich bin total betrunken*, warf einen Schein in die Mitte und sprang in ein Taxi. Nach einem solchen Abgang sagte Peter einmal: Sie ist die witzigste Frau, die ich kenne.

Und Richard erwiderte: Aber der Mann, der das aushält, ist noch nicht erfunden.

Du befürchtest also im Ernst, unser Xanerl ist unvermittelbar?

In das Gelächter hinein sagte Judith, die mit Xane schon in die Schule gegangen war: Ich glaube, es geht ihr gerade wirklich nicht gut.

Da hatte sie, Krystyna, vehement widersprochen. Und

der Meinung war sie bis heute: Xane mochte damals, mit all den Flirts und Fehlgriffen, privat nicht besonders glücklich gewesen sein, aber gleichzeitig verfügte sie über diese raubtierhafte Art, ihre Kräfte und Bedürfnisse einzuteilen. Und außerdem baute sie ihre Karriere auf, mit Fleiß und einem Ehrgeiz, unter dem sie manchmal selbst litt.

Früher hatte Krystyna, gemeinsam mit den anderen Freunden, gesagt: Sie ist halt richtig gut, unsere Xane. Alle waren stolz auf sie, wie sie überhaupt immer eifrig stolz waren aufeinander. Die jeweiligen Erfolge wurden im Freundeskreis gebührend gefeiert, Judiths erster Bildband, Henrys Premieren und als Christoph Partner in seiner Kanzlei wurde. Aber musste es bei Xane vielleicht immer eine Spur mehr sein? Inzwischen fiel ihr, wenn sie an Xane dachte, vor allem dieser Ehrgeiz ein, das Flackern in ihren Augen, wenn sie wieder einen Preis bekam oder an einer prominent besetzten Podiumsdiskussion teilnahm. Wie sie ihnen allen der Reihe nach um den Hals fiel, strahlend, überdreht und irgendwie abwesend, sodass Krystyna sie verdächtigte, nur zu überprüfen, ob auch ja keiner der alten Freunde fehlte. Für die verlässlich Plätze in der ersten Reihe reserviert waren. Was man ja süß finden konnte, aber ebenso ein bisschen angeberisch.

Das hätte sich keiner getraut, sagte Krystyna zu Richard, verhindert zu sein bei einem ihrer Auftritte. Nicht einmal bei einem Geburtstagsfest. Kannst du dich erinnern? Sie hat ein Jahr lang nicht mit Paul gesprochen, weil er nicht zu ihrer Hochzeit gekommen ist!

Das ist eine etwas unfreundliche Zusammenfassung, widersprach Richard, es gibt genügend Leute, die sich darin sonnen, mit ihr befreundet zu sein.

Ich rede doch von uns, den alten Freunden, schnappte Krystyna, die wir sie gekannt haben, bevor sie *die* Molin wurde. Ist also meine Zusammenfassung nur unfreundlich oder schon falsch?

Ganz falsch ist sie nicht, gab Richard zu. Aber ihre Feste waren wirklich immer lustig.

Klar waren sie das, sagte Krystyna, das hat ja auch keiner bestritten.

Wenn Xane zu etwas entschlossen war, dann machte sie es hundertprozentig. Das sagte sie selbst über sich, mit dem koketten Zusatz, sie sei eben eine schreckliche, unsympathische Perfektionistin. Halbe Sachen machten sie wahnsinnig, und was sie nicht geschafft hatte, quälte sie lange. Darin war Krystyna ihr nicht unähnlich. Wahrscheinlich hatten sie beide insgeheim Angst, nicht so weit zu kommen wie die Männer, obwohl sie mitten in die Generation hineingeboren waren, in der Frauen nirgendwo mehr als Besonderheit wahrgenommen wurden, auf der Uni nicht und nicht später.

Irritierend an Xane war, dass sie diesen Perfektionismus überallhin ausdehnte, auch auf ihr Privatleben. Einmal war sie die und schon kurz darauf eine andere, aber alles mit Inbrunst. Gerade war sie noch ein normales Wiener Mädchen aus einem konservativ-katholischen Gymnasium gewesen, da stürzte sie sich plötzlich auf die Verfolgungsgeschichte ihres Vaters, fand im Archiv zwei ermordete Großtanten und galt fortan als ›jüdische Intellektuelle‹. Gerade hatte sie noch dieses Bohemien-Leben in Wien gelebt, sich nach der Imre-Misere in eine Femme fatale verwandelt und wie zur Vergeltung unter den Kunststudenten und jungen Filmemachern einen Berg gebrochener Herzen hinterlassen, da lernte sie den viel älteren Mor Braun kennen und verkündete, in Wirklichkeit seit Jahren aus Österreich weggewollt zu haben. Sie brach alle Zelte ab und zog nach Berlin.

Krystyna war überrascht und beinahe verletzt von der Eile. Die Freunde, der Stammtisch im ›Blaubichler‹, ihre *eigentliche* Familie, so hatten sie immer wieder und nur halb im Scherz geredet. Aber dann: ein neuer Mann, und weg.

Und ausgerechnet Berlin! Krystyna hatte immer nach Berlin gewollt, schließlich war sie es gewesen, die damals, mit Anfang zwanzig, kurzentschlossen in den Zug gestiegen war und sich den feiernden Berlinern angeschlossen hatte, die ein Originalstück Mauer besaß, eigenhändig herausgeklopft, und eine verschwommene Erinnerung an eine Nacht mit einem bärtigen Ostdeutschen in einer Wohnung, in der man morgens, weil der Kohleofen ausgegangen war, derart fror, dass der Geschlechtsverkehr unvermeidlich wurde.

Xane hatte die Mauer nie gesehen.

Sie kam erst über ein Jahrzehnt später und war sofort so begeistert, als hätte sie die Stadt erfunden. Einer der Freunde hatte sie einmal *unsere UNO-Sonderbotschafterin für Deutschland* genannt, und ein anderer fragte: Zahlen sie dir was dafür?

Und sogar Richard konnte es manchmal nicht mehr hören, Xanes wortreiche Empörung über die österreichischen Alltagsrassismen, und dass die Deutschen so viel bessere Demokraten seien. Und die Zeitungen niveauvoller, und die Politiker unpeinlicher. Und der Fußball unvergleichlich. Der Fußball! Wahrscheinlich stimmte das alles ja, aber musste man es den eigenen Wiener Freunden dauernd unter die Nase reiben? Dafür besaß Xane nicht das geringste Gefühl.

Allerdings belehrte sie auch die Deutschen, was Krystyna amüsanter fand. Auf irgendeinem Berlinale-Empfang hatten sich an ihrem Stehtisch zwei dieser grobknochigen blonden Frauen unterhalten, Deutsche-Welle-Redakteurinnen oder Filmförderungsschnepfen, über Restaurants, welches schlechter, welches besser und welches der letzte Schrei sei. Xane und Krystyna wechselten Blicke, dann brach Xane in Hohngelächter aus und sagte zu den beiden: Also bitte, kochen können sie fast nirgends in eurem Land, Bayern einmal ausgenommen.

Statt beleidigt zu sein, pflichteten diese kompetenten Kostümstuten ihnen bei – sie lieben es, kritisiert zu werden, sagte Xane später, das ist ihr deutscher Masochismus. Wie auf Kommando hatten sie von Wien zu schwärmen begonnen, wo sie so herrlich gegessen hätten, Sie wissen bestimmt, was ich meine, dort, wo die Schnitzel größer sind als die Teller? Xane verzog den Mund und schrieb ihnen etwas auf eine Serviette. Touristenfalle, sagte sie beschwörend, bitte gehen Sie nie wieder dorthin. Probieren Sie stattdessen unbedingt das hier.

Danach gingen sie aufs Klo lachen.

Die Botschaft war jedes Mal: Wo Xane war, war es am besten. Wenn es, wie in diesem Fall, an irgendeinem Detail, wie zum Beispiel der Qualität der deutschen Küche, haperte, wusste niemand so genau wie Xane, wo es besser war. Und dann beschenkte sie die Umwelt mit ihrem Expertenwissen. War das immer schon so deutlich gewesen, oder hatte Krystyna, nach all den Jahren und den jüngsten Vorfällen, einfach eine akute Xane-Allergie?

Xane und Mor hatten so schnell geheiratet, wie es juristisch möglich war. Erst musste er von dieser Frau geschieden werden, die irgendwo in einem fernöstlichen Ashram verschwunden war – der einzige Schwachpunkt an der Hochglanzromanze. Doch dann: großes Fest, Einladungskarten, Catering und Musik, keine kleine Gartenparty mit Bratwürsteln, auf der bekiffte Kumpels Stones-Lieder schrammten wie bei Krystyna und Richard. Plötzlich war Xane eine repräsentierende Professorengattin, und eine hyperengagierte Patchwork-Mama obendrein. Das Einzige, was zum perfekten Glück fehlte, war das eigene Kind. Die Jahre, als sie verzweifelt versuchte, mit Mor ein Baby zu bekommen, und immer wieder scheiterte, waren zweifellos schwer gewesen. Krystyna, die ihre beiden Kinder so früh und unkompliziert bekam, dass sie sie noch gar nicht recht ersehnt hatte, tat das ja von Herzen leid. Es ist nicht schön, immer wieder Fehlgeburten zu erleiden, oder Eileiterschwangerschaften, im Ergebnis ist es fast das Gleiche. Aber seit das Thema öffentlich weniger tabuisiert war, sah man: Nicht jede ging an die Sache so heran wie Xane, so – verbissen. Manche nahmen es als Schicksal an und machten ihren Frieden. Es schien völlig außerhalb von Xanes Vorstellungskraft zu liegen, dass sie vielleicht, wie etliche andere Frauen auch, einfach kein Kind würde bekommen können. Dass so etwas vorkam, wie ein jäher Tod in jungen Jahren, ein Unfall mit bleibender Behinderung, irgendein Unglück, das die Menschen manchmal traf.

Xane hätte einen Teil ihrer Energie in bereits geborene Kinder stecken können, in jene Krystynas, zum Beispiel. Zur ersten Geburt rückte sie noch mit einer Flasche Champagner an, sie schenkte von Hand gehäkelte Strampelanzüge aus Frankreich und hatte eine Zeitlang ein Foto von Lilly auf ihrem Schreibtisch stehen. Aber das war es schon. Krystyna hatte weiß Gott genug gerudert, als die Kinder klein waren und das Geld für Babysitter kaum reichte. Aber sie sich einmal einen Nachmittag oder ein Wochenende lang auszuborgen, mit ihnen in den Zoo oder in den Prater zu gehen, auf so eine Idee war Xane nie gekommen. Im Gegenteil: Als sie sich immer tiefer in den IVF-Dschungel verstrickte, redete sie von Krystynas Kindern manchmal so, als wären sie ein fast unanständiger Reichtum, der ihr verwehrt würde. Beinahe hatte Krystyna ein schlechtes Gewissen gehabt, und wenn sie heute daran dachte, verstand sie, warum die Türken bereits Kindern Amulette gegen den bösen Blick umhängten.

Xane hatte wirklich alles in die Schlacht um das Kind geworfen, eine Menge Geld, vor allem ihren Körper. Sie gab und verlangte alles von sich, als ginge es um eines ihrer Filmprojekte oder um einen Auftrag für ihre Agentur. Sie schien zu glauben, dass es einen Leidenskrug gebe, den sie bis zur Neige trinken müsse, danach würde sie vom Schicksal als Heldin belohnt. Das Schicksal hatte also einen Vertrag mit ihr. Und als sie, sinnigerweise zwischen zwei Behandlungen, endlich mit Amos schwanger wurde, war sie, typisch Xane, längst in der Lage, reproduktionsmedizinische Fachgespräche mit Ethikkommissionen zu führen.

Richard versuchte, sie zu besänftigen. Er behauptete, es sei ein bisschen wie mit der Liebe. Das, was man am anderen bislang als liebenswert empfunden habe, könne einem plötzlich besonders auf die Nerven gehen. Und man denkt, man sei vorher blind gewesen, anstatt zu akzeptieren, dass jedes einzelne Bild nur ein Mosaikstück ist.

Das war Krystyna zu abgehoben. Jetzt gab Richard wieder den Abgeklärten. Männer waren meistens einfach zu faul, um bestimmte Konflikte auszutragen. Es interessierte sie schlichtweg nicht. Aber diesmal, fand Krystyna, hatte Xane überzogen.

Sie hatte immer schon Wind um sich gemacht. Ihr Glück wirkte immer größer als das der anderen – wie oft hatte man sich die Geschichte vom Kennenlernen mit Mor anhören müssen, die schier unglaublichen Zufälle, den irrtümlich bedeutungsschweren ersten Satz, den er an sie gerichtet hatte!

Und genauso musste es mit ihrem Unglück sein. Sei es das juristische Gezerre um Mors Kinder aus erster Ehe, sei es die Pubertät der älteren Stieftochter oder dass der alte Ossi Topic hinterrücks aus der Agentur ausstieg und eine eigene gründete – Xane schien alles mit besonderem Getöse zu treffen. Auf jeden Fall traf es sie so, dass es ausreichend Erzählstoff abwarf für die paar Abende im Jahr, die sie überhaupt noch miteinander verbrachten. Wenn man den beiden zuhörte – denn Mor stand ihr im Grunde nicht nach, bloß, dass er besonnener formulierte –, erschien einem das eigene Leben farblos und fad, im besten Fall angenehm entspannt.

Xane war die geborene Drama-Queen. Als sie vierzig wurde, redete sie monatelang obsessiv über das Älterwerden und die Endlichkeit des Lebens, als sie fünfundvierzig wurde, jammerte sie über das Teufelchen, das tief in ihrem Innenohr saß und mit schönheitschirurgischen Maßnahmen lockte; als sie fünfzig wurde, sah man ihr von Weitem an, dass sie mit dem Nächsten, der ein wenig Interesse zeigte, ins Bett gehen würde, einfach nur, um auch einmal ihren Mann betrogen zu haben.

Was hatten Xane und sie früher über dieses Ich-ich-Geschrei gehöhnt! Dass alle mittelalten Journalistinnen, die im letzten Moment Kinder bekamen, daraus Kolumnen und Selbsterfahrungsserien strickten, als wären sie die

Ersten, die je in Übermüdungsparanoia oder Erziehungskonflikte geraten waren. Dass jeder, der einen Elternteil vor dessen fünfundsiebzigstem Geburtstag verlor, darüber sogleich ein Trauerbuch schreiben musste. Und so weiter. Dabei war Xane, was ihr eigenes Leben betraf, längst genauso. Alles, was ihr widerfuhr, erschien ihr so spektakulär wie die Entdeckung eines unbekannten Kontinents. Mein Gott, ich habe plötzlich Lust, mit einem fremden Mann zu schlafen! Mein Gott, wenn ich es tue, habe ich aber Schuldgefühle! – War es denn zu glauben? Alles wurde bestaunt und im Detail analysiert – mit einer Leidenschaft, die sie in diesem Ausmaß für nichts anderes aufbrachte, nur für sich selbst.

Insofern hatte Krystyna ihr das Affärendesaster geradezu gegönnt. Es war in ihrem Alter sowieso lustig, wenn sich Freundinnen wieder zu gebärden begannen, als wären sie siebzehn und jungfräulich, aber in Xanes Fall machte es gleich noch einmal so viel her.

Ein Komponist, ein paar Jahre jünger, der ihr demütig kleine Filmmusiken schickte, die er nebenbei geschrieben hatte. Der sich als Fan ihrer alten Kurzfilme zu erkennen gab – von lang vergangenem Ruhm zehrte Xane ebenfalls länger als andere. Der sich mit Kritiken für regionale Zeitungen, mit Klavierstunden, mit Barmusik und Einführungsvorträgen in Konzerthäusern notdürftig und erniedrigend über Wasser hielt. Ein Gescheiterter also, in Krystynas Augen. In Xanes Augen selbstredend ein verkanntes Genie.

Die Anbahnungsphase dauerte so lange, dass Krystyna fürchtete, es werde wieder nichts daraus. Xane flirtete gern, einmal sogar mit diesem ausländischen Politiker, der für das Gericht in Den Haag arbeitete – wie hieß er gleich? Aber anders als in den Wiener Jugendtagen ging sie mit keinem ins Bett. Dafür war sie zu feig. Wahrscheinlich wollte sie nicht riskieren, dass einer später damit prahlte: Ich war mit Xane Molin im Bett. Oder, schlimmer: Ich war mit Xane Molin im Bett, aber ich muss sagen, in der Vertikalen kann sie mehr.

Ihr war alles zuzutrauen, auch solche Gedanken, die mit der eigenen Bedeutung kalkulierten. Damit sie ihren Mann, den unschlagbaren Mor, die große Liebe ihres Lebens, betrog, musste zweifellos ein besonderes Exemplar her. Oder sie war, wie sie einmal nach drei Gläsern Weißwein kichernd behauptete, an Sex nicht über die Maßen interessiert.

Nicht interessiert, fragte Sally und gab sich schockiert. Wie kann man an Sex nicht interessiert sein?

Xane wurde ein bisschen rot. Das kam inzwischen selten vor.

Ich meine nur, ich glaube nicht unbedingt daran, dass Sex besser sein kann als der mit Mor, sagte sie und lächelte wie ein Schulmädchen.

Und da war es wieder, das große Getöse, diesmal im defensiven Gewand! Da war sie genauso lange verheiratet wie andere, die mit am Tisch saßen, und tat allen Ernstes so, als hätte sie als Einzige noch super Sex. Nach über zwanzig Jahren. Lachhaft. Diese Fähigkeit zur Autosuggestion war beneidenswert.

Und dann war es ausgerechnet dieser hoffnungslose Musiker, der sie herumkriegte. Besser gesagt, er brachte sie mit seiner wenig schmeichelhaften Unentschlossenheit dazu, ihn herumzukriegen. Am Anfang wollte Xane ihn nicht einmal gutaussehend gefunden haben.

Dann musst du ihn dir schöntrinken, schlug Krystyna vor, und Xane lachte hysterisch.

Von einer gewissen Bedeutung war zweifellos, dass er

ein paar Jahre jünger war. Man sah ihm das nicht an. Anhand der Fotos, die im Internet zu finden waren, wäre man nicht auf die Idee gekommen.

Hast du dir seine Geburtsurkunde zeigen lassen, neckte Krystyna.

Bist du sicher, dass der Mann heterosexuell ist, fragte Sally.

Xane vergrub das Gesicht in den Händen. Man wusste nicht, ob sie lachte oder weinte. Es ist alles so peinlich, jammerte sie.

Nach allem, was man erfuhr, bewunderte dieser Mann sie. Damit war er ja nicht der Erste. Er rief sie an, er schrieb ihr E-Mails, er hatte diese und jene Frage zu Projekten, für die sie ihn empfohlen hatte, er bat sie, sich zwischen musikalischen Varianten zu entscheiden. Zum Geburtstag schickte er ihr ein Ständchen. Nicht klar war, ob er darüber hinausgehende Interessen hatte, oder ob er nur bemuttert werden wollte.

Frag ihn einfach, schlug Sally vor.

Xane schüttelte den Kopf, fassungslos.

Heutzutage können auch Frauen die Initiative ergreifen, sagte Krystyna, manche Männer sind gar nichts anderes mehr gewöhnt.

Es geht mir gar nicht um Sex, stöhnte Xane.

Nein, natürlich nicht, höhnte Sally.

Worum geht's dir denn, fragte Krystyna.

Ich würde einfach gern wissen, wie er wirklich ist, stammelte Xane, was er eigentlich will. Ob er mich wirklich mag.

Es war zum Totlachen. Das war Xane Molin, die Filmkünstlerin und Expertin für alternative Werbung, öffentlich wahrgenommen als selbstbewusst und meinungsstark. Sie hatte drei erwachsene Kinder, einen bedeutenden

Intellektuellen zum Mann, eine unwesentliche Speckrolle um die Hüften, die sie hasste, und sie war unübersehbar über fünfzig. Wenn man aber die Augen schloss und hörte, wie sie über irgendeinen dahergelaufenen ostdeutschen Klavierspieler mit dem schauerlichen Namen Torsten sprach, musste man glauben, sie sei ein Teenager.

Sally und Krystyna hatten einen Riesenspaß gehabt, immerhin. Es war von Vorteil, dass sich die einzigen beiden Mitwisser gut kannten. In Berlin erzählte Xane es anscheinend niemandem, wegen ihrer obsessiven Angst, entdeckt oder verraten zu werden. Krystyna verglich Xanes Gebaren mit dem von Topmanagern, die sich nach Feierabend auspeitschen ließen. Sally hielt die Managerfälle zwar für viel weniger häufig, als die Medien behaupteten, stimmte ihr aber, was Xane betraf, zu. Es gab in ihrem Leben praktisch keine Probleme mehr: Oma Anke, die verrückte Ruhrpott-Glucke, die jahrelang an den Stieftöchtern herummanipuliert hatte, bevor sie völlig dement wurde, war friedlich entschlafen, die desinteressierte Mutter der Mädchen forstete – im Rentenalter! – in Borneo den Regenwald auf, und Viola, die weitaus schwierigere der beiden Töchter, hatte nach allerhand Drogenexzessen und einem Abstecher in eine Sekte inzwischen ein Promotionsstipendium für Hochbegabte. Xane schien sich unbewusst neue Probleme zu schaffen. Als ob sie ohne Gefühlstrubel nicht leben könnte.

Wenn dieser hühnerbrüstige Pianist sie unvermittelt mit Liebesschwüren überschütten würde, bekäme sie doch einen Lachkrampf, sagte Krystyna damals zu Sally, der Typ ist nur interessant, weil sie sich nicht mehr sicher ist, ob ›mögen‹ dasselbe bedeutet wie noch vor zehn Jahren.

Bitte nicht zu unterschätzen, dass er Musiker ist, sagte Sally.

Da erst erfuhr Krystyna, dass Xane als Kind Klavier gespielt hatte, fanatisch, besessen, aber unbegabt.

Xanes Fleiß und Judiths Talent, sagte Sally, das hätte wahrscheinlich eine Musikerin ergeben.

Aber was Judith nicht wollte, konnte Xane nicht. Deshalb diese quälende, giftige, verschämt verborgene Liebe zur Musik, das Klavier, das als Demütigungsstachel von Wohnung zu Wohnung geschleppt wurde, von Wien nach Berlin, immer gepflegt, gestimmt und abgestaubt, und die unverhältnismäßige Begeisterung, wenn sich ein anderer daransetzte.

Ich hab sie nie spielen gehört, sagte Krystyna erstaunt.

Sie sagt, sie hat es nicht mehr berührt seit jenem Gespräch damals auf dem Konservatorium, sagte Sally.

Summa, sagte Krystyna und hielt vier Finger hoch: Erstens ist er jünger, zweitens ist er Musiker, drittens nicht einmal fesch, und viertens ziert er sich. Das ist es also, was unserer Xane zu ihrem Glück fehlt. Oder zu ihrem Unglück. Das scheint ja fast dasselbe zu sein.

Aber diese Torsten-Geschichte war seit Jahren vorbei. Vorbei all die lächerlichen Verwicklungen, die Lügen und erfundenen Wien-Aufenthalte, für die Krystyna und Sally ihr Deckung gaben, während sich Xane die stillen Winkel Thüringens zeigen ließ. Vorbei die Tränen, als sich Xane schließlich nur noch vor sich selbst ekelte, nachdem sie viel zu lange mit Geständnissen, Geschenken und schrillen Szenen an diesem Steppenwolf herumgezerrt hatte. Der Mann sprach offenbar, auf der Gefühlsebene, eine unbekannte Fremdsprache, Krystyna hatte bis zuletzt weder verstanden, was Xane genau von ihm wollte, noch, warum sie es nicht bekam. Der Name Torsten war jedenfalls seit über drei Jahren nicht mehr gefallen.

Trotzdem hatte Krystyna daran gedacht, als sie Xanes seltsame Nachricht erhielt. Sie hatte angenommen, dass es wieder aufgeflammt war, oder dass es Mor aus irgendeinem Grund herausgefunden hatte. Was wusste man denn. Auf der Mailbox klang Xane normal, ein bisschen schrill vielleicht, aber sonst wie immer, pointiert, selbstironisch. Woher hätte sie denn ahnen sollen …?

Zum Glück gab wenigstens Sally ihr vollkommen recht.

Ein Notfall ist nur, was Xane für einen solchen hält, hatte Sally gesagt und ihr zum Beweis eine unfassbare Geschichte von früher, aus Berlin, erzählt. Dass Xane nämlich einmal Sallys Schlösser hatte austauschen lassen, weil sie sie zwingen wollte, in eine andere Wohnung zu ziehen!

Ist das zu fassen, fragte Krystyna Richard, dass jemand in einer Wohnung, die ihm nicht gehört, die Schlösser austauschen lässt?

Richard schüttelte den Kopf. Das kann ich mir nicht vorstellen, sagte er.

Frag Sally, wenn du es mir nicht glaubst, sagte Krystyna. Xane hat sogar Immobilienmakler kontaktiert, um Nachmieter zu finden. Und sie hat Termine für Sally gemacht, ohne darum gebeten worden zu sein, bei diversen Agenten und Veranstaltern!

Das klingt schon eher nach Xane, sagte Richard, diese leicht übergriffige Hilfsbereitschaft.

To say the least, sagte Krystyna. Ich finde, sie ist ein freundlicher Tyrann.

Es war zu zwischenmenschlichen Pannen gekommen, so ist es ja immer. Interessant nur, wie schnell es dann gehen kann. Ein paar Missverständnisse, ein paar Tage Schweigen, und ein paar, meinetwegen, unglückliche Formulierungen, weil Sally und sie die Lage nicht richtig eingeschätzt hatten. Das konnte passieren! Wer war schon ohne Fehl und Tadel.

Ihre eigene Lage war bitte auch kein Honiglecken gewesen. Im Büro hatte sie abartig viel zu tun gehabt, im Grunde war sie selten so nahe am Burn-out gewesen. Denn zusätzlich zum Vorweihnachtsgeschäft musste eine ihrer Mitarbeiterinnen, Frau Dostal, wegen einer Tumoroperation ins Spital, und nicht genug damit, dass sie für Monate ausfiel, hatten sich die Kollegen bereit erklärt, in der ersten Zeit Frau Dostals Hund zu betreuen. Die Erste, die das mittels Liste geregelte Gassigehen vergaß, war Krystyna. Zur Strafe musste sie den Reinigungsdienst bestellen.

Die Kinder kamen nach Hause, wie jedes Jahr, Lilly hatten sie seit Monaten nicht gesehen. Da waren Vorbereitungen nötig, Einkäufe, Planungen, das musste man niemandem erklären, schon gar keiner anderen Mutter. Und zu allem Überfluss war der kleine Umbau nicht fertig, den in Angriff zu nehmen sich nach einem Wasserschaden angeboten hatte. Sie würden die Feiertage mit einem aufgestemmten Gästebad überstehen müssen, mit all dem Staub, der trotz geschlossener Türen die ganze Wohnung infiltrierte. Na wunderbar. Und was sollte das heißen, Xane schliefe auch auf dem Boden, auch auf einer Baustelle, wenn sie nur, bitte, bitte, bei ihnen, *meinen ältesten Freunden*, unterschlüpfen könne?

Das klingt alles so dramatisch, schrieb Krystyna mit einer Hand, während sie sich von dem struppigen Dostal-Hund die Wiedner Hauptstraße entlangzerren ließ: Bist du sicher, dass dir diese Reise guttut? Und was sagt eigentlich Mor dazu?

Mor will natürlich, dass ich dableibe, schrieb Xane zurück, er begreift einfach nicht, dass ich ein paar Tage raus-MUSS. Komm schon, Kryssie, das muss doch irgendwie gehen?

Direkt vor dem Foyer des Bürogebäudes blieb der Hund stehen und erschauerte, als hätte er Schüttelfrost. Krystyna wurde von der Vorstellung gepeinigt, dass er gleich tot umfiele, weil sie nicht bemerkt hatte, dass er irgendwo auf dem Weg Rattengift aufgeleckt hatte. Für Frau Dostal, die nach der Operation bestimmt eine Chemo bekam, wäre die Symbolik unerträglich. Und in zehn Minuten begann ihre Konferenz. Am besten ließe sie den Hund gleich unten beim Portier. Für eine halbe Stunde müsste das möglich sein.

Als das Tier zu zittern aufhörte, gab es ein seltsames Geräusch von sich, ein Maunzen, das zu einer Katze besser gepasst hätte. Es streckte sich, aber nicht wie im Todeskampf, sondern genüsslich, und dann fiel unvermittelt eine schockierende Menge halbflüssigen Kots aus ihm heraus. Zwei Angestellte, im angeregten Gespräch, eilten aus dem Haus. In letzter Sekunde machte die eine einen Satz zur Seite. Sagen's einmal, direkt vor der Tür, schimpfte sie, während Krystyna auf das durchsichtige Plastiksackerl sah, das man ihr mitgegeben hatte. Einsammeln, ja, in Gottes Namen, aber aufwischen?

Entschuldigen Sie vielmals, murmelte sie, es ist nicht mein Hund, ich verstehe selbst nicht … Sie schleifte den Hund ins Gebäude, fischte mit der anderen Hand nach ihrem Portemonnaie und überfiel den Portier mit einem mittelgroßen Schein und dem Satz: Machen Sie das da draußen irgendwie weg, ich flehe Sie an, und passen Sie eine halbe Stunde auf dieses Vieh auf.

Im Aufzug nach oben atmete sie tief durch und schrieb schnell an Xane: Ich finde, man sollte seine Probleme dort lösen, wo sie entstanden sind. R & ich möchten jedenfalls für Übersprungshandlungen, die auch Mor betreffen, nur ungern zur Verfügung stehen.

Und dann begann schon die Konferenz.

Wie sich herausstellte, hatte Xane parallel auch Sally mit Nachrichten bombardiert. Sally hatte erst überhaupt nicht verstanden, warum, denn ihre Wohnung war klein und lag nicht gerade zentral. Xane hatte noch nie bei ihr gewohnt, ja, sie kaum je dort besucht. Warum fragst du nicht Krystyna, Paul oder Christoph, hatte sie in ihrer ersten Reaktion geantwortet, dort hättest du es viel bequemer?

Bei Krystyna scheine es schwierig zu sein, schrieb Xane zurück, aber außer ihnen beiden wolle sie niemanden sehen. Sie sei derzeit nicht vorzeigbar. Sie könne ja von einer zur anderen ziehen, drei Tage hier, vier Tage dort, oder umgekehrt. Dann habe jede von ihnen nur die halbe Arbeit. Danke dir vielmals und tausend Küsse, schrieb sie. Sally antwortete, okay, ich rede mal mit K, aber dann hörten sie zwei Tage gar nichts mehr von ihr.

Als Krystyna zwischen zwei Terminen für eine halbe Stunde ins Café Zögernitz gehetzt kam, rührte Sally, die aussah, als hätte sie in ihrer Seidenbluse geschlafen, wütend in ihrer Melange und sagte: Aber als meine Tournee abgesagt worden ist, hat sie nicht mit dem Ohrwaschel gezuckt.

Was meinst du damit, fragte Krystyna, und Sally antwortete: Na, schau uns an. Irgendwo im Westen Berlins hat Xane Blähungen, und hier formiert sich das Rettungskommando.

Xanes Schweigen nach der Tourneeabsage nahm ihr

Sally sehr übel. Immerhin war es in allen Medien gestanden, der Veranstalter pleite, eine ganze Musicaltruppe in letzter Minute zurückgepfiffen. Wie alle anderen hatte Xane genau gewusst, wie aufgeregt Sally gewesen war. Sechs Monate so weit weg zu sein, die Koffer gepackt, die Wohnung eingemottet. Wieviel es ihr bedeutet hätte.

Krystyna fürchtete, daran ein wenig schuld zu sein. Als sie nämlich das letzte Mal mit Xane gesprochen hatte, war es am Ende, nach Xanes atemlosen Schilderungen der Probleme mit ihrer Firma, auch kurz darum gegangen. Xane hatte die Meldung tatsächlich versäumt und war erschrocken gewesen. Die arme Sally, hatte sie gesagt, sie ist bestimmt am Boden zerstört? Ich werde sie gleich anrufen!

Ach was, hatte Krystyna abgewiegelt, du kennst sie, sie hat mehr Angst davor gehabt als Lust darauf. Und zum Glück hat sie eine halbe Stunde später ein interessantes Angebot von der Volksoper bekommen. Um sie brauchst du dir keine Sorgen zu machen, die ist froh, wenn sie jeden Tag im ›Zögernitz‹ frühstücken kann.

Krystyna hatte damit gemeint: Xane brauchte, ihrer Meinung nach, Sally nicht auf der Stelle anzurufen. Nicht notfallmäßig. Wie man hörte, hatte sie selbst gerade genug am Hals, und nichts Erfreuliches. Sie hatte fast hysterisch geklungen, aber von Kreditausfallshaftungen, verschleppter Insolvenz und solchen Sachen verstand Krystyna zu wenig. Sie war davon ausgegangen, dass Xane Sally schon bald hinreichend dafür bemitleiden würde, dass nichts aus dem halben Jahr Japan wurde. Da aber das Erste, was Sally von ihr hörte, die dringende Bitte war, ein paar Tage auf ihrem Sofa zu übernachten, hatte sie es natürlich in den falschen Hals bekommen.

Krystyna fand, dass es für solche Klärungen im Millimeterbereich zu spät war. Es änderte wenig, es war nur ein Detail. Xane hätte Sally wirklich irgendwann anrufen können, ja, anrufen müssen. Zwischen der Tourneeabsage und Xanes spontaner Idee, für ein paar Tage nach Wien zu flüchten, waren mindestens drei Wochen vergangen. Und es tat Krystyna gut, dass Sally mit ihr einer Meinung war. Dass es nämlich auch um eine Grenze ging. Dass Xane nicht immer auftauchen und verschwinden konnte, wie es ihr passte. Dass man Freundschaft nicht an- und ausknipsen konnte, je nachdem, ob man sich gerade dunkel fühlte oder hell.

Ja, sie hatten sich vernachlässigt gefühlt, Krystyna und Sally, insgeheim auch ein paar der anderen, da war sich Krystyna sicher. Noch vor ein paar Jahren war ein gemeinsamer Beisl-Abend das Mindeste gewesen, wenn Xane in der Stadt war. Als sie frisch nach Berlin gezogen war, hatte sie sogar von dort aus die Wiener Feste organisiert, oft genug in Krystynas und Richards Wohnung. Sie machten das gern für sie. Xane ließ Partygeschirr liefern und telefonierte alle zusammen, Christoph brachte zwei Kisten Wein vom Gut seines Onkels, Peter und Judith begannen am Nachmittag zu kochen, dann trudelte der Rest ein, und es wurde getrunken, gelacht und gestritten bis drei Uhr früh. So war es am Anfang, weil Richards und Krystynas Kinder noch klein waren und die Babysitter teuer. Später, als die Kinder größer wurden, war die Wohnung nicht mehr der geeignete Ort, und man reservierte große Tische, zum Beispiel im ›Blaubichler‹. Das hatte meistens Krystyna übernommen, *mein Wiener Brückenkopf*, wie Xane immer sagte: Ohne dich wäre ich verloren.

Unmerklich wurden die Runden kleiner. Wegen irgendetwas zerstritt sich Xane vorübergehend mit Paul, und dann konnte sie Henrys Frau von Anfang an nicht leiden.

Bleib mir weg mit dieser dummen Urschel, sagte sie, und Krystyna, die Henry und die angebliche Urschel regelmäßig sah, fand das intolerant und kleinlich.

Er liebt sie, widersprach sie, und sie ist wirklich nicht so schlimm, wie du tust.

Sie ist eine präpotente Kuh, und ich hasse es, dass einer meiner besten Freunde so eine Frau geheiratet hat, sagte Xane und grinste boshaft, ich persönlich warte gelassen auf die Scheidung, erste Reihe fußfrei.

Manchmal rief sie schuldbewusst an, sagte, sie sei zwar da, aber schon wieder am Flughafen, sie habe es diesmal einfach nicht geschafft. Manchmal rief sie gar nicht an, und Krystyna fand später zufällig heraus, dass sie kurz in der Stadt gewesen war, lange genug immerhin, um mit Judith und Peter abendzuessen.

Dann begann sie, Deutsche nach Wien zu schleppen: Ich habe meiner neuen Freundin Annegret versprochen, ihr die Stadt zu zeigen. – Ich hole gleich Steffen und Svenja vom Flughafen ab. Wir haben uns letztes Jahr in New York richtig angefreundet. – Nein, Dienstag geht leider nicht, da treffen wir Professor Müller-Lüdenscheid zum Essen; er und seine Frau haben ihren Wien-Aufenthalt extra mit uns abgestimmt; übrigens ist er gerade Präsident der Humboldt-Universität geworden.

Wenn sie Xane und Mor in Berlin besuchten, fühlte sich Krystyna zunehmend unsicher. Die Feste wurden anstrengend, weil sie die Bedeutung von zufälligen Gesprächspartnern nicht kannte, diese aber davon auszugehen schienen, dass man wusste, wer sie waren.

Da drüben, das ist die XY, flüsterte Xane ihr zu, wenn sie sich zwischendurch am Buffet trafen, die gerade diesen großen Preis bekommen hat? Du erinnerst dich, von dieser Stiftung? Ach komm schon, die Zeitungen waren voll davon … Sie mag ich ja nicht besonders, aber ihr Mann ist entzückend! Übrigens ein bekannter Regisseur, aber Vorsicht, er heißt Z. Er h-a-s-s-t es, wenn er als Herr XY angesprochen wird.

Dann kicherte sie und eilte weiter.

Und was machen Sie beruflich, fragte dann so ein Herr XY oder eine Frau Z, und Krystyna musste antworten: Ich habe vor hundert Jahren mit Xane Film studiert, arbeite aber für ein Logistikunternehmen.

Wie unglaublich interessant.

So wie früher war es nur noch gewesen, wenn sie zu viert an die Nordsee fuhren. Als die Kinder im Volksschulalter waren, hatten sie zufällig ein reetgedecktes Häuschen entdeckt, groß genug für alle neun. Ein paar Jahre lang mieteten sie es jeden Sommer. Schnell entstanden Rituale, die Strandspaziergänge der Männer sehr zeitig in der Früh, die Picknicke, das gemeinsame Kochen, ein bestimmter Schnaps nach dem Essen, den es nur dort zu kaufen gab. Oder der zumindest nirgendwo sonst geschmeckt hätte, in Berlin nicht und schon gar nicht in Wien. An der Nordsee, so empfand es Krystyna, waren sie alle irgendwie noch sie selbst, ohne Verkleidungen und Alterskrusten.

Dabei war es längst nicht mehr jeden Sommer zustande gekommen. Das letzte Mal war fünf Jahre her. Das Wetter war schlecht, Xane und Richard stritten fast täglich über Politik, Mor musste auf ärztlichen Rat abnehmen, aß fast nichts und war beängstigend grau im Gesicht, und als sie am Abreisetag bei der Vermieterin bezahlten, erfuhren sie, dass diese das Häuschen gerade verkauft hatte. Ein neues Häuschen zu suchen hatte keiner die Kraft, obwohl sie es einander im ersten Moment beteuerten. Es wäre nicht dasselbe gewesen. Es würde nicht mehr dasselbe sein. Das Nordsee-Ende war auf eine Weise abrupt gewesen, die nun prophetisch schien.

Was ist da eigentlich los, fragte Sally.

Es klingt, als würde die Firma baden gehen, sagte Krystyna, das wäre natürlich ein harter Schlag.

Wenn man bedenkt, was in letzter Zeit alles den Bach runtergegangen ist, sagte Sally, dann hat sie vergleichsweise lange durchgehalten. Xane ist mir übrigens nie wie eine typische Geschäftsfrau vorgekommen.

Sie muss die Hälfte entlassen, zum Teil langjährige Mitarbeiter, sagte Krystyna.

Sie hat doch erst vor zwei Jahren groß expandiert, rief Sally.

Ja, daran hab ich auch denken müssen, sagte Krystyna. Da hat sie sich wahrscheinlich verkalkuliert.

Mir sind ihre Betriebssommerfeste immer etwas *oversized* vorgekommen, sagte Sally.

Ich war da nur einmal, sagte Krystyna, aber *oversized* ist ein Wort, das auf jeden Fall zu Xane passt.

Sie lachten.

Sie ist hoffentlich nicht bankrott, fragte Sally, oder wird gepfändet oder so etwas Schreckliches?

So hab ich es nicht verstanden, sagte Krystyna, es muss halt alles umstrukturiert werden.

Das passiert anderen Leuten auch, sagte Sally, wahrscheinlich ist das Schlimmste daran, dass sie einmal nicht gewinnt.

Nicht einmal Xane kann immer gewinnen, sagte Krystyna, die Welt hält den Atem an!

Was machen wir jetzt mit ihr, fragte Sally, von mir aus

kann sie ein paar Tage zu mir kommen. Bestimmt nicht die ganze Woche.

Bei uns geht es wirklich nicht, sagte Krystyna, so kurz vor Weihnachten. Mit der Baustelle. Das muss sie begreifen!

Sally holte ihr Smartpad heraus: Hi X, wir sitzen hier zusammen und überlegen, was von deinen Anrufen und Nachrichten zu halten ist. Würden jetzt gern mal Konkreteres hören, was eigentlich los ist, warum du das alles nicht zu Hause klären kannst. Wir fragen uns übrigens, ob deine Angestellten dich jetzt nicht brauchen. Ob es sich nicht so gehört. Bitte melde dich. Deine etwas konsternierten Freundinnen S & K.

Sehr gut, sagte Krystyna.

Es dauerte nur wenige Sekunden, dann war die Antwort da: Hat sich erledigt, danke, X.

Was soll das jetzt, fragte Krystyna.

Jetzt ist sie wahrscheinlich beleidigt, sagte Sally.

Na, bitte, gern, sagte Krystyna und rief, durchaus erleichtert, nach der Rechnung.

So war das gewesen, genauso und nicht anders. Als Krystyna Mitte Jänner zufällig Ela, Henrys Witwe, auf dem Naschmarkt traf und diese behauptete, dass Xane in einer Klinik sei, rief sie sofort bei Mor an. Natürlich war das übertrieben, typisch Ela, die ja wirklich, hin und wieder, etwas Urschelhaftes an sich hatte. So ein Firewall-Hotel, erklärte Mor, keine Kommunikation nach außen, dafür Yoga, Massagen und mehrere Therapeuten. Sie habe etwas verschrieben bekommen, das nehme sie jetzt brav und lasse sich ansonsten wieder aufpäppeln.

Deine und Sallys Reaktion war ja nicht direkt glücklich, sagte Mor, es hätte eine Menge Stress rausgenommen, wenn sie erst einmal zu euch hätte kommen können. Das muss ich dir schon sagen.

Wir haben überhaupt nicht gewusst, was los ist, verteidigte sich Krystyna, ich hab das mit der Firma, ehrlich gesagt, für einen Vorwand gehalten. Wir haben geglaubt, sie hat einen anderen, also, ich meine, was weiß ich. Außerdem, du weißt doch, so kurz vor Weihnachten, wir haben auch zu tun gehabt, ganz schön sogar, meine wichtigste Mitarbeiterin ist immer noch im Spital, die Wohnung war komplett aufgestemmt, also weißt du.

Es gab eine Pause.

Wie gesagt, sagte Mor, das hätte besser laufen können. Aber danke für deinen Anruf.

Wenn es ihr so schlecht geht, dass sie in eine Klinik muss, meinte Krystyna, dann wäre es geradezu unverantwortlich gewesen, uns Freunden das aufzubürden.

Sehe ich genauso, sagte Sally.

Was machen wir jetzt, fragte Krystyna.

Gar nichts, sagte Sally, die wird sich schon wieder melden.

Paul hat mich angerufen und gefragt, wie ich sie bloß so im Stich lassen konnte, sagte Krystyna.

Sie hat ihm unsere Nachricht weitergeleitet, damals, sagte Sally, auch nicht gerade die feine englische Art.

Private Nachrichten durch halb Österreich schicken, sagte Krystyna und schüttelte den Kopf, ich für meinen Teil habe derzeit keinen Bedarf, mit der irgendetwas zu klären.

Vielleicht irgendwann später, wenn Gras über die Sache gewachsen ist, sagte Sally.

Schließlich kennen wir uns fast das ganze Leben.

Früher haben wir immer so einen Riesenspaß gehabt, alle miteinander.

Na ja, aber wenn du ehrlich bist, ist das ein paar Jährchen her.

Mein Gott, und der arme Henry, wie lange ist er jetzt tot?

Bald fünf Jahre, glaube ich. Oder sind es schon sechs? Wir sollten uns wieder einmal mit Ela verabreden.

Da hast du recht, der Ela kann man bestimmt etwas Gutes tun.

The group of non-believers was very large in the beginning.
In fact, it included everybody.

– Dan Shechtman –

12

Im Juni wird Shanti immer so früh wach. Nicht einmal die Hotelvorhänge, die sie für eine verrückte Summe hat anfertigen lassen, können das Licht ganz draußen halten. Irgendwo kriecht doch ein Sonnenstreifen herein. Die Süd-Ost-Lage der Wohnung hat man ihr damals als Vorteil verkauft, aber das war im Winter. Das Panoramafenster, das fast eine Wand einnimmt, wirkte spektakulär, ist aber in Wahrheit den Großteil des Jahres unbenutzbar. Von April bis Oktober muss es hinter zwanzig Quadratmetern beschichteten Vorhangs versteckt werden. Deshalb war das so teuer. Die schiere Fläche plus die Spezialschiene, wegen des Gewichts. Shanti besitzt also einen Hotelvorhang, mit dem sie ihr einziges Zimmer fast bis zum Rand auslegen könnte. Im Sommer öffnet sie ihn nur einen Spalt, gerade so viel, um sich auf die Terrasse zu zwängen. Sie hat nichts draußen, keine Pflanzen, nicht einmal einen Stuhl. Sie überlässt die grauen Platten Wind, Wetter und dem grünen Flaum, der fast keine Wurzeln braucht. Sie steht aber gern dort und schaut auf den Platz.

Die Wohnung ist zu klein, zu heiß, zu teuer. Vielleicht entspricht ihr dieses Bunkerartige mehr, als ihr recht sein dürfte. Ein Bunker mit einem Panoramafenster, einer riesigen Membran, die zu entblößen man überhaupt nur Lust hat, wenn es dämmert oder schneit. Es hat seit vier Wintern nicht mehr geschneit. Der Streit unter den Wissenschaftlern über die Gründe ist erbittert. Es gibt zwei unversöhnliche Richtungen, wie früher bei der Kristallforschung. Dort ist die Sache inzwischen geklärt.

Sie hat ihre Abschlussarbeit hier drinnen im Zwielicht geschrieben und später das Buch. Schon bevor es erschien, musste sie eine zweite Nummer nehmen, für die Privatgespräche. Diese Nummer kennen nur wenige, ihre Familie und ein paar Freunde. Die alte Nummer ist seither auf Mailbox geschaltet. Zu viele haben angerufen, aufgeregte Menschen, die sie niederredeten, beschimpften, bedrohten. Zu viele echte oder angebliche Kollegen, die sie zu Diskussionsrunden oder Chats einladen wollten. Die unbekanntesten Communitys waren dabei oft die fairsten. Auch für weinende Hinterbliebene, die sich Vorwürfe machen, hat Shanti keine Zeit mehr. Sie hat zu viele ähnliche Geschichten gehört. Sie wünscht sich ein anderes Thema, zum Beispiel etwas Technisches, davon versteht sie wenig, deshalb würde sie es sich gern erarbeiten. Vorläufig kommt sie allerdings nicht weg von ihrem ersten Buch. Und die alte Nummer kann sie auch nicht aufgeben. Einige ihrer besten Informanten haben nur diese, weil sie dem Netz nicht mehr trauen. Dabei gibt Shanti für Verschlüsselung und Spionageabwehr viel Geld aus, sie bezieht sie von einem der beiden Marktführer. Hotelvorhänge, Software, Hardware, Info-Accounts, der Expert-Zugang für das Bundesarchiv, Mitgliedschaften in verschiedenen Netzwerken, die man irgendwann einmal brauchen könnte. Der Online-Übersetzer-Dienst, vierundzwanzig Stunden, alle Sprachen, garantiert. Für solche Sachen geht das Geld drauf, das anderswo fehlt.

Sie ist vor sechs Uhr aufgewacht und liegen geblieben. Eine Weile hat sie dem Staub zugeschaut, der durch die Lichtstreifen zuckt.

Obwohl der Vorhang so teuer war, ist es schwierig, die einzelnen Bahnen genau parallel zu schließen. Sie ist zu ungeduldig oder ungeschickt dafür. Immer bleibt irgendwo eine Ritze, die verkündet, dass draußen die Welt weiter besteht. Dass sie wartet und einen mit ihrem viel zu hellen Licht herausscheuchen will aus allen Verstecken.

Sie muss noch einmal eingeschlafen sein, denn als sie wieder auf die Uhr schaut, ist es fast sieben. Aus dem Augenwinkel sieht sie das Smartpad blinken, grün, das heißt privat. Wie gesagt, nur ihre Mutter, ihre drei Schwestern und ein paar enge Freunde. Deshalb klemmt sie sich das Headset ans Ohr und nimmt das Gespräch an, ohne noch einmal hinzuschauen. Und dann steckt sie schon mittendrin in dieser merkwürdigen Geschichte.

Sie kennen mich nicht, aber ich brauche Ihre Hilfe, sagt der fremde Mann, bitte hören Sie mir kurz zu. Nein, ruft sie sofort, nein, ich höre Ihnen nicht zu, erst sagen Sie mir, woher Sie diese Nummer haben.

Bitte hören Sie mir zu, sagt der Mann.

Wenn Sie mir nicht sagen, woher Sie die Nummer haben, unterbreche ich die Verbindung, droht Shanti, es geht hier um meine Sicherheit.

Da fängt er an zu lachen. Sicherheit, wiederholt er, Ihre Sicherheit? Hören Sie mir zwei Minuten zu, dann werden Sie merken, dass es Ihnen richtig gut geht, Ihnen und Ihrer Sicherheit.

Shanti ist in dieser Hinsicht nicht sehr konsequent. Von einer bloßen Stimme fühlt sie sich nicht bedroht, obwohl sie weiß, was technisch möglich ist. Einer hält sie am Reden, der andere hackt sich in rasender Geschwindigkeit zu ihrer genauen Position durch.

Natürlich könnte sie ihn wegklicken. Aber sie ist neugierig. Ein paar Minuten später unterbricht sie den Mann, um ihm zu raten, sich an einen Anwalt zu wenden. Weiteres bitteres Gelächter. Wieder ein paar Minuten später holt sie etwas zu schreiben. Am Ende fragt sie: Wie erreiche ich Sie?

Ich melde mich, sagt der Mann, in genau vier Stunden das nächste Mal. Halten Sie die Leitung frei.

Nachdem sie aufgelegt hat, macht sie sich erst einmal einen Tee. Es gibt jetzt mehrere Möglichkeiten, es ist nicht leicht zu entscheiden, welche die klügste ist.

Sie könnte Karimi anrufen, in der Mordkommission. Sie mag ihn zwar nicht, aber sie vertraut ihm bis zu einem gewissen Grad. Allerdings hieße das vielleicht, schlafende Hunde zu wecken. Auch wenn der Mann beteuert, dass ihm alle längst auf den Fersen seien.

Sie könnte Jan anrufen, wie immer. Er ist Jurist, zwar auf einem anderen Gebiet, aber begnadet vernetzt. Er hat ihr bei ihrem Buch sehr geholfen. Vor Jahren haben sie ein paarmal miteinander geschlafen und bald wieder damit aufgehört. Auf anderen Ebenen funktioniert ihre Kommunikation einfach besser. Jan kennt bestimmt einen geeigneten Anwalt, einen, der selbst gern kombiniert. Und vielleicht hat er eine Idee, wie sie herausfinden kann, ob der Anrufer, der sich Kevin nennt, überhaupt vertrauenswürdig ist. Die Geschichte, die er erzählt hat, klingt so absurd, dass etwas in ihr wünscht, sie möge wahr sein. Aber das, als Ausgangslage, ist irrational.

Einen Arzt brauchte sie sowieso, das ist noch das Einfachste. Sowohl Doktor Guttmann als auch die vielbeschäftigte Frau Doktor Ince sind Shantis Fragen gewöhnt, die immer so tun, als handelten sie von ausgedachten Fällen: Wenn wir uns, nur zum Beispiel, einen achtzigjährigen Diabetiker mit einer Kreuzallergie vorstellen, …

Shanti greift hinter den Vorhang und öffnet die Schiebetür. Barfuß geht sie auf die Terrasse und schaut. Eine alte Frau trägt ein Paket über den Platz, das groß ist, aber nicht schwer sein kann. Es könnte die Frau sein, der einmal im Supermarkt direkt neben ihr die Eier hinuntergefallen sind. Sie bot an, Shantis Tennisschuhe reinigen zu lassen. Das war das Gegenteil dessen, was man erwarten würde: Wennde im Weg stehst, blöde Zicke. Shanti hat fast beschämt abgelehnt. Ach, die tu ich in die Waschmaschine, hat sie gemurmelt. Vielleicht ist es auch eine andere Frau, die hier unten, mit dem Paket.

Ansonsten ist nichts los. Für die Arbeitslosen und die Jugendlichen ist es noch zu früh, ebenso wie für den Parkraumsheriff, eine Blondine mit scharfen Nasolabialfalten, die sich meistens einiges anhören muss, weil sie ihre Arbeit ernst nimmt.

Das Einfachste wäre, sich eine neue Nummer zu besorgen, das müsste in vier Stunden zu schaffen sein. Und wenn nicht, geht sie einfach so lange nicht ran, bis die neue Nummer freigeschaltet ist. Sie könnte Mama und die Schwestern anrufen und die anderen später informieren. Dann wäre sie die Sache los. Schließlich ist sie keine Ermittlerin, keine Detektivin, keine Kummernummer. Sie ist Journalistin, und sie nimmt sich für ihre Recherchen Zeit. Dieser Anrufer, Kevin, hat keine Zeit. Er behauptet, dass alles, was zu seinen Gunsten spricht, in den nächsten Stunden verschwunden sein kann. Und dass er, wenn diese Beweise nicht schnellstmöglich gesichert werden, wahrscheinlich für Jahre ins Gefängnis geht, auch dank Shantis Buch.

Und das ist der moralische Haken, an dem sie hängt. Als ihr Buch vor fast eineinhalb Jahren erschien, war die öffentliche Reaktion überwältigend. Das schiere Ausmaß der Erregung, der Bestürzung und der Leitartikel, der Schwüre, Ermittlungskommissionen und Untersuchungsausschüsse hatte niemand vorhergesehen, weder sie noch ihr Lektor, auch keiner der Leute der ›Kritischen Plattform‹, von der sie bezahlt wird und auf der sie es veröffentlicht hat. Und es stimmt leider, dass es eine Art inquisitorische Gegenbewegung gibt, seit die ›begründete Vorsicht‹, zu der sie in ihrem Buch mehrmals eindringlich aufgerufen hat, immer öfter in Hysterie und Pauschalverdächtigungen umgeschlagen ist.

Bisher hat Shanti sich geweigert, dazu in einem eigenen Artikel Stellung zu nehmen. Nachdem sie über zwei Jahre recherchiert und alles auf fast vierhundert Seiten ausgebreitet hat, muss sie, ihrer Meinung nach, nicht öffentlich statuieren, dass nicht *jeder* Tod in einem Alten- oder Pflegeheim Mord ist. Dass nicht *jeder* Angehörige, der seinen alten Vater, seine demente Frau oder den gelähmten Onkel aus dem Heim in häusliche Betreuung holt, dies in der Absicht tut, sie oder ihn kostensparend zu töten. Es reicht, dass es so viele sind oder waren. Einen Missstand aufzudecken bedeutet nicht, einen Generalverdacht gegen *alle* auszusprechen, Pfleger, Ärzte, Angehörige! Das sollte eigentlich klar sein, wiederholt Shanti, auch ihren Freunden gegenüber, in letzter Zeit immer heftiger: Das ist doch lächerlich – oder leben wir in einer Gesellschaft von Analphabeten?

Letztens, abends beim Bier, blieben alle verdächtig still. Dann stieß einer Karen an und sagte: Erzähl's ihr. Und Karen erzählte mit leiser Stimme und ohne sie anzusehen, dass vor Kurzem eine Schwester die Polizei gerufen habe, als sie Karen dabei erwischte, wie sie ihre Mutter mit selbstgebackenem Kuchen fütterte. In der Premium-Seniorenresidenz von Karens Mutter ist inzwischen jegliche Nahrung von außerhalb verboten. Seitdem eine verwirrte Nussallergikerin Pralinen aus dem Spind eines Flurnachbarn geklaut hat und ihr anaphylaktischer Schock um ein Haar letal gewesen wäre, hält man auch die Kekse-Kuchen-Beschränkung nicht mehr für praktikabel.

Shanti hat gefragt, ob sie sich also schuldig fühlen soll, für diese widerliche Atmosphäre von Verdacht und Denunziation, die ihrer Meinung nach nur davon ablenken soll, dass die meisten Jüngeren die Millionen Pflegebedürftigen und Dementen insgeheim am liebsten legal aus dem Weg räumen lassen würden.

Dann ist sie entnervt nach Hause gegangen und hat Doktor Guttmann angerufen.

Analphabeten? Ich würde sagen, wir leben in einer Gesellschaft von Überinformierten und chronisch Aufgeregten, hat er nachsichtig gesagt und ihr geraten, den Artikel zu schreiben, einfach, um sich abzusichern.

Sie meinen, ich habe es nötig, mich abzusichern, hat Shanti gefragt. Es schadet nicht, war die Antwort.

Lennart Guttmann. Sieht gut aus, sommersprossig, große Nase, sehr deutsch. Ist sicher zehn, zwölf Jahre älter als sie, an die vierzig. Ob er verheiratet ist, weiß sie nicht. Einmal hatte sie fast den Eindruck, als flirte er mit ihr. Sie wird ihn gleich anrufen und diesen Kevin-Fall besprechen, ob es da etwas gibt, worauf sie achten sollte.

Gerade als sie wieder hineingehen will, schlägt unten die Frau mit dem Paket lang hin. Das sieht witzig aus, wie eine Comicfigur, die auf übertriebene Weise fällt, das Paket unter sich begrabend. Aber dann rührt sich die Frau nicht mehr. Shanti kneift die Augen zusammen und beginnt im

Kopf die Sekunden zu zählen. Außer ihr hat das vermutlich niemand beobachtet. Ein paar Passanten sind unterwegs, vor den Geschäften, an der Bushaltestelle, aber die Frau liegt fast in der Mitte der Wiese, und vielleicht steht der eine oder andere Baum oder Strauch zwischen ihr und den anderen. Das kann Shanti von hier oben nicht beurteilen. Als sie abzuwägen beginnt, ob es schneller geht, sich anzuziehen und hinunterzulaufen oder den Notarzt zu rufen, richtet die Frau sich auf. Erst kniet sie, dann steht sie auf, schüttelt den Kopf, wie im Zorn über sich. Sie putzt ihren Rock ab. Sie hebt eine kleine Handtasche auf, holt einen Spiegel heraus und betrachtet ihre Haare. Sie steckt den Handspiegel in den Mund, zieht Nadeln oder Steckkämme aus ihrer vogelnestartigen Frisur und befestigt sie wieder. Alles in Ordnung, nur das Paket liegt weiter im Gras. Kein Interventionsbedarf. So alt ist die Frau wahrscheinlich gar nicht. Shanti sieht wirklich schon überall vom Tode bedrohte Rentner.

An der Schwelle zu ihrem Zimmer streift sie die Fußsohlen an der jeweils anderen Wade ab, bevor sie hineingeht. Woher der rote Sand wohl kommt, der hauchfein die Terrasse bedeckt, mal mehr, mal weniger, je nach Windrichtung.

Wenn Sie wissen, Madame, wo dieser Kevin Glubkowski steckt, dann sagen Sie es mir lieber gleich, schnauzt Karimi sie an. Sie hat zuerst ihn angerufen, weil sie nicht einmal sicher ist, ob der aufgeregte Zyniker Kevin kein Practical Joker ist. Aber es gibt tatsächlich einen Fall, und Karimis Laune deutet darauf hin, dass es nicht sein einziger ist. Karimi droht ihr mit einer Anzeige wegen Beihilfe.

Wir wissen beide, dass Sie nur bluffen, lieber Karimi, sagt Shanti und versucht, ihrer Stimme ein Gurren unterzulegen. Auch ihr Satz ist ein halber Bluff. Es irritiert sie, dass Karimi sie grundlos attackiert. Sie steht doch auf seiner Seite. Ihre Recherchen haben mehr Mordfälle ans Licht gebracht, als er je aufgeklärt hat. Ist er eifersüchtig? Vielleicht hat sie ihm zu viel Arbeit gemacht. Vielleicht hat auch er einen Mühlstein aus Alten um den Hals, Eltern, Schwiegereltern, kinderlose Onkel und Tanten, für die er monatlich bluten muss.

Karimi beruhigt sich und nennt Kevin ›kreativ‹. Kreativität ist aber ein Verdachtsmoment, das haben Sie selbst in Ihrem Buch so schlagend beschrieben. Ausgerechnet Sie um Schützenhilfe zu bitten, ist entweder der Verzweiflungsakt eines aufmerksamen Medienkonsumenten oder ein wahrhaft genialer Schachzug.

Shanti versteht nicht, was daran genial sein soll: Er holt Tante Mia aus dem Heim nach Hause, bringt sie nur zwei Wochen später um und hofft, davonzukommen, nur weil er unerwarteterweise *mich* um Hilfe bittet?

Das findet sie total unwahrscheinlich.

Genauso unwahrscheinlich, dass ausgerechnet Tante Mia plötzlich stirbt, entgegnet Karimi. Sie hört ihn blättern. Die Gute hatte gar nichts, ein bisschen Bluthochdruck, leicht erhöhtes Cholesterin, altersgemäß verengte Carotis, leichte Angina Pectoris, das Übliche. Eventuell ein bisschen sehr dem Wein zugeneigt. Also vor Gesundheit strotzend, in ihrem Alter.

Ist das der Obduktionsbericht, fragt Shanti.

Karimi lacht. Die Entlassungspapiere, sagt er, nur die Entlassungspapiere. Nicht einmal wir hier arbeiten mit CERN-Geschwindigkeit.

Sie haben dann einen kleinen Disput über die zwei, drei Details, die Kevin abgeklärt haben will. Von einem untergetauchten Verdächtigen nehme ich normalerweise keine Aufträge an, meckert Karimi. Shanti hat den Eindruck, dass er immerhin offen bleibt und seine Meinung über Glubkowski nicht in Stein gemeißelt hat, obwohl es natürlich so aussieht, als ob. Genau wie all die anderen Fälle, Luftspritzen, ›Mundpflege‹, Morphium, Grapefruitsaft, Johanniskraut, Insulin für Nichtdiabetiker, Haschisch für Diabetiker, oder einfach das gute, alte Kissen aufs Gesicht. Das Heim wird zu teuer, zu Hause schaffen sie es nicht. So viele Indizienprozesse, so viele Verurteilungen allein aufgrund von Geständnissen. Die Professionellen, Schwestern, Pfleger, gestehen in letzter Zeit seltener, können jedoch durch Akten und Fehlbestände bei den Medikamenten oft relativ zweifelsfrei überführt werden. Die Angehörigen, die meistens aus Überforderung, Ekel oder falsch verstandener Anteilnahme handeln, brechen fast immer zusammen. Nur die mit rein finanziellen Beweggründen bleiben manchmal bockig. Sie wollen nicht zugeben, dass sie es nach Jahren des Verzichts satthatten und, statt ein neues vollautomatisches Bett anzuschaffen, lieber mit ihren halbwüchsigen Kindern eine Woche ins Spaßbad fahren. Bei diesen Leugnern und Schweigern fällt die Verurteilung, wenn sie sich nicht allzu blöd angestellt haben, gelegentlich schwer. Das zeigen die Statistiken, die im Gefolge von Shantis Buch nach und nach erscheinen. Und um sich nicht blöd anzustellen, könnten sie theoretisch zu Shantis Buch greifen. Es gab Stimmen, die sie für die Kapitel über die Todesarten massiv kritisierten, weil man sie angeblich als Handlungsanleitung missbrauchen könne. Was nicht stimmt. Shanti hat keinen der Fälle so detailliert beschrieben, dass man ihn ohne gute medizinische Vorkenntnis nachmachen könnte. Es war ihr aber, im Sinne der Prävention, wichtig, die Kreativität zu beleuchten, die in vielen Fällen am Werk war. Außerdem wissen die Angehörigen normalerweise genau, was ihr eigener Pflegefall nicht mehr verträgt oder nicht mehr schafft. Wo man also unauffällig ein bisschen nachhelfen kann.

Karimi knurrt, dass er ihrem geheimnisvollen Kevin einen Tag gibt. In vierundzwanzig Stunden stellt er sich, oder wir kommen vorbei und downtracken ihn von Ihrer Verbindung, verstanden? Sie wohnen doch da am Park?

Shanti nimmt sich vor, nur noch ein einziges Mal mit Kevin zu sprechen. Er muss sich einen Anwalt oder einen Privatdetektiv nehmen, oder am besten beides. Denn diese Gespräche könnte auch eine pfiffige Sekretärin für ihn führen. Wozu braucht er sie?

Als sie aufgelegt hat, versucht sie, nicht weiter darüber nachzudenken, woher der Typ ihre Nummer hat. Hier muss es irgendeinen Zusammenhang geben, den sie nicht kennt und der ihr unheimlich ist. Dass einer ihrer engsten Freunde einen wie Kevin Glubkowski gut genug kennt, um ihm einen solchen Gefallen zu tun, ist unwahrscheinlich. Prokurist eines Potsdamer Mittelstandsbetriebs, hat Karimi gesagt, wohnhaft in Teltow, geschieden, zwei Kinder. Jahrelanger Rosenkrieg mit der Ex-Frau, Jugendamt, Sorgerechtsstreit. Tante Mia war übrigens die Tante der Geschiedenen, das ist etwas merkwürdig. Ausgerechnet die Tante der verhassten Ex wollte Herr Glubkowski bei sich zu Hause pflegen? Da muss sie nachhaken. Die meisten Menschen wollen nicht einmal ihre eigenen Tanten zur Pflege bei sich aufnehmen. Der Pathologe liefert frühestens am Abend. Vielleicht doch ein natürlicher Tod, wer weiß. Aber was heißt heutzutage schon natürlich?

Shanti duscht und zieht sich an. Sie rollt die Matratze unter das Sofa, sie braucht jetzt Arbeitsatmosphäre. Sie macht eine Liste mit Fragen, dann eine andere Liste, auf der sie die Fragen Personen zuordnet, die sie beantworten könnten. Sie lässt sich nicht hetzen, das signalisiert sie sich selbst. Sie tut, was sie kann, sie investiert dann eben ein paar Stunden. Vielleicht wird Kevin G. ja der Aufhänger für ihren sogenannten Absicherungsartikel. Wahrscheinlich wird Kevin sehen müssen, wie er es allein schafft. So ganz versteht sie seine Panik nicht, auch die Polizei tut ihr Möglichstes. Wir leben ja nicht in Lateinamerika. Und Intrigen, wie er sie imaginiert, gibt es nur im Film. Falls Tante Mia auf natürliche Weise gestorben ist, wird er diese Ermittlung auch ein paar Tage lang in der U-Haft abwarten können. Zu der er überhaupt nur verdonnert würde, weil die Fluchtgefahr durch seine Flucht erwiesen ist. Wäre er brav an seinem Platz geblieben und hätte sich vernehmen lassen, wäre nicht viel passiert, immer gesetzt den Fall, dass er unschuldig ist.

Obwohl es heißer wird, schleift sie ihren Kunstleder-Sitzsack auf die Terrasse. Sie spannt den orangefarbenen Paar-Regenschirm auf, den sie damals als sinniges Begrüßungsgeschenk vom Verschlüsselungsprovider bekommen hat, kauert sich in den Schatten und ruft Jan an. Während sie erzählt, hört sie es klappern.

Die Firma, murmelt Jan, die Firma. Dieser Potsdamer Betrieb ist ihm schon einmal untergekommen, er weiß bloß nicht mehr, wo. Shanti findet das abwegig. Wahrscheinlich haben wir über jeden größeren Betrieb in der Region irgendwann etwas gelesen, sagt sie.

Aber Jan meint etwas anderes. Keine normalen Wirtschaftsdaten … eine Intrige, eine kriminelle Absprache, eine Erpressung. In der Art. Er ist sicher, dass er es wiederfinden wird, Shanti soll ihm nur ein paar Stunden geben, denn er hat gleich einen Termin.

Vergiss es, sagt Shanti, ich habe auch anderes zu tun.

Irgendetwas mit der Firma, das ist mir zu vage. Sag mir lieber, ob du noch Kontakt zu der Notärztin hast, du weißt schon, auf die du so abfährst.

Jan hat. Er möchte sie allerdings nicht selbst anrufen, das könnte, in diesem Stadium, kontraproduktiv sein.

Kontraproduktiv, fragt Shanti, und was heißt Stadium? Hast du etwas mit ihr?

Na ja, sagt Jan.

Herzlichen Glückwunsch, sagt Shanti. Kann ich mich, wenn ich sie anrufe, auf dich berufen?

Sie holt eine Flasche Wasser von drinnen. Unten auf dem Platz haben sich ein paar Arbeitslose eingefunden. Sie sitzen im Schatten und spielen das Spiel mit den Münzen. Einmal hat einer, der vermutlich tagelang gewonnen und die anderen vielleicht auch ein bisschen bestohlen hatte, zwei Kartons voller Münzen in einem Einkaufswagen in den Supermarkt gefahren und versucht, eine Flasche Bier zu kaufen. Der Kassierer in seinem Glaskasten hat ihn nur ausgelacht. Das ist immer noch gültige Währung, schimpfte der Arbeitslose.

Aber im Supermarkt können sie das weder zählen noch irgendwo verstauen. Münzen sind nicht mehr in Gebrauch, obwohl sie nie offiziell für ungültig erklärt wurden. Als sich von hinten die hellblaue Security näherte, nahm Shanti dem Mann das Bier aus der Hand und bezahlte für ihn. Der Kassierer sah sie böse an und sagte in sein Mikro: Keine Tauben füttern, Mädchen.

Im Young-Leader-Netzwerk, in dem sie Mitglied ist, postet sie eine Nachricht, ob jemand Erfahrungen mit dem ›Luxury Senior Resort Kirschblüte‹ in Werder hat. Das Netzwerk ist teuer und elitär, die detaillierten und überprüften Profile sind für alle Mitglieder einsehbar. Wer sie ist und was sie macht, weiß man dort oder kann es mit einem Klick herausfinden. Deshalb müsste diese unbestimmte Anfrage reichen.

Jan ruft zurück und gibt ihr die Nummer seiner Affäre oder wie man das nennt. Sie heißt Maja Sackbauer und erwartet Shantis Anruf. Sie hat gestern Nacht keinen Dienst gehabt, würde jedoch eventuell einen Blick in den Dienstplan werfen. Als Shanti sie nach mehreren Versuchen erreicht, hat sie das bereits getan. Sie hat sogar, weil es sich unkompliziert ergeben hat, mit dem Kollegen geplaudert, der zu Tante Mia gerufen wurde. An dem Einsatz sei durchaus einiges auffallend gewesen: Der Anrufer, laut Selbstauskunft der Neffe der Frau, sei bei Eintreffen des Rettungswagens verschwunden, aber sowohl das Haustor wie die Wohnungstür seien nicht nur geöffnet, sondern mittels bunter Plastikkeile am Zufallen gehindert gewesen.

Er wollte, dass die Hilfe sie erreicht, murmelt Shanti.

Spricht beides für ihn, bestätigt Maja mit ihrer kühlen Stimme, denn er hat ja auch angerufen.

Das Merkwürdigste war, dass die Frau noch lebte. Der Anrufer habe zwar angegeben, er sei von der Arbeit nach Hause gekommen und habe seine Tante tot auf dem Teppich gefunden. Doch das stimmte nicht, ihr Puls war noch da, schwach und unregelmäßig. Für einen Laien wahrscheinlich nicht zu erkennen. Sie sei erst im Krankenhaus gestorben.

Furchtbar nett von Ihnen, sagt Shanti, ich weiß gar nicht, wie ich Ihnen danken soll.

Nun übertreiben Sie mal nicht, sagt Maja Sackbauer. Und Sie wissen ja, wir haben nie miteinander gesprochen.

Als Shanti auflegt, fragt sie sich, wie die Frau wohl aussieht. Die Stimme klang blond, aschblond, kompetentblond. Nivea-blond. Das Gegenteil von Moschus oder Kokosnuss. Während sie bisher davon überzeugt war, dass Jan auf Migrationsvordergrund steht. Vielleicht stimmt beides nicht, auch nicht, dass sie fähig ist, von Stimme und Sprache auf das Aussehen zu schließen. Man könnte sie googeln. Wie kann man nur Sackbauer heißen …

Das Smartpad blinkt, es ist Karimi. Shanti kann sich nicht erinnern, ihm ihre Nummer gegeben zu haben, doch vermutlich ist das für ihn kein Problem.

Wird enger für Ihren Freund, sagt er ohne Begrüßung, diese Ursina Morand gibt es zwar tatsächlich, aber sie hat ihren beschaulichen Heimatort nicht verlassen, nicht in den letzten drei Tagen.

So schnell, fragt Shanti, um Zeit zu gewinnen.

Habe einen lieben Bekannten in der Schweiz, summt Karimi, und da die Dame im Nest saß und nicht erst zwischen hier und Solothurn aufgespürt werden musste, kriegt man diese Info eben pronto.

Er schwört, er hat sie zwei Straßen weiter gesehen, sagt Shanti.

Doppelgängerin, sagt Karimi, Halluzinationen, pure Erfindung, was weiß ich.

Immerhin hat Karimi gut gearbeitet, er selbst oder seine Schweizer Verbindungsleute. Bis auf die jüngste Reise nach Berlin stimmt nämlich alles, was Glubkowski über Ursina Morand behauptet hat: Sie arbeitet für eine der Sterbehilfeorganisationen, und sie hatte Tante Mia in ihrer Kartei. Tante Mia sei kein Akutfall gewesen, nur eine von den vielen, die sich präventiv anmelden, um später die ›Kontrolle über die eigene Würde‹ zu behalten, wie es in den Werbebroschüren heißt.

Gegen eine kleine Spende, ätzt Shanti, und dann hofft man, dass sie noch lange freiwillig leben, damit man diese Spenden möglichst oft kassiert. Manche Leute nennen das Selbstmordversicherung.

Karimi sagt dazu nichts. Shanti ärgert sich, dass sie sich angebiedert hat. Gleichbleibende freundliche Undurchschaubarkeit, das war bisher ihre Rolle für Karimi. Sie würde zu gern etwas über seinen familiären Hintergrund erfahren. Sie scannt im Kopf ihre übrigen Polizeikontakte, ob da einer etwas wissen könnte.

Frau Morand hat ausgesagt, ein einziges persönliches Gespräch mit Tante Mia geführt zu haben, vor drei Monaten, da war sie noch in der ›Kirschblüte‹. Das Übliche, Abklärung aller Wenns und Danns, wenn PEG-Sonde, wenn Hirntod, wenn beginnende Demenz. Nichts weiter. Kein Kontakt seither, und dass keinerlei Medikamente übergeben wurden, würde sie eidesstattlich erklären.

Einen Fehler hat mein Kollege allerdings leider begangen, sagt Karimi und macht eine Kunstpause.

Shanti schweigt. Er platzt ja gleich vor Vergnügen, das kann sie genau hören.

Er hat ihr erzählt, dass sich der verdächtige Neffe ausgerechnet an Sie gewendet hat, sagt Karimi und kichert. Und da wurde aus dem mütterlichen Todesengel urplötzlich eine Art Hyäne.

Achten Sie auf Ihre Metaphern, Herr Kommissar, rügt Shanti.

Immer dieselben Missverständnisse und Kurzschlüsse, immer dieselben irrationalen Frontlinien. Genauso wenig wie sie die Gesamtheit der Ärzte, Sozialarbeiter, Seelsorger, Hospizmitarbeiter und Pfleger kriminalisiert hat, hat sie sich je ein Urteil über ausdrücklich verlangte Sterbehilfe angemaßt. Das ist Sache von Ethikkommissionen, Sache des Gesetzgebers. Jede Gesellschaft gibt sich die Regeln, die sie braucht. Worüber Shanti geforscht und geschrieben hat, sind die Regelverstöße. Aber massenhafte

Verstöße bringen automatisch die Regeln selbst in die Kritik. Soll man sie also lockern oder verschärfen?

Wo es Gewalt in großem Maßstab gegeben hat, weitet sich der Blick. Angrenzende Gebiete geraten in Revision. Viele wollten vor Gericht ihre Taten als Sterbehilfe beschönigen, sprachen von Erlösung und Gnade. Deshalb hat Shantis Buch auch all die ausländischen Organisationen mit den griechischen und lateinischen Namen aufgestört, die wie Frösche um den großen, alten, vollen deutschen Teich sitzen und mit langen Zungen warten. Doch all das interessiert Shanti nicht mehr, nicht inhaltlich, sondern höchstens strukturell. Man sagt etwas zum Thema A, doch der Lobbyist von Thema B fühlt sich auf den Schlips getreten und droht mit dem Anwalt. Der von Thema C hingegen hält einen aus unerfindlichen Gründen für seinen Bundesgenossen und hat hohe Erwartungen, die, wenn sie nicht erfüllt werden, in Ad-personam-Empörung umschlagen: In Ihrer Heimat sterben die Menschen wie die Fliegen, besonders die Kinder, aber Sie … Welche Heimat, fragte sie erst dumm, bis sie begriff, aufstand und das Podium wortlos verließ.

So gehen bei allen Reizthemen die Wogen hoch, hin und her. Irgendwo dazwischen, zwischen Shit- und Like-it-Stürmen, schnappt man nach Luft. Nur wenn man seine Geräte ausschaltet, kommt man raus aus dem Unwetter. Dann wird es still, ohrenbetäubend still. Umso wichtiger, im echten Leben nicht gefunden zu werden. Umso wichtiger Verschlüsselung und Geheimnummer. Wahrscheinlich sollte sie bald wieder mit ihrer Homepage umziehen, nur zur Sicherheit. Sie ist seit fast einem halben Jahr auf derselben Adresse, das ist dinosaurisch.

Sie kriecht unter dem Regenschirm hervor und holt den Sunblocker aus dem Bad. Es ist fast Mittag, lange kann sie nicht mehr draußen bleiben. Sie denkt diesmal auch an die Oberkante ihrer Ohren, das war ihr letztens eine Lehre. Als sie klein war, lachten diese recyclingpapierfarbenen Deutschen und zeigten mit dem Finger, wenn ihre Mutter sie und ihre Schwestern im Schwimmbad eincremte. Damals glaubten einige noch, dunkle Haut mache gegen UV-Strahlung immun, quasi wie ein Bettüberwurf.

Auf einmal fällt ihr auf, dass Kevin Glubkowski längst hätte anrufen müssen. Sie hat sich wieder einmal verrechnet, es hätte um elf sein müssen, nicht um zwölf. War ihre Leitung belegt, oder haben sie ihn gefasst? Sie tritt gegen den Mülleimer und ist überrascht von sich. Sie verdächtigt sich, gelobt werden zu wollen für diese sinnlose Fleißaufgabe. Einem Unbekannten will sie zeigen, was für tolle Verbindungen sie hat.

Nach Ansicht des Notarztes eher nichts Allergisches, hätte sie gerne gesagt, und wie zuvorkommend, dass Sie die Türen gesichert haben.

Dabei ist die Sackbauer reines Glück gewesen, ein Zufall, der kürzest denkbare Weg. Oder hat sich umgekehrt Kevin über die Sackbauer und Jan ihre Nummer besorgt? Arbeiten sie in Wahrheit alle zusammen? Das ist absurd. Warum sollte … Sie starrt das Smartpad an. Elf Uhr siebenundfünfzig. Wenn sie nie mehr von Kevin G. hören würde, wenn sie Karimi fragen müsste, was aus ihm geworden ist, weil es eine solche Nachricht inzwischen in keinen Newsroom mehr schafft, wäre sie enttäuscht. Warum eigentlich?

Sie setzt sich unter den Regenschirm und denkt nach.

Von der anderen Seite des Platzes kommt wieder die Paketfrau, diesmal ohne Paket, sondern Hand in Hand mit einem weißhaarigen Mann. Statt des Rocks trägt sie jetzt eine flatternde Hose. Aber sie ist es, zweifellos. Und sie bewegt sich normal. Sie scheint sich gar nicht wehgetan zu haben.

Die Dinge sind meistens viel einfacher, als sie scheinen. Sobald man die Lösung kennt, flitzen alle querstehenden Details an ihren natürlichen Platz und machen sich klein. Nach allem, was in den letzten Monaten los war, wäre es durchaus denkbar, dass einer, der zu Hause seine vermeintlich tote Tante findet, in Panik flüchtet. Und trotzdem vorher den Notarzt ruft.

Vor allem, wenn er sich von irgendeiner Seite verfolgt fühlt. Vielleicht hat Jan recht gehabt, vielleicht ist in Kevins Firma wirklich etwas los, und er konnte nicht anders, als an eine Intrige zu denken.

Karimis Theorie, dass einer, der sich für besonders schlau hält, seine Tante, meinetwegen im Affekt, umbringt, und sich dann, weil man das vom Täter nicht erwarten würde, anklagend an Shanti wendet, die diese Hexenjagd auf unschuldige Angehörige angeblich erst entfesselt hat, kommt ihr fünfmal zu kompliziert vor. Gut, man muss alle Varianten durchspielen. Tante Mia wäre aber nach Shantis Erfahrung ein völlig untypisches Opfer. In fünfundneunzig Prozent der Fälle sind es Demente oder Schwerstpflegebedürftige, solche, die nichts mehr selbst können, denen man die Nahrungssonden reinigen, die wundgelegenen Stellen verbinden oder erklären muss, wer sie überhaupt sind. In den übrigen fünf Prozent sind es pflegeunabhängige Motive wie Hass oder Erbschaft. Diese Fälle hat es immer gegeben, nicht erst, seit das Pflegesystem kollabiert ist. Also gehört Tante Mia entweder zu den seltenen fünf Prozent – dann wäre Kevin erstens besonders dumm und hätte zweitens bestimmt nicht ausgerechnet sie angerufen –, oder sie ist auf natürlichem Weg, wenn auch völlig unerwartet, gestorben und hat einen paranoiden Neffen in eine missliche Lage gebracht.

Shanti ruft Doktor Guttmann an. Während es klingelt, setzen sich die Paketfrau und ihr Mann auf eine Bank im Schatten. Beide haben Bücher mit, sie lehnt ihren Kopf kurz an seine Schulter. Wahrscheinlich haben sie eine heiße Wohnung, wie Shanti.

Das ging aber schnell, sagt Guttmann und klingt erfreut. Shanti versteht nicht. Er hat ihr erst vor ein paar Minuten eine Nachricht geschickt. Während sie zu erklären beginnt, warum sie anruft, schaut sie auf dem Smartpad nach. Da steht: Falls Sie Lust haben, einmal nicht über Alter und Tod zu sprechen, … Dann eine Einladung zum Abendessen.

Sie unterbricht sich und sagt: Ihre Nachricht. Ich sehe sie gerade. Es tut mir leid, dass ich Sie schon wieder … Entschuldigung. Ich … würde übrigens sehr gern.

Na prima, sagt er und lacht. Aber first things first – fahren Sie fort.

Was Shanti bisher hat, ist viel zu wenig. Es gibt zig Gründe, warum eine fast Neunzigjährige zusammenbricht und nicht mehr aufsteht. Vielleicht nur ein Kreislaufproblem, kein Wunder bei diesen Temperaturen, und ein unglücklicher Sturz. Die Alten kriegen Blutverdünner und Antihypertensiva verschrieben, messen brav mehrmals täglich ihren Blutdruck und setzen nach einer Weile eigenmächtig die Medikamente ab. Es ging mir gut, und die Messwerte waren so lange in Ordnung, erklären sie einem verwundert, wenn sie dann noch etwas erklären können. Vom Reboundeffekt wissen sie nichts, auch nichts vom Ausschleichen. Sie machen allen möglichen Unsinn. Belehren ihre Ärzte oder halten sie für Scharlatane. Bis zum letzten Atemzug wollen sie kritische Konsumenten sein. Dabei verwechseln sie die Schachteln, vergessen ihre Medikamente und nehmen dann zur Sicherheit die dreifache Menge.

Es gibt Aortendissektionen, Aneurysmen, Thromben und so weiter. Das alles kann plötzlich geschehen. Früher war man an das Plötzliche wie an das Unveränderliche besser gewöhnt. Heute hängen Kameras in jedem Flur und Pieper um jeden Hals, deshalb erwischt man sie noch so oft in diesem unscharfen Bereich zwischen Leben und Tod. Dort hält man sie wochenlang fest. Zurück können sie nicht, nach vorne, in das Unbekannte, dürfen sie nicht. Dafür sorgen die Maschinen. So ein Sekundentod ist hierzulande schon fast ungewöhnlich.

Sie war noch gar nicht tot, sagt Shanti.

Das auch noch, sagt Guttmann.

Aber hier hat man noch zu wenig Anhaltspunkte. Sobald der Obduktionsbericht da ist, wird sie, sagt Guttmann, bestimmt klarer sehen.

Shanti hat das alles eigentlich selbst gewusst.

Vielleicht wollte ich Sie einfach anrufen, sagt sie und schaut zu, wie sich an ihrem Unterarm die Härchen aufstellen. Trotz Hitze. Sie verabreden sich für den nächsten Abend.

Ich bin neugierig, ob Sie Ihren Fall dann gelöst haben, sagt er zum Abschied.

Ich bin keine Detektivin, sagt Shanti.

Ich glaube doch, sagt er und legt auf.

Während sie den Regenschirm zusammenklappt, reicht unten die alte Frau ihrem Mann eine Wasserflasche. Shanti zieht den Sitzsack nach drinnen, legt ihn aber direkt hinter die Glasscheibe. Dort lässt sie sich im kühleren Dunkel nieder, mit dem Smartpad auf dem Schoß. Durch den handbreiten Spalt im Vorhang hat sie den Platz weiterhin gut im Blick. Die Arbeitslosen sind mehr geworden, ein paar Jüngere kicken mit einem gepunkteten Kinderball. Shanti glaubt, hinten in der Muthesiusstraße die Parksheriff-Blondine zu erkennen, die mit ihrer strengen Patrouille beginnt. Die Paketfrau küsst ihren Mann auf die Wange, dann rutscht sie von ihm weg, ans Ende der Bank, setzt sich quer in den Schneidersitz, einen Arm über der Lehne, und beginnt zu lesen.

Das Smartpad blinkt, Jan ruft an. Er klingt beinahe aufgeregt, denn er hat etwas gefunden: Auf weitverzweigten Wegen gehört oder gehörte der Betrieb, für den Glubkowski arbeitet, zum Fidelion-Konzern.

Shanti hört gespannt zu. Zwar war früher, vor dem Zusammenbruch, fast jede zweite Firma irgendwie mit Fidelion verbunden, entweder als Teil eines Subkonzerns oder als Zulieferer. Jedenfalls in bestimmten Branchen. Aber dass ausgerechnet ein Potsdamer Armaturenhersteller in die Malefikationen verwickelt sein könnte, das ist überraschend.

Jan, der Wirtschaftskrimis liebt, erklärt, dass von den veruntreuten Milliarden ein Bruchteil in der Region versickert sein soll. Mit Bruchteil ist eine dreistellige Millionensumme gemeint. Es habe vor Jahren eine Ermittlungsgruppe Berlin-Brandenburg gegeben, die aber wegen Erfolglosigkeit aufgelöst wurde. Man habe damals vermutet, dass die Ermittler massiv bestochen worden seien. Mit einem Bruchteil vom Bruchteil sozusagen. Während sie sprechen, schickt Jan ihr ein skizziertes Organigramm auf ihr Smartpad. Für Shanti sieht es wirr aus, aber wenn Jan glaubt, dass ausgerechnet Glubkowski als Prokurist einer Wasserhahnfirma ein Schlüssel zu diesem Fall sein könnte, nimmt sie das ernst.

Zwei, drei Fragen, schlägt Jan vor, solle sie Glubkowski

beim nächsten Anruf stellen. Dann wären folgende Dinge sofort geklärt: ob er bereit ist, zu kooperieren, oder ob er etwas anderes im Schilde führt. Ob er tatsächlich Grund hat zu vermuten, dass er mit Tante Mias Tod erpresst oder zum Schweigen gebracht werden soll. Ob er also zumindest ein Mitwisser ist.

Unglaublich spannend, jauchzt Jan. Wenn da etwas dran ist, kriegst du den Pulitzer-Preis.

Den kriegst natürlich du, sagt Shanti und notiert sich Jans Fragen. Die Firmen- und Personennamen lässt sie sich zur Sicherheit buchstabieren.

Sie verschweigt, dass Glubkowski sich längst hätte melden müssen. Wahrscheinlich haben sie ihn, oder er ist verrückt und hat sich irgendwo runtergestürzt. Wahrscheinlich war seine Aufregung wirklich zu groß, jedenfalls als Begründung für eine tote Neunzigjährige. Sie verschweigt, dass die Polizei den Zusammenhang erkannt haben könnte. Warum sonst wäre Karimi erst so aggressiv und danach so ungewöhnlich kooperativ gewesen?

Während Jan sich eine Zukunft als hochgefährdeter investigativer Rechtsanwalt ausmalt, der den Fidelion-Filz durchdringt, rutscht dem Mann auf der Parkbank das Buch vom Schoß. Er hebt es nicht auf, sondern streckt einen Arm seitlich aus, in Richtung seiner Frau. Wahrscheinlich kann er sich nicht mehr so gut bücken und bittet daher sie.

Shanti verspricht, sich zu melden, sobald sie erste Antworten von diesem Kevin hat.

Und noch was, Shanti, sagt Jan zum Schluss, ist dein Sicherheitsprofil aktuell überprüft worden? Welche Software benutzt du? Hast du einen hinreichend neuen und großen Shield gegen Anrufrückverfolgung? Ich meine, dieser Kevin hat sich irgendwie deine Nummer besorgt, oder nicht? Entweder findest du schnell die Quelle oder du brauchst eine neue Nummer, am besten beides.

Shanti nickt. Der Mann auf der Bank streckt immer noch die Hand nach seiner Frau aus, ohne sie zu erreichen. Er wedelt mit den Fingern, aber sie bemerkt ihn nicht. Warum spricht er sie nicht an?

Shanti?!

Ja, sagt Shanti, ich habe dir zugehört. Der Einzige, von dem Glubkowski die Nummer haben kann, bist du.

Wieso ich, fragt Jan amüsiert.

Sie spielen oft dieses Spiel, alle Möglichkeiten in Betracht ziehen, auch die unwahrscheinlichsten.

Angenommen, deine neue Freundin Maja Sackbauer hat letzte Nacht doch Dienst gehabt, sagt Shanti, angenommen, sie kennt Kevin Glubkowski, was weiß ich, woher, und glaubt ihm. Du hast ihr bestimmt von mir erzählt. Also bittet sie dich um meine Nummer. Oder sie schaut in deinem Smartpad nach …

Mein Smartpad ist gesichert, unterbricht Jan, so wie bei jedem vernünftigen Menschen.

Okay, sagt Shanti, also bittet sie dich darum. Sie sagt, es ist ein Notfall, ein guter Freund, ein Mensch in einer Notlage, und nur diese Shanti kann helfen. Jan, bitte, vertrau mir, es ist wichtig, sagt sie und versucht Majas kompetentblonden Tonfall nachzuahmen.

Voilà, sagt Jan, nicht unplausibel, als These. Nur war es so nicht. Denn ehrlich gesagt erzähle ich nicht jeder Frau beim ersten Rendezvous gleich von dir.

War Fidelion über die Zelos-Kliniken nicht auch am Rettungswesen beteiligt, fragt Shanti, zumindest für kurze Zeit? Jan, wie alt ist diese Maja Sackbauer?!

Shanti, hör auf, sagt Jan und lacht, sonst krieg ich paranoide Beklemmungen.

Wie alt ist sie, wiederholt Shanti.

So alt wie ich, sagt Jan.

Das ist zwar knapp, würde aber reichen, neckt Shanti. Und wenn sie sich wegen schwerer Verliebtheit oder einer sinistren Agenda zwei, drei Jahre jünger gemacht hat, dann reicht es erst recht.

Nachdem sie aufgelegt hat, steht sie auf und streckt sich.

Der Mann auf der Parkbank hat sein Buch nicht aufgehoben und ist eingeschlafen. Das Kinn ist ihm zur Brust gesunken, die Arme hängen herunter. Seine Frau, mit dem Rücken zu ihm, liest und wackelt mit den Zehen. Die Arbeitslosen spielen noch immer Fußball, trotz der Hitze. Die Sheriff-Dame ist verschwunden, Shanti vermutet schon lange, dass sie zwischendurch heimlich einen heben geht. Sonst sind die Beschimpfungen der Falschparker wohl nicht zu ertragen.

Shanti hebt ihr Smartpad, schaltet die Kamera ein und zoomt auf die Parkbank. Der Mann schläft, die Frau liest. Das Buch liegt vor seinen Füßen auf dem Kiesweg.

Shanti beschließt, die Mailbox der alten Nummer abzuhören. Das hat sie heute noch nicht gemacht, wahrscheinlich hat sich wieder einiges angesammelt.

Sie gibt den Code ein und schaut durch die Scheibe nach draußen. Die Luft flirrt. Die ersten drei Nachrichten löscht sie nach wenigen Sekunden, allein aufgrund des Tonfalls. Dann ist einer ihrer Informanten darauf, er bittet um Rückruf. Das ist von gestern Nacht. Eine Frau behauptet, sie sei von der niederländischen Organisation Dysis und lade sie herzlich zu einem informellen Gespräch mit der Geschäftsführung ein, Erstattung der Reisekosten und ein exquisites Hotel seien selbstverständlich. Sie notiert die Nummer, obwohl es bestimmt keinen Sinn hat, mit denen zu reden. Worüber auch?

Als Nächstes: Kevin. Shanti traut ihren Ohren nicht. Wieso ruft er jetzt auf dieser Nummer an? Wo stecken Sie, verdammt, schimpft er, ich versuche es in ein paar Minuten wieder. Heute, elf Uhr drei, sagt die Automatenstimme.

Dann noch einmal er. Hören Sie, ich bin am Hauptbahnhof in der Parkgarage, Ebene C. Ich sitze hinter einem Auto – bitteres Gelächter –, hier ist es wenigstens ruhig und kühl, ich hoffe bloß, der Besitzer dieses schicken BMW ist mit dem Zug ans andere Ende der Republik unterwegs. Wenn Sie jetzt nicht mehr mit mir sprechen, dann weiß ich nicht mehr... Heute, zwölf Uhr dreiundzwanzig.

Shanti drückt im Menü herum. Diese Nummer ist schon so lange direkt auf Mailbox umgeleitet, dass sie einen Moment lang nicht weiß, wie man das wieder rückgängig macht. Als sie es gefunden hat, schaltet sie sogar den Ton ein. Komm, ruf an, sagt sie, ruf an, verdammt, aber Kevin gehorcht nicht.

Eine halbe Stunde, entscheidet Shanti, wenn er in einer halben Stunde nicht anruft, dann wird sie Karimi zum Hauptbahnhof schicken, Parkgarage, Ebene C. Sie schüttelt das Smartpad, aber das ändert nichts.

Sie öffnet die Terrassentür einen Spalt und zwängt sich hinaus. Den Vorhang zieht sie, so gut es geht, hinter sich zu. Die Temperatur ist wie ein Schlag ins Gesicht. Die grauen Platten sind fast zu heiß für ihre bloßen Füße. Trotzdem trippelt sie bis ans Geländer vor und schaut auf die lesende Frau. Die Paketfrau. Die Eierfrau? Ein paar Haarsträhnen haben sich aus ihrer Hochsteckfrisur gelöst und hängen ihr ins Gesicht. Und dann blickt sie zufällig auf.

Shanti beginnt hektisch zu winken. Die Frau schaut, zögert und winkt einmal zurück. Shanti macht mit ihrem

Zeigefinger die ›Hinter-Ihnen‹-Bewegung, Kreise im Uhrzeigersinn. Die Frau hebt die Schultern, zum Zeichen, dass sie nicht versteht. Shanti dreht sich um, um anzuzeigen, dass sich die Frau auch mal umdrehen möge, aber als sie wieder hinschaut, hat sie sich aufs Neue in ihr Buch versenkt.

Das Smartpad beginnt zu schnarren. Shanti flüchtet in die Wohnung, in die Dunkelheit und Kühle, zu ihrem Schreibtisch, auf dem Jans Fragen liegen.

Es ist tatsächlich Kevin. Sie sagt barsch, dass er, um keine Zeit zu verlieren, einfach ihre Fragen beantworten solle, eine nach der anderen. Wenn er dazu nicht bereit sei, würde sie gleich auflegen.

Er ist noch in der Parkgarage, jetzt auf einer Toilette. Tante Mia will er aus Sympathie zu sich genommen haben, sie sei die Einzige aus der Familie seiner Frau gewesen, die nach der Scheidung Kontakt gehalten habe. Sie habe ein paarmal ermöglicht, dass er zumindest aus der Ferne seine Kinder sehen konnte. Als seine Ex dahintergekommen sei, habe sie mit ihrer Tante gebrochen.

Immer dieselben Geschichten, denkt Shanti, als ob die Menschen immer mehr Hass akkumulieren, je differenzierter ihre Rechtsprechung wird. Ihr eigener Vater ist damals grußlos verschwunden, und ihre Mutter hat sich nicht die Mühe gemacht, ihn suchen zu lassen, weder vom Finanz- noch vom Jugendamt. Das war nicht schön, aber irgendwie einfacher.

Die Frau auf der Parkbank klappt ihr Buch zu, streckt sich und dreht sich um. Sie betrachtet ihren Mann einen Moment lang, dann springt sie auf und rüttelt ihn an den Schultern. Er schlackert wie eine schwere Puppe.

Shanti schließt die Augen und wendet sich ab.

Und jetzt, Herr Glubkowski, noch Folgendes.

Sie verpackt das, was sie an Jans Informationen zu verstehen glaubt, in knappe Fragen, die für ihn hoffentlich so klingen, als wüsste sie viel mehr und wollte ihn nur testen. Dabei ist es genau umgekehrt. Wie wenig es zur Täuschung braucht, und wie selten man selbst daran denkt, während man getäuscht wird.

Erst ist es still, fast als hätte Kevin vor Schreck aufgelegt. Dann sagt er, kaum noch hörbar: Ich habe keine Ahnung, wovon Sie reden. Aber wahrscheinlich wäre es für mich besser, wenn ich es wüsste?

Dann ist wieder Pause. Shanti denkt nach. Jemand, der ziemlich sicher kein Wirtschaftskrimineller, sondern nur ein Mitwisser ist und gerade ein paar Stunden hinter einem Auto gekauert hat, müsste weichgekocht sein. Entweder ist er sehr abgebrüht oder er sagt die Wahrheit. Sicher ist nur: Es lässt sich nicht sofort klären.

Gut, sagt sie freundlich, lassen wir das.

Per Smartpad schreibt sie an Jan: Nicht unser Mann, wie es scheint.

Können Sie mich holen kommen, fragt Glubkowski kleinlaut, ich habe Angst.

Passen Sie auf, sagt Shanti, Sie bleiben jetzt, wo Sie sind, okay? Ich schicke Ihnen einen Beamten namens Karimi, den kenne ich gut, und ich vertraue ihm.

Besorgen Sie mir einen Anwalt, fragt Kevin.

Mach ich, verspricht Shanti. Gibt es nur eine Toilette auf Ebene C? Ach was, Karimi findet Sie schon.

Um nicht wieder aus dem Fenster schauen zu müssen, geht sie ins Bad und verständigt Karimi. Die Sirenen draußen auf dem Platz hört sie trotzdem. Es waren ein paar Minuten, mehr nicht, doch die können entscheidend gewesen sein. Sie war beschäftigt. Sie hat jemand anderem geholfen, das steht außer Frage. Und außerdem hat sie es versucht. Sie hat ihr gewinkt. Er hätte wirklich schlafen können. Aber die lesende Frau wird vermutlich den Rest ihres Lebens daran denken. Warum sie nicht gerufen hat. Warum sie zurück ins Zimmer gegangen ist, anstatt so lange zu rufen und zu winken, bis auch der Letzte kapiert hätte, dass er sich umdrehen soll.

Sie fühlt sich immer für alles verantwortlich. Sie schiebt das ihrem Vater in die Schuhe, der einfach abgehauen ist. Sie ist die älteste von vier Töchtern und fühlt sich seither für alles verantwortlich. Sie möchte superschlau sein, allerdings – das gibt sie wenigstens vor sich selbst zu – nützt die ganze Schlauheit nichts, wenn man so ungern unter Menschen geht. Wenn man zunehmend Angst hat vor Plätzen und vor Menschenmengen, vor U-Bahn-Schächten und Aufzügen. Manchmal, nicht immer. Aber hier liegt der Fehler. Sie hätte hinunterrennen müssen.

Über die Haussprechanlage ruft sie den Concierge. Er möge sich bitte heraufbemühen, sie habe ein Kleid für die Reinigung. Sie steht vor dem Schrank und kann sich nicht entscheiden. Sie nimmt die in Frage kommenden Kleider heraus, ein auffälliges rotes, das ihren Typ betont, und ein schlichtes graues. Das graue war teurer, hat aber deutlich weniger Orientfaktor. Sie wird also erst morgen entscheiden, wie sie Lennart Guttmann gegenübertreten möchte, als Märchen oder als Intellektuelle.

Als sie dem Concierge die Kleider übergibt, macht er sie darauf aufmerksam, dass hinter ihr das Smartpad blinkt.

Es ist Jan. Es war ein Hühnerknochen, sagt er.

Ein Hühnerknochen, fragt Shanti, wovon redest du?

Na, in Tante Mias Luftröhre, sagt Jan aufgeräumt, ich hoffe, du bist nicht gerade beim Essen. Ein winzig kleiner Splitter eines Hühnerknöchelchens, wahrscheinlich beim

Sturz da hineingeraten. Sehr unerfreulich für die Dame. Da hätte nur ein beherzter Schnitt geholfen. Sie ist langsam erstickt.

Hallo, Shanti, fragt Jan, bist du noch da?

Ja, sagt sie, und das hast du vermutlich von Maja?

Kein Kommentar, sagt er gutgelaunt. Übrigens ist Maja so alt, wie sie sagt. Im alten Web gibt's noch Artikel aus ihrer Abiturzeitschrift.

Später spricht sie mit ihrer Mutter und mit ihrer jüngsten Schwester, die im vierten Monat ist und berichtet, dass ihr zum ersten Mal seit Wochen nicht schlecht ist. Shanti erzählt ihnen nichts von ihrem Tag.

Über das Young-Leader-Netzwerk haben sich zwei Mitglieder gemeldet, angeblich gibt es mehrere aktenkundige Vorfälle aus dem ›Resort Kirschblüte‹, jedoch keinen mit Todesfolge. Dreimal Grobheit, einmal Verdacht auf Quälerei. Ein Lokaljournalist namens Gräven könne da weiterhelfen. Sie bedankt sich herzlich und verrät nicht, dass sie die Spuren nicht weiterverfolgen wird.

Sie sieht sich drei Folgen der neuen Serie an, in der es um Industriespionage auf Ölplattformen geht. Die kessen Ingenieurinnen sind übertrieben smart und schlagkräftig, trotzdem ertappt sie sich dabei, so sein zu wollen wie sie.

Karimis Rückruf lässt auf sich warten. Shanti versucht es schließlich selbst. Als sie ihn nicht erreicht, ruft sie in der Zentrale an. Zweimal fliegt sie aus der Leitung, beim dritten Mal wird sie von einer Sekretärin angemeckert: Ich darf Ihnen seine direkte Nummer nicht geben.

Ich habe seine direkte Nummer seit hundert Jahren, schnauzt Shanti, er hebt nur nicht ab.

Es ist Abend, als er sich meldet. Er klingt erschöpft und beschwert sich, dass er noch ein paar andere Sachen zu erledigen hatte, ob ihr Newsticker abgeschaltet ist? Immerhin haben sie Glubkowski, obwohl er psychisch in schlechter Verfassung ist. Er hat ein Beruhigungsmittel bekommen und schläft.

Der Typ ist vermutlich ein Fall für den Psychologen und nicht für uns, knurrt Karimi, also geben Sie jetzt auch einmal Ruhe.

Danke, sagt Shanti, die sich über das *uns* freut: Und seien Sie vorsichtig beim Huhn.

Diese Anspielung versteht er nicht, noch nicht, aber morgen früh wird er wieder über sie staunen.

Nachdem sie aufgelegt hat, geht sie nach vorn ans Fenster und zieht die Vorhänge ganz auf. Es ist ein Gefühl, wie sich nackt zu machen, dabei ist jedes Gegenüber weit weg. Sie schiebt die Terrassentür bis zum Anschlag auf, sie öffnet das kleine Fenster im Bad, sie fixiert die Badezimmertür mit einem dieser bunten Keile, die jeder schon einmal von dem Baumarkt mit dem japanischen Namen geschenkt bekommen hat, und lässt kräftig durchziehen. Der Platz unten ist leer.

No man is an island, entire of itself.
Every man is a piece of the continent, a part of the main.

– John Donne –

13 Liebe Mama,
da wir anders offenbar nicht weiterkommen: Lass es uns zur Abwechslung schriftlich versuchen, so wie früher, wenn ich dir so auf die Nerven ging, dass du mich die ganzen Ferien zu Tante Christiane schicktest. Du weißt ja, der eine wägt seine Worte besser, und der andere kann in Ruhe zuhören und ruft nicht dauernd dazwischen (obwohl du, wie ich dich kenne, bestimmt trotzdem aufspringen und dazwischenrufen wirst, zumindest innerlich). Außerdem scheint es Dinge zu geben, die sich leichter schreiben lassen als sagen.

Beginnen wir mit dem Vordringlichsten, das sich, so hoffe ich, am schnellsten aus dem Weg räumen lässt: Nora entschuldigt sich, nachdem sich der Kampfesstaub gelegt hat, ohne Wenn und Aber; es war ungerecht und übertrieben, was sie gesagt hat, und es tut ihr furchtbar leid. Sie wird dir natürlich selbst schreiben, aber ich darf dir das ja schon ankündigen.

Ohne dass ich davon irgendetwas zurücknehmen will, möchte ich dich trotzdem daran erinnern, dass solche Konflikte menschlich sind, weil sie immerhin zeigen, dass wir lebendig, oder, mit deinen Worten, keine »austherapierten Golems« sind. Gerade du warst immer gut darin, eine temperamentvolle Brüllerei auf ihren Kern herunterzukochen. Ich bilde mir ein, von dir gelernt zu haben, dass alles Getöse nur Beiwerk ist, dass man es wegblenden und schnell vergessen sollte, damit man erkennt, worum es in Wahrheit geht. Dass umgekehrt manche Leute mit ihrem geräuschvollen Aufbrausen nur Leere überdecken, oder strotzende Dummheit. Wie oft hast du die deutschen Harmoniesüchtigen verspottet, die beim ersten lauten Ton in die Knie gehen? Wie oft hast du behauptet, dass man, wenn überhaupt irgendetwas, das Streiten von den Juden lernen sollte?

Und jetzt willst ausgerechnet du eine Grenze markieren, die nicht hätte überschritten werden dürfen! Das fühlt sich an, als würdest du rückwirkend die Spielregeln ändern. Ich kann das schon deshalb nicht zulassen, weil es meine positivsten Erfahrungen mit Papa und dir zu dementieren scheint, Großzügigkeit, Toleranz, die Fähigkeit, einmal fünfe grade sein lassen.

Ja, natürlich verweisen Auseinandersetzungen, die persönlich werden, immer auch auf etwas anderes (siehst du, wir haben so viel miteinander diskutiert, dass ich deine Entgegnungen geradezu hören kann). Zumindest verweisen sie auf uneingestandene Aggressionen.

Aber das solltest du nicht überbewerten. Deine bittere Bilanz, dass man dir endlich die Wahrheit gesagt habe, ist, verzeih das offene Wort, so eine Deckel-drauf-Beleidigtheit. Wie früher Violas geknallte Türen.

Du kannst nicht im Ernst glauben, dass Nora sich jahrelang verstellt und verbogen hat, um ausgerechnet bei diesem zufälligen Anlass mit irgendeiner Wahrheit herauszuplatzen! Was soll denn das überhaupt sein, die Wahrheit?

Man könnte das Ganze genauso gut umkehren und sagen: Vielleicht hast du bloß auf ein Stichwort gewartet, das dir die Möglichkeit gab, die Kommunikation abzubrechen und wegzurennen.

Womit wir beim Thema wären. Ich mache mir nämlich Sorgen um dich. Ich weiß, das ist per se eine heikle Sache. Die Sorgenmacherei ist vorwiegend als Einbahnstraße gedacht, von den Eltern in Richtung Kind. Wenn sie sich umkehrt, fühlt man sich wahrscheinlich mit einem Schlag alt. Heute ist es mir unvorstellbar, dass Fanny eines Tages sagen könnte, sie mache sich Sorgen um mich, aber ich kann sie mir, da sie sich von uns noch gemütlich den Hintern abputzen lässt, ja nicht einmal als Erwachsene vorstellen.

Trotzdem: Ich mache mir Sorgen. Warum? Weil ich seit Papas Tod gar nicht mehr weiß, wie es dir eigentlich geht. Du warst immer eine starke Frau – oh ja, ich weiß, wie sehr du diese Phrase hasst! –, aber deine Unerschütterlichkeit kommt mir inzwischen unheimlich vor. Natürlich haben wir uns alle vor deinem Schmerz gefürchtet, denn niemand hat sich Baucis ohne Philemon vorstellen können. Als der Zusammenbruch nicht kam, haben wir uns wahrscheinlich noch mehr gefürchtet. Ich habe geglaubt, je länger es dauert, bis es richtig bei dir ankommt, desto schlimmer würde es werden. Papa selbst hat einmal – den Kontext habe ich leider vergessen – über dich gesagt, dass du, wenn überhaupt, in Zeitlupe zu Boden gehst, so langsam, dass man die Bewegung nach unten geradezu übersehen könnte. Ich habe das als eines seiner Wortspiele abgetan. Wie soll das gehen, fragte ich ihn, irgendwann liegt man doch da. Und er sagte, das meine ich eben, irgendwann liegt sie da, und keiner hat sie fallen sehen. Ich habe ihn gefragt, wann das schon einmal passiert sei, aber das wollte er mir nicht sagen. Früher, winkte er ab, lange vor deiner Geburt.

Jetzt ist es bald drei Jahre her, dass er nicht mehr bei uns ist, aber du, du wirkst wie am ersten Tag. Damals im Krankenhaus, in diesem Verabschiedungsraum oder wie die Kammer hieß, hast du so erstaunt geschaut und gleichzeitig irgendwie friedlich, so, als wärst du irgendwo anders. Bitte Mama, versteh mich jetzt um Himmels willen nicht wieder falsch. Genauso wenig, wie ich zu bestimmen habe, wo und wie du lebst, möchte ich dir vorschreiben, wie du zu trauern hast. Ich hatte nur mit etwas ganz anderem gerechnet, mit etwas – Wilderem. Ich kenne dich ja auch schon ein Weilchen.

Es heißt, die erste Zeit sei man wie betäubt. Ich selbst war betäubt, wir alle waren es wohl. Aber du hast so gut funktioniert, hast alles erledigt, alles organisiert, alle getröstet, mich wohl am meisten. Diesen Abend vor der Beerdigung, wir beide allein mit dem Lagerfeuer und dem Rotwein, den werde ich nie vergessen. Den werde ich *dir* nie vergessen.

Meiner Erinnerung nach hast du nie die Fassung verloren. Aber inzwischen kommt mir das komisch vor, dass du bis heute nicht damit aufgehört hast, so gut zu funktionieren.

Ich würde dir das alles nicht schreiben – und es ist bestimmt eine Zumutung –, wenn ich nicht davon überzeugt wäre, dass hier die Wurzel für unseren Streit liegt. Weil wir darüber noch nie geredet haben, über die Trauer und den Abschied, und wie es für dich ist, allein zu sein. Oder allgemeiner gesprochen: weil du in dieser Hinsicht nicht ehrlich mit mir bist. Du hast mir ja nicht einmal erzählt, wie Papa gestorben ist. Wie du das erlebt hast. Was eigentlich deine letzten Erinnerungen an ihn sind.

Mein Eindruck ist: Du hast dich die ganze Zeit zusammengerissen, mit einer immensen Kraftanstrengung. Ich weiß nicht, warum du das getan hast, für mich, Emmy und Viola, für dich selbst, oder im Namen irgendeiner Konvention. Vielleicht ist dieser Eindruck falsch. Aber du schienst mir, trotz deiner demonstrativen Beschwingtheit, gleichzeitig so vorsichtig ... Als würdest du sehr gut auf etwas aufpassen, das nicht außer Kontrolle geraten darf.

Und jetzt schlägt es ins Gegenteil um. Zuerst warst du so unerwartet ruhig und abgeklärt, jetzt kommst du mit einer weitreichenden, irgendwie lauten, irgendwie absolut unvernünftigen Entscheidung.

Mama, du *musst* doch verstehen, dass ich dich nicht einfach so, unkommentiert, ungefragt, ungerührt, wegziehen lassen kann von uns allen, von deinen Freunden, Kindern und Enkeln, von deinem ganzen Leben, wie du es mit Papa gehabt hast. Vor allem nicht, da du mir bisher nicht einen vernünftigen Grund dafür nennen konntest. Alles willst du aufgeben, um in einer Stadt, in der du inzwischen mehr Tote als Lebende kennst, noch einmal neu anzufangen? In deinem Alter? Ich begreife nicht im Mindesten, was du dort willst, was du suchst oder erhoffst. Deine sogenannte österreichische Identität ist längst nichts anderes mehr als Folklore, meinetwegen Nostalgie. Außer deinem Tonfall ist rein gar nichts mehr an dir österreichisch. Du hast mehr als dein halbes Leben hier verbracht; wenn du die Kindheit abziehst, wird der Wiener Anteil noch geringer.

Und deshalb – weil ich es so fundamental nicht begreife – kommt es mir falsch vor, irgendwie verdächtig. So, als würdest du flüchten, vor einem Ort oder den Erinnerungen, oder als würdest du dir eine andere, schwere Aufgabe stellen, um dich von der einen, die du allein nicht bewältigst, abzulenken.

Wie gesagt, das alles sind nur Vermutungen, Gedanken, die ich mir mache, weil ich spüre, dass hier irgendetwas nicht stimmt. Und nur deshalb – und dafür entschuldige ich mich von Herzen – bin ich so polemisch geworden, als du neulich wieder die Rede auf deinen Umzug lenktest.

Ich würde so einen weitreichenden Schritt – den ich dann eines Tages auch Fanny erklären müsste – wirklich gern verstehen, um ihn mittragen zu können. Ich finde, das sollte dir, bei allem Beharren auf deiner Souveränität, schon zu denken geben: dass ich, als dein Sohn, dich plötzlich vollkommen unverständlich finde.

Bitte versuch es mir zu erklären, auch wenn die Möglichkeit bestehen bleibt, dass ich es trotzdem nicht kapiere. Aber wenn ich das Gefühl bekäme, dass du es nicht aus mutwilligen oder destruktiven Gründen machst, dann – das musst du doch wissen! – wäre ich der Erste, der dich oft und gern in Wien besuchen käme.

Wenn hingegen ich recht habe mit meinen Zweifeln, wenn meine Rolle vielleicht genau darin besteht, deine eigenen Zweifel zu formulieren, dann finden wir bestimmt gemeinsam einen Weg, wie es dir möglich sein könnte, in unserer Nähe zu bleiben. Vielleicht brauchst du in Berlin eine andere Wohnung? Oder du brauchst irgendetwas anderes, keine Ahnung, was das sein könnte. Man sollte sich aber die Zeit nehmen, das in Ruhe herauszufinden. Bitte überstürze nichts. Bitte sag diesem Makler ab – wenn es wirklich sein soll, findest du eine andere nette Wohnung. Lass uns auf jeden Fall wieder miteinander ins Gespräch kommen, vielleicht erst einmal nur uns beide, ohne Nora oder Viola oder sonst wen. Machen wir ein Feuer und reißen wir eine Flasche Rotwein auf. Oder zwei, höre ich dich sagen. Genau, Mama: oder zwei.

In Liebe
Dein Amos

*

Subject: Fanny

Mama, zehn Minuten, nachdem wir aufgelegt hatten, kam Nora mit ihr nach Hause, und stell dir vor: Es ist eindeutig NICHT das Pfeiffer'sche Drüsenfieber, sondern irgendein anderer Virus. Gott sei Dank! Die Ärztin ist optimistisch, dass es schnell besser wird. Sie schläft jetzt relativ ruhig. Aber vorher hat sie mir etwas erzählt, das ich nicht verstanden habe. Es ging um etwas, das du ihr angeblich versprochen hast, wenn wir das nächste Mal nach Wien kommen. Wir verstanden leider beide nicht, was sie meint. Nora ließ es sie mehrmals wiederholen, aber du kennst sie, sie wird dann schnell wütend. Es ist ihr unbegreiflich, dass wir sie nicht verstehen, weil sie ja überzeugt ist, dass sie makellos spricht. Also: Nora versteht ungefähr »Kugelmugel«, ich habe eher das Gefühl, dass irgendetwas Englisches darin steckt, »Cool-irgendwas«. Ich bin sicher, du weißt sofort, worum es geht. Bitte schreib mir schnell zurück, dann kann ich ihr morgen sagen, dass die Oma es schon hat oder gerade besorgt, was weiß ich, und bestimmt freut sie sich und wird dann schneller gesund.

–

Gerade hab ich versucht, dich noch einmal anzurufen, aber du hebst nicht ab. Wahrscheinlich schläfst du schon, oder gehst du neuerdings abends noch aus?

hugs & kisses,
amos.

*

Re: Re: Subject: Fanny

Nein, Mama, daran kann ich mich überhaupt nicht erinnern! Ich erinnere mich auch nicht daran, dass ihr es mir je erzählt habt. Ich finde das unglaublich! Wenn Fanny sagen würde, ich kann nicht mehr laufen, keinen Schritt, und auf allen vieren angekrochen käme – den ganzen Morgen lang, sagst du? –, dann würden wir auf der Stelle den Notarzt rufen!

Dass ein so kleines Kind eine solche Einbildung entwickeln kann … Ich muss es ja wirklich geglaubt haben, oder? In dem Alter kann man sich doch nicht so verstellen? Oder könnte es irgendeine Anregung von außen gegeben haben, eine Geschichte mit einem Lahmen oder im Fernsehen jemand auf Krücken? Das wäre eine Erklärung … Aber dass ich nicht auf die Kindergartenfahrt gewollt habe … Ich dachte, ich hätte diese Fahrten gemocht, also das, was da als verschwommenes Bild ist, glimmt irgendwie positiv, nicht angstbesetzt. Rehe füttern und so. Während du solche Schuldgefühle hattest. Schon witzig, wenn man Jahre später erst das vollständige Bild hat.

Woran ich mich hingegen genau erinnere, ist, dass du mich einmal (oder öfter?) mit Fieber vom Kindergarten abgeholt und bis nach Hause getragen hast. Obwohl ich – und das hast du mir offenbar ununterbrochen gesagt – schon viel zu schwer für dich war. Ich erinnere mich, wie ein Sack über deiner Schulter zu hängen, regelmäßig mit Schwung auf die andere geworfen zu werden, und dass du mir versprochen hast, dass ich zu Hause in dein Bett darf. Das war damals das Größte, in dem riesigen Bett, die Tapete, die sich, wenn man lange genug draufstarrte, zu bewegen schien, und immer gab es Gummibärchen. Und manchmal hast du dich dazugelegt und bist neben mir eingeschlafen. Einmal sind wir aufgewacht, und du hast gesagt: Nanu, ist es immer noch hell? Oder schon wieder?

Aber da muss ich wahrscheinlich älter gewesen sein, denke ich gerade. Schlaf gut, Mama, bis bald, Grüße auch von Nora,

a.

*

Mamilein,
du hast recht, besondere Ereignisse erfordern andere Kommunikationsformen. »Gestelzt« finde ich Briefeschreiben eigentlich nicht, man tut es halt kaum noch, aber wenn, dann nimmt man sich Zeit dafür, mit der man sonst dauernd herumknausert. Das ist doch ganz schön. Ich habe mich jedenfalls über dein ausführliches Schreiben gefreut, das mich, wie du zu Recht angenommen hast, sehr überrascht hat. Ich hatte nicht die geringste Ahnung … (Manche Dinge kann man besser schreiben als sagen – das soll von mir sein? Kann mich gar nicht erinnern. Klingt wie eine Plattitüde.)

Also, was wollte ich jetzt sagen bzw. schreiben? Ich freue mich für dich. Ehrlich, ich freue mich sehr für dich, auch wenn es sich für mich bestimmt komisch anfühlen wird, wenn ich dich besuche, euch besuche, meine Güte, schau, es geht schon los.

Nein, Mama, ich finde es großartig. Ich kann mir gut vorstellen, dass du selbst viele Zweifel und Fragen gehabt hast, wie du andeutest, das ist alles nicht mehr so einfach wie für eine Jüngere. Aber du warst immer unerschrocken, hast dich neugierig in alles hineingestürzt, das war die allgemeine Meinung über dich. Als wir klein waren, war vielleicht nicht mehr so viel zum Hineinstürzen da, deshalb ist das eher, wie mir gerade klar wird, eine Beschreibung aus zweiter Hand. Obwohl sie mir so geläufig ist.

Jedenfalls, hineinstürzen: Warum solltest du das nicht ausprobieren? Man kann von jeder Vereinbarung wieder zurücktreten, oder nicht? Du musst ihn ja nicht gleich heiraten – obwohl, wenn du das irgendwann möchtest, weil es zum Beispiel mehr Sicherheit für später bietet, solltest du dir diesen Gedanken auch erlauben.

Jetzt schlucke ich doch. Na ja, man muss und wird sich an alles gewöhnen, und ich kenne ihn ja noch gar nicht. Ich hoffe, der Arme fürchtet sich nicht vor uns allen.

Du musst das gar nicht so betonen, denn ich kenne dich gut genug, um zu wissen, dass du dir alles gründlich überlegt hast. Bis auf das, was man »vorher eben nicht wissen kann«, wie du schreibst. So bleibt es aber spannend, nicht wahr? Die Idee mit den beiden Wohnungen nebeneinander gefällt mir weniger, das klingt nach angezogener Handbremse. Ich meine, wenn ihr beschlossen habt, zusammenzuwohnen, dann müsste sich das doch innerhalb einer, dafür größeren und wahrscheinlich billigeren Wohnung ebenfalls organisieren lassen? Und umgekehrt: Wenn es nicht klappt, verwandelt ihr euch zurück in grantig grüßende Nachbarn?

Aber du wirst ja wissen, wie es sich richtig anfühlt. Liegen die Wohnungen wenigstens so, dass ihr sie eventuell später zusammenlegen könnt?

Nachdem ich deinen Brief gelesen habe, habe ich übrigens den anderen Brief herausgesucht, den du mir mal zum Geburtstag geschrieben hast, nein, gegeben hast, du weißt, den du VOR meiner Geburt für meinen zwanzigsten Geburtstag vor-geschrieben hast.

»In zwanzig Jahren haben wir beide miteinander dann wahrscheinlich alle Gefühle durch, die man als Mutter und Kind so empfinden kann«, hast du damals geschrieben, und ich finde es brillant, dass du einmal nachweislich unrecht hattest. Denn du siehst, es gibt immer wieder neue Aspekte, weil sich die Wendungen des Lebens eben nicht vorhersagen lassen.

Zum Schluss möchte ich das gestelzte Medium Brief nun meinerseits nutzen, um dir, traraa!, ebenfalls eine bedeutende familienpolitische Neuigkeit mitzuteilen: Fanny bekommt voraussichtlich Anfang Juli ein Geschwisterchen (»endlich«, sagt Mademoiselle, und verteilt damit also Zensuren). Was sagst du dazu? Neue Mitbewohner allerorten!

Freundliche und neugierige Grüße an deinen bereits Vorhandenen – aber wenn er nicht nett zu dir ist, schmeiß ich ihn eigenhändig raus! –, und bis bald auf den normalen Kanälen,

Bussi, Dein Amos

*

Subject: Re: Re: Nelson

Mama, ich habe Ms Rear heute Nachmittag einfach angerufen, und es ist genauso, wie ich vermutet habe: Sie hat nicht lange herumgesucht oder sich gar etwas Besonderes dabei gedacht, sondern ist ziemlich schnell auf die Seite mit unserer Nahost-Initiative gestoßen. Dort steht bekanntlich, dass ich dein Sohn bin, und es gibt einen Link zur Firma, wo man dann wiederum leicht meine Adresse findet. Also hat sie diesen Weg als Erstes versucht. Ohne Hintergedanken. Wenn deine Adresse dort gestanden hätte, hätte sie dich direkt angeschrieben. No bad feelings, Mama, okay? Niemand denkt, dass du dement bist.

Zufällig sind wir nächste Woche beide in London und haben deshalb vereinbart, dass wir uns kurz treffen und sie mir das Kuvert persönlich aushändigt. Ich habe genauso wenig Ahnung wie du, was drin sein könnte, aber gibst du mir vorher ein paar Anhaltspunkte, woher du diesen Nelson eigentlich kanntest? Ich vermute, ihr habt in der Agentur mal etwas mit ihm gemacht, bei euren berühmten Weltverbesserungskampagnen.

ICH finde das Ganze sogar sehr nett von Ms Rear. Ich meine, nicht jeder würde sich wegen eines einzelnen Umschlags die Mühe machen, oder? Das Archiv ihrer Großmutter, die eine bekannte Literaturagentin gewesen sein soll, scheint riesig zu sein … Sobald ich das Ding habe, kann ich es dir per Overnight schicken, aber ich nehme an, es reicht, wenn ich es nächsten Monat mitbringe?

Ich hoffe, es geht dir gut.

Sei umarmt,

Dein Sohn

PS: Und damit das nicht hinter den verstaubten Kuverts irgendwelcher Leute untergeht: Ich freue mich schon sehr, dich zu sehen! Ich bin gespannt auf die neue Wohnung in der »Jugendstilvilla«, obwohl ich dich an dieser Stelle noch einmal daran erinnern möchte, wie sehr du Sievering früher verabscheut hast: »Die Leopoldstadt, wenn überhaupt, dann nur in die Leopoldstadt, aber bestimmt nicht hinauf in die Weinberge, wo die aufgeblasenen Bildungsbürger promenieren!«

Und ich bin sehr neugierig auf Herrn Goldflam – und gebe hiermit zu: Allein der Name nimmt einen für ihn ein.

… Gerade fragt mich Nora, ob ich finde, dass du dich im letzten Jahr verändert hast. Was für eine Frage! Kann sich die eigene Mutter überhaupt für einen verändern? Verändert es andererseits nicht jeden ein bisschen, wenn er in eine andere (jetzt wollte ich beinahe schreiben: fremde) Stadt zieht und mit einem anderen Menschen zusammenlebt? Das sind so Fragen – wahrscheinlich, wie die meisten interessanten Fragen, nicht so umfassend zu beantworten, dass man am Ende zufrieden wäre.

Dank an meine Freunde für offene Ohren, Anteilnahme, Geduld, Zuspruch, Diskussion, Hilfe, Kritik und einigen für rettenden Unterschlupf – ohne euch wäre die ganze Mühe nur das halbe Vergnügen:

Mona Willi, Susanne Schneider, Judith Schalansky, Susanna Stern, Sibylle Weisensee-Meencke, Margit Knapp, Arpad Bondy, Regina Schilling, Helge Malchow, Joachim Otte, Michael Glawogger, Matthias Landwehr, Frank Heibert, Günter Kaindlstorfer, Pilar Croy, Peter Menasse und Tina Menasse.

Quellennachweis

1. Janet Frame, Dem neuen Sommer entgegen, übersetzt von Karen Nölle, C.H. Beck Verlag, München 2010
2. Max Frisch, Mein Name sei Gantenbein, Suhrkamp Verlag, Frankfurt/M. 1964
3. Georg Kreisler, Zu leise für mich; CD: »Allein wie eine Mutterseele«, erschienen bei Membran/Preiser Records
4. Robert Pfaller, Wofür es sich zu leben lohnt. Elemente materialistischer Philosophie, S. Fischer Verlag, Frankfurt/M. 2011
5. Martin Gayford, Mann mit blauem Schal, Ich saß für Lucian Freud, Ein Tagebuch, Piet Meyer Verlag, Bern 2011
6. Mark Twain, Tom Sawyer und Huckleberry Finn, übersetzt von Andreas Nohl, Carl Hanser Verlag, München 2010
8. Natalia Ginzburg, Die menschlichen Beziehungen. In: Nie sollst du mich befragen, Erzählungen, übersetzt von Maja Pflug, Verlag Klaus Wagenbach, Berlin 1991
   »Lua« von Bright Eyes; CD: »I'm Wide Awake, It's Morning«, Saddle Creek Records 2004
9. Robert Musil, Der Mann ohne Eigenschaften, Band 2, Rowohlt, Reinbek 1978
10. Siri Hustvedt, The Summer Without Men, Picador, New York 2011
11. Ruth Klüger, weiter leben. Eine Jugend, dtv, München 1997
12. Dan Shechtman, Interview mit ATS, über YouTube, ca. Min. 07:13 https://www.youtube.com/watch?v=EZRTzOMHQ4s

Jenny Erpenbeck

Aller Tage Abend

Roman

288 Seiten, Broschur
btb 74764

Wie lang wird das Leben des Kindes sein, das gerade geboren wird? Wer sind wir, wenn uns die Stunde schlägt?

Jenny Erpenbeck nimmt uns mit auf ihrer Reise durch die vielen Leben, die in einem Leben enthalten sein können. Von einer galizischen Kleinstadt um 1900 spannt sie dabei den Bogen über Wien und das stalinistische Moskau bis ins Berlin der Gegenwart. Meisterhaft und lebendig erzählt Erpenbeck, wie sich, was wir Schicksal nennen, als unfassbares Zusammenspiel von Kultur- und Zeitgeschichte, von familiären und persönlichen Verstrickungen erweist.

»Eine der kraftvollsten Stimmen der deutschsprachigen Gegenwartsliteratur.«
Stefana Sabin, NZZ am Sonntag

»Großartig!«
Welt am Sonntag